D1240058

*Collection « Sociologies au quotidien »*
dirigée par Michel Maffesoli

DÉJÀ PARUS :

Michel Maffesoli, *L'Ombre de Dionysos. Contribution à une sociologie de l'orgie* (2e éd. 1985).
Alain Medam, *L'Esprit au long cours. Pour une sociologie du voyage* (1982).
Mario Perniola, *L'Instant éternel, Bataille et la pensée de la marginalité* (1982).
Abraham Moles, Elisabeth Rohmer, *Labyrinthes du vécu. L'Espace : matière d'actions.* Préface de Gilbert Durand (1982).
Michel Marié, en collaboration avec Christian Tamisier, *Un territoire sans nom. Pour une approche des sociétés locales* (1982).
Maurizio Catani, Suzanne Mazé, *Tante Suzanne. Une histoire de vie sociale.* Préface de Louis-Vincent Thomas (1982).
Irène Pennacchioni, *La Nostalgie en images. Une sociologie du récit dessiné.* Préface de Pierre Naville (1982).
Franco Ferrarotti, *Histoire et histoires de vie. La méthode biographique dans les sciences sociales.* Préface de Georges Balandier (1983).
Renaud Dulong, *L'Autodéfense. Enquête sur quelques faits indécidables* (1983).
B. Glowczewski, J.F. Matteudi, V. Carrère-Leconte, M. Viré, *La cité des cataphiles.* Préface de Félix Guattari (1983).
Kaj Noschis, *Signification affective du quartier* (1984).
L.-V. Thomas, *Fantasmes au quotidien* (1984).
Patrick Tacussel, *L'attraction sociale. Le dynamisme de l'Imaginaire dans la société monocéphale.* Préface de Raymond Ledrut (1984).
Michel Maffesoli, *Essais sur la violence banale et fondatrice* (1985).
David Le Breton, *Corps et Sociétés. Essai de sociologie et d'anthropologie du corps* (1985).
Michel Miranda, *La Société incertaine. Pour un imaginaire social contemporain* (1986).
M. Catani, P. Verney, *Se Ranger des voitures.* Préface de Paul Ricoeur (1986).

# LE TEMPS DES TRIBUS

Du même auteur

— *Logique de la domination,* P.U.F., 1976.
— *La violence totalitaire,* P.U.F., 1979.
— *La conquête du présent,* pour une sociologie de la vie quotidienne, P.U.F., 1979.
— *L'ombre de Dionysos,* contribution à une sociologie de l'orgie, Librairie des Méridiens (2e éd. 1985).
— *Essais sur la violence, banale et fondatrice,* Librairie des Méridiens, 1984.
— *La Connaissance ordinaire.* Précis de sociologie compréhensive, Librairie des Méridiens, 1985.

**En collaboration :**

— *La violence fondatrice* (1re éd. avec A. Pessin), éd. Champ Urbain, 1978.
— *Violence et transgression* (avec A. Bruston), éd. Anthropos, 1979.

**Sous la direction :**

— *La galaxie de l'imaginaire,* dérive autour de l'œuvre de Gilbert Durand, éd. Berg International, 1980.
— *Les Sociologies I* (avec G. Balandier)
T. 1 C.I.S., P.U.F., 1981;
T. 2 Recherches sociologiques, Louvain, 1981.
— *Une Anthropologie des Turbulences.* Hommage à Georges Balandier (avec C. Rivière), Berg éditeurs, Paris, 1985.

MICHEL MAFFESOLI

# LE TEMPS DES TRIBUS

*Le déclin de l'individualisme dans les sociétés de masse*

PARIS
MERIDIENS KLINCKSIECK
1988

ISBN 2-86563-190-7
ISSN 0750-9685

*Pour Raphaële,*
*Sarah-Marie, Emmanuelle*

# En guise d'introduction

## 1. *Quelques précautions d'usage*

Ambiance, voilà un terme qui reviendra souvent tout au long de ce livre ; aussi n'est-il peut-être pas inutile de dire en quelques mots, celle qui a présidé à son élaboration.

J'avais commencé un ouvrage précédent en me mettant sous le parrainage de Savonarole. C'est celui de Machiavel que j'invoquerai aujourd'hui, en faisant référence à ce qu'il appelle « la pensée de la place publique ». Pour ceux qui lisent, pour ceux qui savent lire, se poursuit ainsi une réflexion de longue haleine qui, au travers des notions de puissance, de socialité, de quotidien, d'imaginaire, entend être attentive à ce qui fonde en profondeur la vie courante de nos sociétés, en ce moment où s'achève l'ère Moderne. Les jalons maintenant posés permettent de mettre fermement le cap sur la *culture* que l'on doit comprendre dans le sens fort du terme, et qui est en train de prévaloir sur la procédure économico-politique. L'accent mis sur les divers rituels, la vie banale, la duplicité, les jeux de l'apparence, la sensibilité collective, le destin, en bref la thématique dionysiaque, s'il a pu prêter à sourire, ne manque d'être utilisé, de diverses manières, dans nombres d'analyses contemporaines. C'est normal, l'histoire de la pensée montre bien qu'à côté des mimétismes intellectuels ou des autolégitimations a priori, il y a des légitimités qui se construisent à l'usage. Certains gèrent un savoir capitalisé, d'autres, dans le sens étymologique du terme, « inventent », *i.e.* font ressortir ce qui est présent mais que nous avons quelque mal à discerner.

Il n'y a cependant pas lieu d'être triomphaliste. Ce discernement n'est pas chose aisée. Expression d'une prudence certes nécessaire, mais souvent par trop mortifère, l'esprit de sérieux règne en maître dans nos disciplines. Il est d'ailleurs intéressant de noter qu'il fait parfois bon ménage avec la désinvolture la plus prétentieuse. Y a-t-il d'ailleurs une grande différence entre ce que M. Weber appelait le « petit engrenage » d'une pensée technocratique et le « je-m'en-foutisme » qui réescompte avec profit ce que lui (ou d'autres) ont semé il y a longtemps ? En fait, ils se confortent l'un l'autre, et leur commun encensement par un public béat mérite attention. Faut-il dès lors, comme le font certains, vilipender une époque veule et quelque peu ignare ? Je ne tomberai pas dans cette facilité. Il est normal que d'aucuns jouent les fous du roi pour journalistes pressés. Après tout, cela fait aussi partie du donné social. Mais on peut également imaginer que certains aient d'autres ambitions : s'adresser à ceux qui ont envie de penser par eux-mêmes, et qui trouvent dans tel livre, telles analyses, une aide, un tremplin qui leur permettent d'épiphaniser leur propre pensée. Naïveté, prétention ? Le temps en la matière est juge. Et seuls quelques esprits avisés savent, de peu, l'anticiper.

On l'aura compris, c'est cela l'ambition de cet ouvrage : s'adresser mystérieusement, sans fausse simplicité ni inutile complication à la communauté d'esprits qui, hors des chapelles, des coteries et des systèmes, entendent penser cette « hommerie » dont parlait le sage Montaigne, et qui est aussi leur lot. Esprits libres bien sûr, car on verra que les dérives qui suivent nécessitent que l'on soit maître de ses mouvements pour la démarche aventureuse de la pensée. *Freischwebende Intelligentsia.* Voilà une perspective peut-être insécurisante, mais qui ne manque pas d'intérêt pour ceux qui accordent à cette aventure la qualité qui lui est due. En bref, je n'ai nulle envie de faire de ces livres qui, comme le disait G. Bataille, « engagent à la facilité ceux qui les lisent... (de ces livres qui) agréent le plus souvent aux esprits vagues et impuissants qui veulent fuir et dormir » (*Œuvres Complètes*, t. VIII, 583).

Il ne s'agit pas là d'état d'âme, mais bien de précisions qu'il n'est pas inutile de donner, car la traditionnelle partition disciplinaire ne sera pas respectée ; ce qui naturellement ne permettra plus de bénéficier de la sécurisation intellectuelle qu'en général elle ne manque pas d'apporter. Mais c'est l'objet même que l'on aborde qui réclame cette transgression. En effet, c'est chose maintenant de plus en plus acceptée, l'existence sociale qui nous occupe se prête malaisément au découpage conceptuel. Laissons cela aux notaires du savoir qui croient faire de la science en présidant à la répartition classifiée de ce qui est censé revenir à chacun. Que le partage soit fait en fonction des classes, des catégories socio-professionnelles, des opinions politiques ou autres déterminations a priori, n'est plus très important. Pour employer un terme un peu barbare, que l'on s'efforcera continuement d'ex-pliciter, de mettre à plat, c'est une perspective « holistique » que l'on essayera de garder : ce qui dans une constante réversibilité unit la globalité (sociale et naturelle) et les divers éléments (milieu et personnes) qui la constituent. Ce qui dans la foulée de la thématique que je revendique revient à tenir les deux bouts de la chaîne, celui d'une ontologie existentielle et celui de la plus simple des trivialités[1]. La première, tel un rayon laser, éclairant les diverses manifestations de la deuxième.

Il est évident que dans la perspective de « la séparation » qui a encore un rôle dominant, cette procédure est inquiétante, et l'on préfèrera des approches soit monographiques, soit délibérément théoriques. Je négligerai pourtant les délices intellectuels de chacune de ces attitudes, confiant dans le fait que certaines considérations « inactuelles » peuvent être en parfaite adéquation avec leur temps. Pour ce qui nous préoccupe ici, je ferai référence à Lévi-Strauss qui a montré, avec l'intérêt que l'on sait, qu'il n'y avait pas lieu d'exacerber la partition classique entre magie et science, et que par son accentuation des « données sensibles » celle-là n'avait pas été pour rien dans le développement de celle-ci[2]. J'essaierai pour ma part de pousser jusqu'au bout la logique d'une telle comparaison, ou à tout le moins de l'appliquer à d'autres types de polarités proches. Je m'en expliquerai d'une manière plus détaillée dans le chapitre final, mais il me semble qu'il y a là un paradoxe fécond, et à coup sûr des plus utiles pour apprécier des configurations sociales reposant de plus en plus sur la synergie de ce que l'on avait jusqu'alors tendance à séparer.

L'antinomie de la pensée savante et du bon sens semble aller de soi. Et naturellement pour celle-là, celui-ci est avant tout infirme : quand il n'est pas qualifié de « fausse conscience », le bon sens est au mieux débile. Le mépris pour les *anima candida* est la pierre de touche de l'attitude intellectuelle. Je me suis déjà expliqué sur ce phénomène, je voudrais maintenant montrer que cela n'est pas sans conséquence pour expliquer l'incapacité que l'on peut avoir à comprendre ce que faute de mieux on appellera la vie. Se référer à la vie en général, voilà qui ne va pas sans risque. Cela peut conduire en particulier à une rêverie sans horizons ; mais dans la mesure où l'on peut lester cette mise en perspective des « données sensibles » évoquées plus haut, on ne manquera pas d'aborder le rivage de cette existence concrète tellement étrangère aux ratiocinations désincarnées. En même temps il est important de se préserver la possibilité de faire de la navigation hauturière, c'est ainsi que l'on « invente » de nouvelles terres. Et cela, la catégorie générale le permet. Voici l'enjeu de la synergie en question : *proposer une sociologie vagabonde qui en même temps ne soit pas sans objet.*

Le mouvement réversible qui va du formisme à l'empathie peut également permettre de rendre compte du glissement d'importance qui est en train de s'opérer d'un ordre social essentiellement *mécaniste* vers une structure complexe à dominante *organique*, on assiste au remplacement de l'Histoire linéaire par le mythe redondant. Il s'agit là d'un retour du vitalisme dont on s'attachera à montrer les diverses modulations. Les différents termes évoqués s'enchaînent d'ailleurs les uns aux autres ; l'organicité renvoie à l'élan vital ou à la vie universelle chère à Bergson qui, ne l'oublions pas, proposait une intuition directe pour en rendre compte. M. Scheler et G. Simmel partageaient également une telle vision de l'unité de la vie[3]. Je reviendrai fréquemment sur une telle mise en perspective, car outre le fait qu'elle permet de comprendre le panvitalisme oriental à l'œuvre dans maints petits groupes contemporains, elle ne rend pas moins compte de l'émotion et de la dimension « affectuelle » qui les structurent en tant que tels.

On voit donc l'intérêt de la mise en garde énoncée plus haut, le fait que le dynamisme social n'emprunte plus les voies propres à la Modernité, ne signifie pas qu'il n'en existe plus. Et en suivant le trajet anthropologique que j'ai indiqué, on peut être le mieux à même de montrer qu'une vie quasiment animale parcourt en profondeur les diverses manifestations de la socialité. D'où l'insistance sur la « reliance », sur la religiosité qui est une part essentielle du tribalisme qui va nous occuper.

Sans qu'il soit question d'un quelconque contenu doctrinal on peut à ce propos parler d'une véritable sacralisation des rapports sociaux, ce qu'à sa manière le positiviste Durkheim appelait le « divin social ». C'est ainsi que pour ma part je comprends la *Puissance* de la socialité qui par l'abstention, le silence, la ruse s'oppose au *Pouvoir* de l'économico-politique. Je terminerai cette première approche avec un éclairage donné par la kabbale, pour laquelle les « puissances » (Sefirot) constituent la divinité. Selon G. Scholem ces puissances sont les éléments primordiaux « sur lesquels tout le réel fait fond », ainsi « la vie se répand à l'extérieur et vivifie la création tout en demeurant en même temps à l'intérieur de manière profonde ; et le rythme secret de son mouvement, de son pouls, est la loi de la dynamique de la nature »[4]. Ce petit apologue permet de résumer ce qui me paraît être le rôle de la socialité : en deçà ou au-delà des formes instituées qui toujours existent et qui parfois dominent, il y a une *centralité souterraine informelle* qui assure la perdurance de la vie en société. C'est vers cette réalité qu'il convient de tourner nos regards. Nous n'y sommes pas habitués, nos instruments d'analyse sont quelques peu datés, mais de multiples indices, que je tente de formaliser dans ce livre, nous indiquent que c'est ce continent qu'il convient d'explorer. Il s'agit là d'un enjeu pour les décennies à venir. Nous le savons, c'est toujours *post festum* que l'on commence à reconnaître ce qui est ; encore faut-il que nous soyons suffisamment lucides et sans trop de préventions intellectuelles pour que ce délai ne soit pas trop important.

## 2. *Quomodo*

Il faut en effet accorder, autant que faire se peut, nos manières de penser et les objets (re)naissants que l'on entend approcher. Faut-il parler à ce propos de révolution copernicienne ? Peut-être. En tout cas, il faut faire preuve d'une bonne dose de *relativisme*, ne serait-ce que pour se rendre réceptif à un nouvel état des choses[5].

Dans un premier temps, et pour prendre le contre-pied d'une attitude fort répandue dans la Modernité, peut-être faut-il accepter d'être délibérément inutile ; s'interdire tout court-circuit avec la pratique, refuser de participer à une connaissance instrumentale. Je rappelle à ce propos l'exemple, curieusement oublié des pères fondateurs de la sociologie, qui, aux dires de ce bon historien de la discipline qu'est R. Nisbet, « ne cessèrent jamais d'être des artistes ». Et ne pas oublier que les idées qui peuvent par après se structurer en théorie résultent avant tout « du domaine de l'imagination, de la vision, de l'intuition »[6]. Le conseil est opportun, car c'est ainsi qu'au tournant du siècle dernier, les penseurs concernés, maintenant auteurs canoniques, furent à même de proposer leurs pertinentes et plurielles analyses du social. Ne serait-ce que par la force des choses, c'est-à-dire quand nous sommes confrontés à un quelconque (re)nouveau social, il importe de pratiquer un certain « laisser aller » théorique, sans que pour autant, ainsi que je l'ai indiqué, on fasse une abdication de l'esprit ou l'on favorise la paresse et la fatuité intellectuelle. Dans la tradition compréhensive, que je fais mienne, on procède toujours par vérités approximatives. Cela est d'autant plus important lorsqu'il s'agit du domaine de la vie courante. Là plus qu'ailleurs, nous n'avons pas à nous préoccuper de ce qui pourrait être la vérité ultime. La vérité en la matière est relative, tributaire de la situation. Il s'agit d'un « situationisme » complexe, car l'observateur est en même temps, ne serait-ce que pour partie, intégré dans telle ou telle situation qu'il décrit. Compétence et appétence vont de pair, et l'herméneutique suppose que « l'on en est » de cela même que l'on décrit, elle nécessite une « certaine communauté de perspective »[7]. Les ethnologues, les anthropologues ont, à loisir, insisté sur ce phénomène, il est temps de l'accepter pour les réalités qui nous sont proches.

Mais comme tout ce qui est naissant est fragile, incertain, plein d'imperfections, notre approche doit avoir les mêmes qualités. D'où l'apparence de légèreté. Un terrain mouvant nécessite une démarche qui soit en conséquence et il n'est donc pas honteux de faire du « surf » sur les vagues de la socialité. C'est même une question de prudence qui ne manque pas de se révéler efficace. A cet égard, l'utilisation de la métaphore est parfaitement pertinente. Outre le fait qu'elle a ses lettres de noblesse, et que l'on retrouve son utilisation dans les productions intellectuelles de toutes les périodes d'effervescence, elle permet ces cristallisations spécifiques que sont les vérités approximatives et momentanées. L'on a dit de Beethoven qu'il trouvait dans la rue les motifs de ses plus belles citations, le résultat n'est pas négligeable. Pourquoi n'écririons-nous pas nos partitions à partir du même terreau ?

Tout comme la personne et ses masques dans la théâtralité quotidienne, la socialité est structurellement rusée, insaisissable, d'où le désarroi des universitaires, des hommes politiques, des journalistes qui la découvrent *ailleurs*, alors qu'ils croient l'avoir saisie. Dans une course éperdue, les plus honnêtes d'entre eux vont alors subrepticement changer de théorie et produire un autre système explicatif et complet pour la cerner à nouveau. Ne vaut-il pas mieux, comme je le disais il y a un instant « en être » et pratiquer également la ruse. Au lieu d'aborder de front, en positivisant ou en critiquant, un donné social fuyant, utiliser une tactique toute en nuances, attaquer de biais. C'est la pratique de la théologie apophatique : de Dieu on ne parle que par évitements. Ainsi, plutôt que de vouloir, d'une manière illusoire, saisir fermement un objet, l'expliquer et l'épuiser, se contenter d'en décrire les contours, les mouvements, les hésitations, les réussites et les divers soubresauts. Mais comme tout se tient, cette ruse pourra également être appliquée aux divers instruments que l'on utilise traditionnellement dans nos disciplines, pour en retenir ce qu'ils ont d'utile, mais également pour dépasser leur rigidité. A cet égard, l'on aimerait faire comme fit cet autre outsider, qu'est Goffman. Celui-ci fut quelqu'un qui inventa des concepts, même s'il préféra parfois « utiliser des mots anciens en leur donnant un sens nouveau ou en les faisant entrer dans des combinaisons originales qui rompent avec la pesanteur des néologismes »[8]. Préférer les « mini-concepts » ou les notions aux certitudes établies, même si cela peut choquer, me paraît être le gage d'une attitude d'esprit qui entend rester au plus près de la marche cahotante qui est le propre de toute vie sociale.

3. *Ouverture*

Voilà brossé à grands traits le cadre général dans lequel vont se mouvoir les diverses considérations sociologiques qui suivent. L'ambiance d'une époque, et par voie de conséquence, l'ambiance d'une recherche. Celle-ci s'étale sur plusieurs années. Régulièrement les résultats provisoires furent « testés » auprès de divers collègues, auprès de jeunes chercheurs tant en France que dans de nombreuses universités à l'étranger. Elle repose sur un paradoxe essentiel :

*le va et vient constant qui s'établit entre la massification croissante et le développement des micro-groupes que j'appellerai « tribus ».*

Il s'agit là de la tension fondatrice qui me paraît caractériser la socialité en cette fin de siècle. La masse, ou le peuple, à la différence du prolétariat ou autres classes ne reposent pas sur une logique de l'identité ; sans but précis, ils ne sont pas les sujets d'une histoire en marche. La métaphore de la tribu quant à elle, permet de rendre compte du processus de désindividualisation, de la saturation de la *fonction* qui lui est inhérente, et l'accentuation du *rôle* que chaque personne *(persona)* est appelée à jouer en son sein. Il est bien entendu que tout comme les masses sont en perpétuel grouillement, les tribus qui s'y cristallisent ne sont pas stables, les personnes composant ces tribus pouvant évoluer de l'une à l'autre.

On peut rendre compte du glissement qui est en train de s'opérer et de la tension qu'il suscite sous forme du schéma suivant :

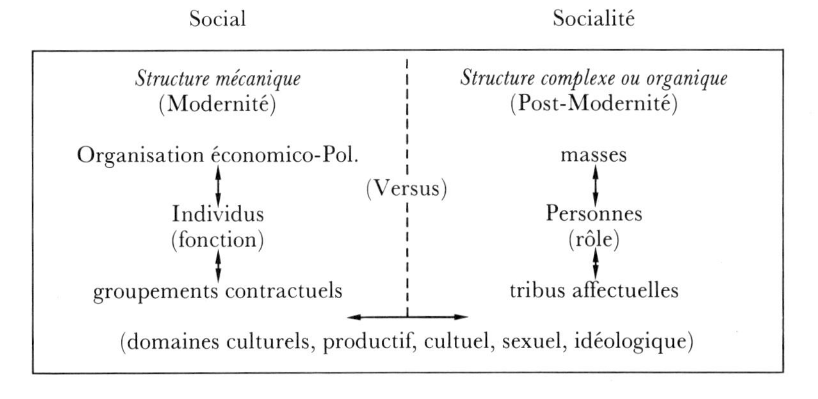

C'est en fonction de cette double hypothèse (glissement et tension) que fidèle à ma manière, je ferai intervenir diverses lectures théoriques ou recherches empiriques qui me paraissent utiles à notre réflexion*. Comme je l'ai indiqué, il n'y a pas lieu de faire discrimination, et outre les ouvrages sociologiques, philosophiques ou anthropologiques, le roman, la poésie ou l'anecdote quotidienne y ont leur part. L'essentiel est de faire ressortir quelques *formes*, peut-être « irréelles », mais qui puissent permettre la compréhension, dans le sens fort du terme, de cette multiplicité de situations, d'expériences, d'actions logiques et non-logiques qui constituent la socialité.

Parmi les formes analysées, il y a bien sûr celle du *tribalisme*, qui est au centre de l'ouvrage. Elle est précédée par celles de la communauté émotionnelle, de la puissance et de la socialité qui la fonde. Elle est suivie de celles du polyculturalisme et de la proxémie qui en sont les conséquences. Je propose, *in fine*, et pour ceux que cela intéresse une « méthode » théorique pour se guider dans la jungle induite par le tribalisme. Il y a, à coup sûr, une certaine monotonie dans les sujets abordés, de la redondance aussi et ceci en fonction de l'objet étudié. Telles les « images obsédantes » que l'on peut relever dans toute œuvre littéraire, poétique, cinématographique etc., chaque époque répète, d'une manière lancinante, de multiples variations autour de quelques thèmes connus. Ainsi dans chacune des formes abordées on retrouve les mêmes préoccupations, seul l'angle d'attaque change. J'espère ainsi pouvoir rendre compte de l'aspect polychromatique du tout social. Dans une remarquable charge contre la machinerie causale, G. Durand parle de la « théorie du récital » qui serait la manière la plus adéquate de traduire la redondance du récit mythique, de ses doublets et des variantes qu'il diffuse[9]. Cette théorie convient fort bien à la connaissance ordinaire que nous élaborons et qui se contente de repérer et de re-citer l'efflorescence et la bigarrure répétitive d'un vitalisme qui d'une manière cyclique lutte contre l'angoisse de la mort en répétant le même.

Mais cette théorie du récital, quelque peu esthétique, n'est pas faite pour ceux qui croient qu'il est possible d'éclairer l'action

---

* Il y a un aspect exotérique et un aspect ésotérique dans toute démarche. L'apparat critique en est l'expression.

Afin de ne pas alourdir le corps du texte, cet apparat, étayant mes considérations, est renvoyé en fin d'ouvrage. Outre l'illustration que ces références entendent fournir, elles peuvent permettre à tout un chacun de rebondir dans ses propres recherches.

des hommes, encore moins pour ceux qui, confondant le savant et le politique, pensent qu'il est possible d'agir. C'est plutôt une forme de quiétisme qui se contente de re-connaître ce qui est, ce qui se passe. Valorisation du *primum vivere* en quelque sorte. Comme je l'ai dit plus haut, c'est forcément à un *happy few* que ces pages sont réservées. Re-connaître la noblesse des masses et celle des tribus est le fait d'une certaine aristocratie de l'esprit. Mais je précise que celle-ci n'est pas l'apanage d'une couche sociale, d'un corps de métier et encore moins des spécialistes. Débats, colloques, entretiens, m'ont appris qu'on la retrouve équitablement répartie chez nombre d'étudiants, de travailleurs sociaux, de décideurs, de journalistes, sans oublier bien sûr, ceux qui sont tout simplement des hommes de culture. C'est à eux que je m'adresse, et leur indique que ce livre se veut simple initiation pour pénétrer ce qui est. S'il est fiction, *i.e.* s'il va jusqu'au bout d'une certaine logique, il « n'invente » que ce qui existe ; ce qui bien sûr lui interdit de proposer quelque solution que ce soit pour les temps à venir. Par contre, en essayant de poser des questions, qui se voudraient essentielles, il propose un débat qui ne s'accomode pas des faux-fuyant, des approbations médiocres, sans parler naturellement des silences sournois.

Il est des époques qui vivent dans l'effervescence, et ont besoin de ce fait d'impertinences roboratives, j'espère y avoir contribué. Ce sont également des périodes où les utopies se banalisent, se réalisent, et où fourmillent les rêves éveillés. Qui a dit que ces moments rêvaient les suivants ? Peut-être moins en tant que projections, qu'en tant que fictions faites de bribes éparses, de constructions inachevées, de tentatives plus ou moins réussies. Il convient bien sûr de faire une nouvelle interprétation de ces rêves quotidiens. C'est cela l'ambition de ce livre. Rêveuse sociologie !

# 1.

# La communauté émotionnelle

## arguments d'une recherche

### 1. *L'Aura esthétique*

Même si cela prend une forme lancinante, il faudra revenir régulièrement sur le problème de l'individualisme, ne serait-ce que parce qu'il obnubile, d'une manière plus ou moins pertinente d'ailleurs, toute la réflexion contemporaine. En tant que tel, ou sous forme dérivée lorsque l'on parle de narcissisme, il est au centre de nombreux livres, articles, thèses qui l'abordent du point de vue psychologique bien sûr, mais également historique, sociologique ou politique. C'est en quelque sorte un passage obligé pour qui entend apporter sa pierre à l'édification d'un savoir sur la Modernité. Ce n'est certainement pas inutile. Ce qui pose davantage question c'est lorsque l'individualisme devient, par la force des choses, le sésame explicatif de nombres d'articles journalistiques, de discours politiques ou de propositions moralistes. Ceux-ci, ne s'embarrassant pas des prudences ou des nuances savantes, diffusent de ce fait un ensemble de pensées convenues, et quelques peu catastrophiques, sur le repliement sur soi, sur la fin des grands idéaux collectifs ou, compris dans son sens le plus large, de l'espace public. On se trouve dès lors confronté à une espèce de *doxa*, qui n'est peut-être pas appelée à durer, mais qui est largement admise et qui risque, pour le moins, de masquer ou de dénier les nouvelles formes sociales qui s'élaborent de nos jours. D'autant que celles-ci peuvent avoir des expressions très voyantes, et d'autres qui sont parfaitement souterraines. L'aspect spectaculaire des premières servant d'ailleurs à les faire ranger dans les rubriques des extravagances sans conséquences que l'on retrouve régulièrement dans les périodes troublées. Ce qui facilite la propension à la paresse propre à toute *doxa*.

Je n'ai pas l'intention d'aborder frontalement le problème de l'individualisme. Mais j'en parlerai régulièrement *a contrario.* L'essentiel étant de pointer, de décrire, d'analyser les configurations sociales qui semblent l'outrepasser. A savoir la masse indéfinie, le peuple sans identité ou le tribalisme en tant que nébuleuse de petites entités locales. Il s'agit là bien sûr de métaphores qui entendent accentuer avant tout l'aspect confusionnel de la socialité. Toujours la figure emblématique de Dionysos. A titre de fiction, je propose de faire « comme si » la catégorie, qui nous a servi durant plus de deux siècles à analyser la société, était complètement saturée. On dit que la réalité dépasse souvent la fiction. Essayons donc d'être à la hauteur de celle-là. Peut-être faut-il montrer, comme certains romanciers l'ont fait, que l'individu n'a plus la substantialité dont l'avaient généralement crédité les philosophes depuis les Lumières. C'est bien sûr un parti pris. C'est en tout cas la voie que l'on empruntera, l'éclairant de quelques notations, remarques ou anecdotes, qui, tout en étant impertinentes, ne seront pas totalement infondées.

Le théâtre de Beckett nous indique la voie en détruisant l'illusion d'un individu maître de lui et de son histoire. D'une manière plus paroxystique et quelque peu prémonitoire, il montre la contingence, l'aspect éphémère de tout individualisme, il souligne également la facticité du processus d'individuation et le fait qu'il conduit à une prison. L'individualisme est un bunker suranné, et comme tel mérite d'être abandonné, voilà à quoi nous convie Beckett. Position qui ne manque pas d'originalité roborative dans le consensus du prêt à penser moderne. Position qui a dû échapper à nombre de ses thuriféraires, mais qui ne manque pas d'être en parfaite congruence avec cette antique sagesse qui fait de chaque individu le simple *punctum* d'une chaîne ininterrompue ou encore qui lui attribue une multiplicité de facettes faisant de chacun un microcosme, *cristallisation* et *expression* du macrocosme général. On reconnaît ici l'idée du *persona*, du masque qui peut être changeant et qui surtout s'intègre dans une variété de scènes, de situations qui ne valent que parce qu'elles sont jouées à plusieurs.

La multiplicité du moi et l'ambiance communautaire qu'elle induit servira de toile de fond à notre réflexion. J'ai proposé d'appeler cela le « paradigme esthétique » dans le sens d'éprouver ou de sentir en commun. En effet, alors que la logique individualiste repose sur une identité séparée et enclose sur elle-même, la personne *(persona)* ne vaut que par rapport aux autres. Faisant la sociologie de quelques auteurs modernes (Faulkner, T. Mann) Gilbert Durand parle à ce propos d'une « puissance d'impersonnalité » qui ne permet d'exister que dans « l'esprit des autres »[1]. Une telle perspective nous oblige à dépasser la classique dichotomie entre le sujet et l'objet qui sert de fondement à toute la philosophie bourgeoise. L'accent est alors mis sur ce qui unit plutôt que sur ce qui sépare. Non plus l'histoire que je construis contractuellement associé avec d'autres individus rationnels, mais un mythe auquel je participe. Des héros, des saints, des figures emblématiques peuvent exister, mais ce sont en quelque sorte des idéal-types, des « formes » vides, des matrices qui permettent à tout un chacun de se reconnaître et de communier avec d'autres. Dionysos, Don Giovanni, le saint chrétien ou le héros grec, on pourrait égrener à l'infini les figures mythiques, les types sociaux qui permettent une « esthétique » commune, qui servent de réceptacle à l'expression du « nous ». La multiplicité dans tel ou tel emblème, favorise immanquablement l'émergence d'un fort sentiment collectif. C'est ce qu'a bien vu P. Brown lorsqu'il analyse le culte des saints dans l'Antiquité tardive[2]. Ce culte en créant une chaîne d'intermédiaires permet d'aboutir à Dieu. La *persona* éclatée et ces nodosités spécifiques que sont les saints, voilà les éléments qui forment la déité et le collectif ecclésial qui lui sert de vecteur.

On peut appliquer cette analyse à notre propos : il est des moments où le « divin » social prend corps au travers d'une émotion collective qui se reconnaît dans telle ou telle typification. Le prolétariat, le bourgeois pouvaient être des « sujets historiques » qui avaient une tâche à réaliser. Tel ou tel génie théorique, artistique ou politique pouvait délivrer un message dont le contenu indiquait la direction à suivre. Les uns et les autres restaient des entités abstraites et inaccessibles, qui proposaient un but à réaliser. Par contre, le type mythique a une simple fonction d'agrégation, il est pur « contenant ». Il ne fait qu'exprimer, pour un moment déterminé, le génie collectif. Voilà bien la différence que l'on peut établir entre les périodes abstractives, rationnelles et les périodes « empathiques ». Celles-là reposent sur le principe d'individuation, de séparation, celles-ci au contraire sont dominées par l'indifférenciation, la « perte » dans un sujet collectif : ce que j'appellerai le néo-tribalisme.

Maints exemples de notre vie quotidienne ne manquent pas d'illustrer l'ambiance émotionnelle sécrétée par le développement tribal ; on peut d'ailleurs noter que ceux-ci ne choquent plus, ils font partie du paysage urbain. Les diverses apparences « punk », « kiki », « paninari », qui expriment bien l'uniformité et la conformité des groupes, sont comme autant de ponctuations du spectacle permanent qu'offrent les mégalopoles contemporaines. En liaison avec la tendance à *l'orientation* de l'existence observable dans les villes occidentales, on peut rapprocher cela de l'analyse que fait Augustin Berque des rapports de « sympathie » entre moi et l'autre au Japon. Faiblesse de la distinction, voire parfois indistinction du soi et de l'autre, du sujet et de l'objet, voilà qui prête à réflexion. L'idée de l'extensibilité du moi (« un ego relatif et extensible ») peut être un levier méthodologique des plus pertinents pour la compréhension du monde contemporain[3]. Il n'est pas la peine de rappeler la fascination qu'exerce aujourd'hui le Japon, ni même de faire référence à sa performativité économique ou technologique, pour souligner le fait que si la *distinction* est peut-être une notion qui s'applique à la Modernité, elle est par contre totalement inadéquate pour décrire les diverses formes d'agrégation sociale qui voient le jour. Celles-ci ont des contours indéfinis : le sexe, l'apparence, les modes de vie, voire l'idéologie sont de plus en plus qualifiés en des termes (« trans... », « méta... ») qui dépassent la logique identitaire et/ou binaire. En bref, et en donnant à ces termes leur acception la plus forte, on peut dire que l'on assiste tendanciellement au remplacement d'un *social* rationalisé par une *socialité* à dominante empathique.

Celle-ci va s'exprimer dans une succession d'ambiances, de sentiments, d'émotions. Il est par exemple intéressant de noter que ce à quoi renvoie la notion de *Stimmung* (atmosphère) propre au romantisme allemand, sert de plus en plus, d'une part pour décrire les rapports qui règnent à l'intérieur des micro-groupes sociaux, d'autre part pour spécifier la manière dont ces groupes se situent dans leur environnement spatial (écologie, habitat, quartier). De même l'utilisation constante du terme anglais *feeling* dans le cadre des relations interpersonnelles mérite attention ; il servira de critère pour mesurer la qualité des échanges, pour décider de leur poursuite ou du degré de leur approfondissement. Or si on se réfère à un modèle d'organisation rationnelle, quoi de plus instable que le sentiment ?

En fait, il paraît nécessaire d'opérer un changement dans nos modes d'appréciation des regroupements sociaux. A cet égard, on peut utiliser avec profit l'analyse sociohistorique que M. Weber fait de la « communauté émotionnelle » *(Gemeinde)*. Il précise qu'il s'agit d'une « catégorie », c'est-à-dire quelque chose qui n'a jamais existé en tant que tel, mais qui peut servir de révélateur à des situations présentes. Les grandes caractéristiques attribuées à ces communautés émotionnelles sont l'aspect éphémère, la « composition changeante », l'inscription locale, « l'absence d'une organisation », et la structure quotidienne *(Veralltäglichung)*. Weber montre également que, sous diverses appellations, on retrouve ces regroupements dans toutes les religions, et en général *à côté* des rigidifications institutionnelles[4]. Eternelle histoire de la poule et de l'œuf : il est difficile d'établir une antériorité, mais il ressort de son analyse que la liaison entre l'émotion partagée et la communalisation ouverte est cela même qui suscite cette multiplicité de groupes qui arrivent à constituer une forme de lien social en fin de compte bien solide. Il s'agit là d'une modulation qui, tel un fil rouge parcourant le corps social, n'en est pas moins permanente. Permanence et instabilité, tels seront les deux pôles autour desquels s'articulera l'émotionnel.

Il convient de préciser, dès l'abord, que l'émotion dont il est question ne peut être assimilée à un quelconque *pathos*. Il me semble erroné d'interpréter les valeurs dionysiaques, auxquelles cette thématique renvoie, comme étant une ultime manifestation d'un activisme collectif propre au bourgeoisisme. Il y a eu la marche commune vers l'Esprit, puis vers la maîtrise concertée de la nature et du développement technologique, et l'on aurait enfin l'instrumentation coordonnée des affects sociaux. Cette perspective est par trop finalisée ou dialectique. Bien sûr quelques réalisations, tel ce « paradigme » qu'est le Club Méditerranée, militent en ce sens. Mais notre analyse doit être attentive au fait que massivement ce qui prédomine dans l'attitude groupale, c'est la dépense, le hasard, la désindividualisation, ce qui ne permet pas de voir dans la communauté émotionnelle une nouvelle étape de la pathétique et linéaire marche historique de l'humanité. Des conversations avec le philosophe italien Mario Perniola ont attiré mon attention sur ce point[5]. Et en prolongeant, d'un point de vue sociologique, ses travaux, je dirais que l'esthétique du « nous » est un mixte d'indifférence et d'énergie ponctuelle. D'une manière paradoxale, on y trouve un singulier dédain pour toute attitude projective et une indéniable intensité dans l'acte même. C'est ce qui caractérise la puissance impersonnelle de la proxémie.

A sa manière, Durkheim n'avait pas manqué de souligner ce fait. Et si à son habitude il reste prudent, il ne parle pas moins de la « nature sociale des sentiments » et souligne avec force son efficace. « On s'indigne en commun » écrit-il, et sa description renvoie bien à la proximité du quartier et à sa mystérieuse « force attractive » qui fait que quelque chose prend corps. C'est dans ce cadre que s'exprime la passion, que les croyances communes sont élaborées, ou tout simplement que l'on recherche la compagnie « de ceux qui pensent et *qui sentent comme nous* »[6]. Ces remarques, bien banales dira-t-on, peuvent s'appliquer à de multiples objets, elles soulignent surtout l'aspect indépassable du substrat quotidien. Il sert de matrice à partir de laquelle se cristallisent toutes les représentations : échange de sentiments, discussions du café du commerce, croyances populaires, visions du monde et autres bavardages sans consistance qui constituent la solidité de la communauté de destin. Car à l'encontre de ce qu'il était jusqu'à présent de bon ton d'admettre, on peut s'accorder sur le fait que la raison a bien peu de place dans l'élaboration et la divulgation des opinions. La diffusion de celles-ci, que ce soit pour les premiers chrétiens ou pour les ouvriers socialistes du XIXe siècle doit bien plus aux mécanismes de contagion du sentiment ou de l'émotion vécus en commun. Que ce soit dans le cadre du réseau des petites cellules conviviales ou par le biais du cabaret cher aux habitués, l'émotion collective est quelque chose d'incarné, quelque chose qui joue sur l'ensemble des facettes de ce que le sage Montaigne appelait « l'hommerie » : ce mixte de grandeurs et de turpitudes, d'idées généreuses et de pensées mesquines, d'idéalisme et d'enracinement mondain, en un mot l'homme.

Il n'en reste pas moins que c'est cela qui assure une forme de solidarité, une forme de continuité au travers des histoires humaines. J'ai dit plus haut communauté de destin, celle-ci peut parfois s'exprimer dans le cadre d'un projet rationnel et/ou politique, parfois au contraire elle emprunte la voie plus floue au tracé bien plus indéfini de la sensibilité collective. Dans ce cas l'accent est mis sur l'aspect confusionnel du petit groupe. Celui-ci, par concaténation avec d'autres groupes, assure la perdurance de l'espèce. Dans le premier cas cela produit ce que Halbwachs appelle la « vue du dehors » qu'est l'histoire, dans le second au contraire s'élabore, « vue du dedans », une mémoire collective[7].

Poursuivons le paradoxe, celle-ci, d'une part est liée à l'espace proche, d'autre part, elle transcende le groupe lui-même et le situe dans une « lignée » que l'on peut comprendre soit *stricto sensu*, soit dans une perspective imaginaire. De toute façon de quelque nom qu'on l'appelle (émotion, sentiment, mythologie, idéologie) la sensibilité collective en dépassant l'atomisation individuelle crée les conditions de possibilité d'une sorte d'*aura* qui va spécifier telle ou telle époque : ainsi l'*aura* théologique au Moyen Age, l'*aura* politique au XVIIIe siècle, l'*aura* progressiste au XIXe siècle ; il est possible que l'on assiste à l'élaboration d'une *aura esthétique* où l'on retrouvera selon des proportions diverses des éléments qui renvoient à la pulsion communautaire, à la propension mystique ou à une perspective écologique. Quoi qu'il puisse paraître, il y a une solide liaison entre ces divers termes. Chacun à sa manière rendant compte de l'organicité des choses, de ce *glutinum mundi* qui fait que malgré (ou à cause de) la diversité un ensemble fait corps.

Cette solidarité organique ne manque pas de s'exprimer de multiples façons, et c'est certainement en ce sens qu'il faut interpréter le ressurgissement de l'occultisme, des cultes syncrétistes et d'une manière plus commune l'importance qui est accordée au spirituel ou à l'astrologie. Cette dernière en particulier n'est plus uniquement le fait de midinettes quelque peu rêveuses. Et des recherches en cours font ressortir sa double inscription culturelle et naturelle. Gilbert Durand à ce propos montre bien que l'astrologie centrée sur l'individu est d'origine récente, l'astrologie classique ayant « pour visée première le *destin du groupe*, de la cité terrestre »[8]. L'astrologie s'inscrit dans une perspective écologique figurée par les « maisons » qui prédisposent tout un chacun à vivre dans un environnement naturel et social. Sans développer à fond cette question, on peut souligner qu'elle participe bien de l'aura esthétique *(aisthésis)* qui repose sur l'union, fût-elle en pointillé, du macrocosme et des microcosmes, et de ceux-ci entre eux. Ce que l'on peut retenir de cet exemple, comme de ceux qui lui sont liés, c'est qu'ils servent de révélateur au climat « holiste » qui sous-tend le resurgissement du solidarisme ou de l'organicité de toutes choses.

Ainsi, à l'encontre de la connotation qu'on leur attribue trop souvent, l'émotion ou la sensibilité doit en quelque sorte être considérée comme un mixte d'objectivité et de subjectivité. Dans ma réflexion sur « les enjeux de la proxémie (cf. chap. 6), j'ai proposé d'appeler cela une spiritualité matérialiste. Expression quelque peu gothique qui rejoint ce que A. Berque à propos de l'efficace du milieu appelle la relation « trajective » (subjective et objective). Il est temps en effet d'observer que la *logique binaire de la séparation* qui a prévalu dans tous les domaines ne peut plus être appliquée en tant que telle. L'âme et le corps, l'esprit et la matière, l'imaginaire et l'économie, l'idéologie et la production — la liste pourrait être fort longue — ne s'opposent plus d'une manière stricte. En fait, ces entités, et les minuscules situations concrètes qu'elles représentent, se conjuguent pour produire une vie quotidienne qui de plus en plus échappe à la taxinomie simplificatrice à laquelle nous avait habitué un certain positivisme réducteur. Leur synergie produit cette société complexe qui mérite à son tour une analyse complexe. « Le multidimensionnel et l'inséparable », pour reprendre une expression de Morin[9], nous introduisent dans une « boucle » sans fin qui va rendre désuète la tranquille et bien ennuyeuse comptabilité des notaires du savoir.

C'est en fonction des précautions et des précisions apportées que l'on peut attribuer à la métaphore de la sensibilité ou de l'émotion collective une fonction de connaissance. C'est un levier méthodologique qui nous introduit au cœur de l'organicité caractéristique des villes contemporaines. Ainsi, cet apologue : « Imaginez un instant que le Père éternel veuille emporter au ciel avec lui une maison de Naples. A son émerveillement, il s'apercevrait, peu à peu, que toutes les maisons de Naples, comme s'il ne s'agissait que d'un seul grand pavois, s'en viendraient derrière la première, l'une derrière l'autre, maisons, cordes de linge, chansons de femmes et cris de gamins[10]. » C'est cela l'émotion qui cimente un ensemble. Celui-ci peut être composé d'une pluralité d'éléments, il y a toujours une ambiance spécifique qui les rend solidaires les uns des autres. Cette expérience est d'abord vécue en tant que telle, il est bon que le savant sache en rendre compte. En résumé, on peut dire que ce qui caractérise l'esthétique du sentiment n'est nullement une expérience individualiste ou « intérieure », mais au contraire quelque chose qui est par essence ouverture aux autres, à l'Autre. Cette ouverture connotant l'espace, le local, la proxémie où se joue la commune destinée. C'est ce qui permet d'établir un lien étroit entre la matrice ou l'aura esthétique et l'expérience éthique.

## 2. *L'expérience éthique*

J'ai déjà indiqué, notamment en parlant d'immoralisme éthique, que ce terme n'a rien à voir avec un quelconque moralisme, fort prisé par les temps qui courent. Je reviendrai ultérieurement sur cette question. En un mot cependant, je précise qu'à une morale surplombante et abstraite, j'opposerai une éthique qui sourd d'un groupe déterminé ; elle est fondamentalement empathique *(Einfühlung)*, proxémique. L'histoire peut promouvoir une morale (une politique), l'espace quant à lui va favoriser une esthétique et sécréter une éthique.

On l'a vu, la communauté émotionnelle est instable, ouverte, ce qui peut la rendre, sur bien des points, anomique par rapport à la morale établie. Dans le même temps, elle ne manque pas de susciter un strict conformisme parmi ses propres membres. Il y a une « loi du milieu », à laquelle il est bien difficile d'échapper. On en connaît les aspects paroxystiques : la maffia, le monde de la pègre, mais on oublie très souvent qu'une semblable conformité règne dans le milieu des affaires, le milieu intellectuel, et l'on pourrait à loisir multiplier les exemples. Bien sûr dans ces différents milieux, le degré d'appartenance étant différencié, la fidélité aux règles, souvent non dites, du groupe est elle-même sujette à variations multiples. Il est cependant difficile de l'ignorer tout à fait. Quoi qu'il en soit, d'une manière non normative, il est important d'en apprécier les effets, la prégnance, et peut être la dimension prospective. En effet, à partir de la *doxa* individualiste dont j'ai parlé, la persistance d'un éthos de groupe est très souvent considéré comme un archaïsme en voie d'épuisement. Il semblerait qu'une évolution soit en train de s'opérer actuellement. Ainsi, des petits groupements productifs, dont l'emblème reste la Silicon Valley, jusqu'à ce que l'on appelle le « groupisme » au sein de l'entreprise japonaise, on se rend compte que la tendance communautaire peut aller de pair avec la performativité technologique ou économique. Faisant état de diverses études en ce sens, A. Berque note que « le groupisme diffère de la grégarité en ce que chacun des membres du groupe, consciemment ou non, s'efforce avant tout de servir l'intérêt du groupe, au lieu simplement d'y chercher refuge »[11]. Le terme « groupisme » s'il n'est pas particulièrement euphonique en français, a bien le mérite de souligner la force de ce processus d'identification permettant le dévouement qui conforte ce qui est commun à tous.

Il est peut-être prématuré d'extrapoler la signification de quelques exemples encore isolés, ou d'une situation particulière, telle celle du Japon, mais s'ils ne valent pas plus, ces exemples ne valent pas moins que ceux qui privilégient le narcissisme contemporain ; qui plus est, ils ont traits à la sphère de l'économie, fétiche s'il en est, du moins pour l'instant encore, de l'idéologie dominante. Pour ma part, j'y vois une illustration de plus du holisme qui est en train de se dessiner sous nos yeux : forçant les portes de la *privacy*, le sentiment prend place, ou pour certains pays conforte sa présence dans l'espace public, produisant ainsi une forme de solidarité que l'on ne peut plus ignorer. Il faut bien sûr noter que celle-ci réinvestit, le développement technologique en plus, la forme communautaire que l'on croyait avoir dépassé.

On peut s'interroger sur la communauté, sur la nostalgie qui lui sert de fondement, ou sur les utilisations politiques qui ont pu en être faites. Pour ma part, je le répète, il s'agit d'une « forme » dans le sens que j'ai donné à ce terme[12], qu'elle ait ou non existé en tant que telle importe peu ; il suffit qu'à la manière d'une toile de fond, cette idée permette de faire ressortir telle ou telle réalisation sociale qui peut être imparfaite, ponctuelle même, mais qui n'en exprime pas moins la cristallisation particulière de sentiments communs. Dans cette perspective « formiste » la communauté se caractérisera moins par un projet *(pro-jectum)* tourné vers l'avenir, que par l'effectuation *in actu* de la pulsion à être-ensemble. Pour faire référence à des expressions de la vie courante, se tenir chaud, se serrer les coudes, se frotter aux autres, voilà peut-être le fondement le plus simple de l'éthique communautaire. Des psychologues ont souligné qu'il existe une tendance *glischromorphe* dans les relations humaines. Sans la considérer de quelque manière judicative que ce soit, il me semble que c'est cette viscosité qui s'exprime dans l'être-ensemble communautaire. Ainsi, et j'insiste bien là-dessus pour éviter toute dérive moralisatrice, c'est par la force des choses, c'est parce qu'il y a proximité (promiscuité), c'est parce qu'il y a partage d'un même *territoire* (qu'il soit réel ou symbolique), que l'on voit naître l'idée communautaire et l'éthique qui lui est corrolaire.

On peut rappeler que l'on retrouve cet idéal communautaire dans l'idéologie populiste et plus tard anarchiste, dont la base est bien le rassemblement proxémique. Pour ces derniers, en particulier les russes Bakounine et Herzen, la communauté villageoise (*obchtchina* ou *mir*) est la base même du socialisme en marche. Complétée par les associations d'artisans *(artels)*, elle prépare une civilisation fondée sur le solidarisme[13]. L'intérêt de cette romantique vision dépasse l'habituelle dichotomie propre au bourgeoisisme du moment, tant dans sa version capitaliste que dans sa version marxiste. En effet, le devenir humain est considéré comme un tout. C'est ce qui donne à l'*obchtchina* son aspect prospectif. Notons encore que cette forme sociale a pu, avec raison, être rapprochée du fouriérisme et précisément du phalanstère. F. Venturi, dans son livre maintenant classique sur le populisme russe au XIX^e^ siècle, ne manque pas de faire le rapprochement. Et, ce qui rentre bien dans notre propos, il note la liaison qui existe entre ces formes sociales et la recherche « d'une moralité différente ». Il le fait avec quelques réticences ; pour lui, surtout pour ce qui concerne le phalanstère, cette recherche est plutôt de l'ordre de la « bizarrerie »[14]. Ce que n'a pas vu l'estimable historien italien, c'est qu'au-delà de son apparente fonctionnalité, tout ensemble social comporte une forte composante de sentiments vécus en commun. Ce sont eux qui suscitent cette recherche d'une « moralité différente » que je préfère appeler ici une expérience éthique.

Pour reprendre l'opposition classique, on peut dire que la société est tournée vers l'histoire à faire, la communauté quant à elle, épuise son énergie dans sa propre création (ou éventuellement recréation). C'est cela qui permet d'établir un lien entre l'éthique communautaire et la solidarité. Un des aspects particulièrement frappant de cette liaison, est le développement du rituel. Comme on le sait, celui-ci n'est pas à proprement parlé finalisé, *i.e.* orienté vers un but ; il est, au contraire, répétitif et par là-même sécurisant. Sa seule fonction est de conforter le sentiment qu'un groupe donné a de lui-même ; l'exemple des fêtes « corrobori » que donne Durkheim est à cet égard fort éclairant. Le rituel dit le retour du même. En la matière, au travers de la multiplicité des gestes routiniers ou quotidiens, le rituel rappelle à la communauté qu'elle « fait corps ». Sans qu'il soit utile de le verbaliser, il sert d'anamnèse à la solidarité et, comme l'indique L.V. Thomas, « implique la mobilisation de la communauté ». Comme je le disais il y a un instant, la communauté « épuise » son énergie dans sa propre création. Le rituel, dans sa répétitivité même, est l'indice le plus sûr de cet épuisement, mais ce faisant, il assure la perdurance du groupe. C'est ce paradoxe que l'anthropologue de la mort a bien vu à propos du rituel funéraire qui remet à l'honneur « l'idéal communautaire, qui réconcilie(rait) l'homme avec la mort, et avec la vie »[15]. Comme je l'expliquerai plus loin, il est des époques où la communauté de destin est ressentie avec plus d'acuité, c'est alors que par condensation progressive l'attention se porte sur ce qui unit. Union pure, en quelque sorte, sans contenu précis ; union pour affronter ensemble, d'une manière quasi animale, la présence de la mort, la présence à la mort. L'Histoire, la politique et la morale *la dépassent dans le drame (dramein)* qui évolue en fonction des problèmes qui se posent et les résoud, ou tente de le faire. Le Destin, l'esthétique et l'éthique par contre, *l'épuisent dans un tragique* qui repose sur l'instant éternel et sécrète de ce fait une solidarité qui lui est propre.

Vivre sa mort de tous les jours, tel pourrait être le résultat d'un sentiment collectif occupant une place privilégiée dans la vie sociale. C'est cette sensibilité commune qui favorise un éthos centré sur la proximité. C'est-à-dire, pour parler simplement, une manière d'être qui peut être alternative tant en ce qui concerne la production que la répartition des biens (économiques ou symboliques). Dans son analyse des foules, parfois sommaire mais souvent riche en aperçus fulgurants, G. Le Bon note que « les règles dérivées de l'équité théorique pure ne sauraient conduire » les foules, qu'en général, l'impression joue un rôle non négligeable[16]. Qu'est-ce à dire sinon que la justice elle-même est subordonnée à l'expérience proche, que la justice abstraite et éternelle est relativisée par le sentiment (qu'il soit de haine ou d'amour) vécu sur un territoire donné. Nombre de faits divers, qu'ils parlent de carnage ou de générosité, viennent illustrer ce propos général. Le boutiquier doctrinalement raciste protègera l'arabe du coin, tel petit bourgeois « sécuritaire » ne dénoncera pas le petit truand du quartier, et tout à l'avenant. La loi du silence n'est pas qu'une spécialité maffieuse, et les policiers français enquêtant dans tel village ou dans tel quartier en savent quelque chose. Or le dénominateur commun de ces attitudes (qui mériteraient un développement spécifique) est bien la solidarité issue d'un sentiment partagé.

En élargissant un peu le territoire, on retrouve, media aidant, des réactions similaires au niveau du « village global ». Ce n'est pas une loi de justice abstraite qui favorise le développement des « resto du cœur », de la prise en charge de chômeurs par des groupes d'amis, ou autres manifestations caritatives. On peut même dire que dans une perspective linéaire et rationnelle de justice, ces dernières sont quelque peu anachroniques sinon réactionnaires. Artisanales et ponctuelles, ne s'attaquant pas au fond de tel ou tel problème, elles peuvent servir d'alibi et jouer le rôle d'emplâtre sur une jambe de bois. C'est certainement vrai, il n'en reste pas moins que cela fonctionne et mobilise les émotions collectives. On peut s'interroger sur la signification ou sur la récupération politiques de ces manifestations, on peut également, et c'est l'objet de ces remarques, souligner d'une part que l'on n'attend plus du seul Etat surplombant la prise en charge de certains problèmes dont on voit les effets dans notre proximité, et d'autre part que la synergie de ces actions par le biais de l'image télévisuelle peut avoir un résultat non négligeable. Dans l'un et dans l'autre cas, ce que je vois au plus proche ou la réalité lointaine rapprochée par l'image retentit fortement chez tout un chacun, constituant ainsi une émotion collective. Il s'agit d'un mécanisme qui est loin d'être secondaire, et l'on retrouve ici l'idée holistique (globale) qui guide notre propos : la sensibilité commune qui est à la base des exemples donnés provient du fait que l'on *participe,* ou *correspond,* dans le sens fort et peut-être mystique de ces termes, à un éthos commun. Pour formuler une « loi » sociologique je dirai comme un leitmotiv que ce qui est privilégié est moins ce à quoi chacun *volontairement va adhérer* (perspective contractuelle et mécanique) que ce qui est *émotionnellement commun à tous* (perspective sensible et organique).

C'est cela l'expérience éthique que la rationalisation de l'existence avait évacuée. C'est cela également que le renouveau de l'ordre moral traduit bien faussement, car il entend rationaliser et universaliser des réactions ou des situations ponctuelles, et les présenter comme de nouveaux a priori. Alors que ce qui fait leur force, c'est qu'elles sont tout à fait liées à une sensibilité locale, et ce n'est que a posteriori que celles-ci s'enchaînent en un effet de structure global. L'idéal communautaire de quartier ou de village agit plus par contamination sur l'imaginaire collectif que par persuasion sur une raison sociale. Pour reprendre un terme qui a été employé par W. Benjamin dans sa réflexion sur l'œuvre d'art, je dirai que nous sommes en présence d'une *aura* spécifique, qui dans un mouvement de *feed-back* est issue du corps social et le détermine en retour. Ce que je résumerais de la manière suivante : *la sensibilité collective issue de la forme esthétique aboutit à une liaison éthique.*

Il est bon d'insister là-dessus, ne serait-ce que pour relativiser les oukases positivistes qui ne veulent voir dans l'imaginaire collectif qu'une danseuse superflue que l'on peut renvoyer en temps de crise. En fait, on peut dire que celui-ci prend les formes les plus diverses, parfois il se manifeste de manière macroscopique et informe les grands mouvements de masse, les diverses croisades, révoltes ponctuelles ou révolutions politiques et économiques. Parfois au contraire, il se cristallise d'une manière microscopique et va irriguer en profondeur la vie d'une multiplicité de groupes sociaux. Parfois enfin, il y a une continuation entre ce dernier processus (ésotérique) et les manifestations générales (exotériques) indiquées en premier. Quoi qu'il en soit, il s'agit bien d'une *aura* à l'orbe plus ou moins étendu qui sert de matrice à cette réalité toujours et à nouveau étonnante qu'est la socialité.

C'est dans une telle perspective qu'il faut apprécier l'éthos de la communauté. Ce que j'appelle ici *aura* nous évite de se prononcer sur son existence ou sa non-existence. Il se trouve que cela fonctionne « comme si » elle existait. C'est en ce sens que l'on peut comprendre l'idéal-type de la « communauté émotionnelle » (M. Weber), la catégorie « orgiastico-extatique » (K. Manheim), ou ce que j'ai appelé la forme dionysiaque. Chacun de ces exemples caricature, dans le sens simple du terme, cette sortie de soi, ex-stase, qui est dans la logique de l'acte social[17]. Il se trouve que cette « extase » est beaucoup plus efficace lorsqu'elle concerne des petits groupes, et devient de ce fait plus perceptible pour l'observateur social. C'est pour rendre compte de cet ensemble complexe que je propose d'employer, d'une manière métaphorique, les termes de « tribu » ou de « tribalisme ». Sans les assortir, chaque fois, de guillemets, j'entends ainsi insister sur l'aspect « cohésif » du partage sentimental de valeurs, de lieux ou d'idéaux qui à la fois sont tout à fait circonscrits (localisme), et que l'on retrouve, sous des modulations diverses, dans de nombreuses expériences sociales. C'est ce va-et-vient constant entre le statique (spatial) et le dynamique (devenir), l'anecdotique et l'ontologique, l'ordinaire et l'anthropologique, qui fait de l'analyse de la sensibilité collective un instrument de premier choix. Pour illustrer cette remarque épistémologique, je ne donnerai qu'un exemple, celui du peuple juif.

Sans pouvoir, ni vouloir en faire une analyse spécifique, et en se contentant de l'indiquer comme piste de recherche, on peut souligner que ce dernier est particulièrement représentatif de l'antinomie que je viens d'indiquer. D'une part, il a vécu intensément le sentiment collectif de la tribu, ce qui ne l'a pas empêché, tout au long des siècles, d'assurer la permanence de valeurs générales et (sans donner à ce terme un sens péjoratif) cosmopolites. Religion tribale qui lui permet de résister à l'assimilation, modes de vie tribaux qui fondent véritablement la communauté de destin, et bien sûr, sexualité tribale qui assure la perdurance au travers des multiples carnages et vicissitudes dont il fait l'objet. Circulation de la parole, circulation des biens, circulation du sexe, on a là les trois pivots anthropologiques autours desquels s'articule, en général, la vie sociale. En la matière, ils ont une forte composante tribale. Divers historiens et sociologues ont fait ressortir la vitalité, dans de nombreux pays, du « ghetto », du *shetl*, de la synagogue, leur ambiance et leur forte cohésion. Et tel un conservatoire d'énergie, c'est à partir de ces lieux que s'élabore une bonne part de ce qui sera la civilisation de la cité du Moyen Age, de la métropole à l'Age Moderne, et peut-être de la mégalopole de nos jours. Ainsi l'éthos de la *Gemeinschaft*, de la tribu, ponctue régulièrement le devenir civilisationnel de l'Occident[18]. Piste de recherche ai-je dit ; en effet, nombreux sont les domaines, intellectuel, économique, spirituel, qui ont été influencés, d'une manière prospective, par ce qui sortit du bouillon de culture émotionnel des communautés juives.

On ne peut mieux exprimer la réalisation de cet « universel concret » qui fut un des principaux enjeux de la philosophie du XIX^e siècle. En extrapolant, d'une manière heuristique, l'exemple qui vient d'être donné, il est possible de dire que paradoxalement ce sont les valeurs tribales qui, à certains moments caractérisent une époque. En effet, ces valeurs peuvent cristalliser en majeur ce qui par la suite se diffractera dans l'ensemble du corps social. Le moment tribal peut être comparé à la période de gestation : quelque chose se parfait, s'éprouve, s'expérimente avant de prendre son envol pour une plus large expansion. En ce sens, la vie quotidienne pourrait être selon l'expression de W. Benjamin le « concret le plus extrême ». Ce raccourci permet de comprendre que le vécu et l'expérience partagés puissent être le feu épurateur du processus alchimique qui permet que la transmutation s'opère. Le rien ou le presque rien devient une totalité. Les rituels minuscules s'inversent jusqu'à devenir base de la socialité. *Multum in parvo*. Bien sûr, il est difficile de prévoir ce qui de minuscule deviendra macroscopique, tant le déchet est important, mais là n'est pas la question, il suffit, ainsi que je l'ai dit, d'indiquer la « forme » où prend naissance la croissance des valeurs sociales.

On peut donc dire que l'éthique est en quelque sorte le ciment qui va faire prendre ensemble les divers éléments d'un ensemble donné. Mais, si on a bien compris ce que je viens d'exposer, il faut donner à ce terme, son sens le plus simple : non pas celui d'une quelconque théorisation a priori, mais ce qui au jour le jour, sert de creuset aux émotions et aux sentiments collectifs. Ce qui fait que tant bien que mal, sur un territoire donné, les uns s'ajustent aux autres, et les uns et les autres à l'environnement naturel. Cette accommodation est bien sûr relative, élaborée dans le bonheur et le malheur, issue de relations souvent conflictuelles, elle sait être flexible, mais présente néanmoins une étonnante longévité. C'est certainement l'expression la plus caractéristique du vouloir-vivre social. Il est donc nécessaire de s'attarder ne fût-ce qu'un instant sur quelques manifestations de cette éthique courante, car en tant qu'expression de la sensibilité collective, elle nous introduit de plain pied dans la vie de ces tribus qui, en masse, constituent la société contemporaine.

## 3. *La coutume*

D'Aristote à Mauss en passant par Thomas d'Aquin, la liste est longue de ceux qui se sont interrogés sur l'importance de l'*habitus (exis)* ; il s'agit d'un terme qui est maintenant passé dans la *doxa* sociologique[19]. C'est heureux car il s'agit là d'une thématique de première importance. Cela renvoie au banal, à la vie de tous les jours, en un mot à la coutume, qui est selon G. Simmel « une des formes les plus typiques de la vie sociale ». Quand on sait l'importance que ce dernier attachait à la « forme », quelle efficace il lui accordait, on peut imaginer qu'il ne s'agit pas d'un vain mot. Un peu plus loin il précise : « la coutume détermine la vie sociale comme le ferait une puissance idéale »[20]. On est renvoyé à une action endurante qui inscrit profondément dans les êtres et les choses, la manière dont ils se donnent à voir ; il s'agit presque d'un code génétique qui limite et délimite, beaucoup plus que ne peut le faire la situation économique ou politique, la manière d'être avec les autres. C'est en ce sens qu'après l'*esthétique* (le sentir en commun) et l'*éthique* (le liant collectif) la *coutume* est certainement une bonne manière de caractériser la vie quotidienne des groupes contemporains.

« Donner un sens plus pur aux mots de la tribu. » Je fais mien ce souci mallarméen, et tout comme aux autres « mini-concepts » employés précédemment, j'entends donner au mot coutume son acception la plus large ; la plus proche de son étymologie aussi *(consuetudo)* : l'ensemble des usages communs qui permet qu'un ensemble social se reconnaisse pour ce qu'il est. Il s'agit là d'un lien mystérieux, qui n'est qu'accessoirement et rarement formalisé et verbalisé en tant que tel (les traités de savoir-vivre ou coutumiers par exemple). Il n'en reste pas moins qu'il œuvre, qu'il « agit » en profondeur toute société. La coutume, en ce sens, est le non-dit, le « résidu » qui fonde l'être-ensemble. J'ai proposé d'appeler cela la *centralité souterraine* ou la « puissance » sociale (*versus* pouvoir), on retrouve cette idée chez Goffman *(La Vie souterraine)* et plus loin chez Halbwachs (la *Société silencieuse*)[21]. Ce qu'entendent souligner ces expressions, c'est qu'une bonne partie de l'existence sociale échappe à l'ordre de la rationalité instrumentale, ne se laisse pas finaliser, et ne peut se réduire à une simple logique de la domination. La duplicité, la ruse, le vouloir-vivre, s'expriment au travers d'une multiplicité de rituels, de situations, de gestuels, d'expériences, qui délimitent un espace de liberté. A trop voir la vie aliénée, à trop vouloir une existence parfaite ou authentique, on en oublie que d'une manière têtue, la quotidienneté se fonde sur une série de libertés interstitielles et relatives. Tout comme on l'a reconnu pour l'économie, on peut s'accorder sur le fait qu'il existe une *socialité au noir* dont il est aisé de suivre à la trace les diverses et minuscules manifestations.

Je fais mienne la mise en perspective de Durkheim et de son école qui ont toujours privilégié la sacralisation des rapports sociaux. Pour ma part je l'ai dit à diverses reprises, et je le répéterai souvent, je considère que tout ensemble donné, du micro-groupe à la structuration étatique, est une expression du divin social, d'une transcendance spécifique, fut-elle immanente. Mais on le sait, nombre d'historiens des religions l'ont bien montré, le sacré est mystérieux, effrayant, inquiétant, il convient de l'amadouer, de négocier avec lui, les coutumes ont cette fonction. Elles sont à la vie quotidienne ce que le rituel est à la vie religieuse *stricto sensu*[22]. Il est d'ailleurs frappant d'observer que dans la religion populaire en particulier, il est bien difficile, ce qui fut la tâche constante de la hiérarchie ecclésiastique, de faire une partition entre coutumes et rituels canoniquement agréés. On peut donc dire que tout comme le rituel liturgique rend l'église visible, de même la coutume fait qu'une communauté existe en tant que telle. D'ailleurs, en un moment où le partage n'était pas tout à fait tranché, si on en croit P. Brown, c'est en échangeant coutumièrement des reliques que les diverses églises locales se sont constituées en réseau. Ces reliques servent de ciment à l'intérieur d'une petite communauté, elles permettent que les communautés s'unissent et ce faisant transforment « la distance par rapport au sacré en joie profonde de proximité »[23].

Toute organisation in *statu nascendi* est quelque chose de fascinant pour le sociologue, les rapports interindividuels ne sont pas encore fixés, et les structures sociales ont encore la flexibilité de la jeunesse. En même temps, il est utile de trouver des points de comparaison pour pouvoir formaliser ce que l'on observe. A cet égard, l'analyse de l'historien de la civilisation chrétienne à partir des micro-groupes locaux est des plus pertinente. Ne serait-ce qu'à titre d'hypothèse de travail, il est certainement possible d'appliquer le double processus de *reliance* sociale et de négociation avec le sacré, propres des premières communautés chrétiennes, aux diverses tribus : qui se font et se défont *in praesenti*. A plus d'un titre le rapprochement est éclairant : organisation, rassemblement autour d'un héros éponyme, rôle de l'image, sensibilité commune etc. mais ce qui fonde l'ensemble, c'est l'inscription locale, la spatialisation et les mécanismes de solidarité qui leur sont corollaires. C'est d'ailleurs cela qui caractérise ce que j'ai appelé plus haut la sacralisation des rapports sociaux : le mécanisme complexe de dons et de contre-dons qui s'établit entre diverses personnes d'une part, et l'ensemble ainsi constitué et un milieu donné d'autre part. Echanges « réels » ou échanges symboliques, cela est de peu d'importance ; en effet, la communication, dans son sens le plus large, ne manque pas d'emprunter les chemins les plus divers.

Le terme « proxémie », proposé par l'Ecole de Palo Alto, me paraît bien rendre compte des deux éléments culturel et naturel de la communication en question. A. Berque, pour sa part, souligne l'aspect « trajectif » (objectif *et* subjectif) d'une telle relation. Peut-être faudrait-il tout simplement recourir à la vieille notion spatiale de quartier et à sa connotation affective[24]. Terme bien désuet, mais qui ne manque pas de ressurgir aujourd'hui sous la plume de divers observateurs sociaux, signe qu'il est déjà présent dans de nombreuses têtes. Ce « quartier » peut prendre des modulations fort diverses : il peut être délimité par un ensemble de rues, il peut désigner une aire libidinalement investie (quartier « chaud », du « vice » etc.) faire référence à un ensemble commercial ou à un point nodal des transports en commun, peu importe en la matière, dans tous les cas, il s'agit d'un espace public qui conjugue une certaine fonctionnalité et une charge symbolique indéniable. S'inscrivant profondément dans l'imaginaire collectif, il n'est pourtant constitué que par l'entrecroisement de situations, de moments, d'espaces et de gens sans qualités ; et d'ailleurs il se dit, le plus souvent, sous forme de stéréotypes les plus banals. Le square, la rue, le tabac du coin, le bar du P.M.U., le marchand de journaux etc. Voilà, suivant les centres d'intérêt ou de nécessité, autant de ponctuations triviales de la socialité. C'est néanmoins cette ponctuation qui suscite l'*aura* spécifique de tel ou tel quartier. C'est à dessein que j'emploie ce terme, en ce qu'il traduit bien le mouvement complexe d'une atmosphère sécrétée par des lieux, par des activités, et qui leur donne en retour une coloration et une odeur particulières. Peut-être en est-il de cette spiritualité matérialiste, ce que E. Morin dit poétiquement de tel quartier de New York qui suinte le génie tout en reposant sur « l'absence de génie des individus ». En l'étendant à la ville toute entière qui devient chef-d'œuvre alors que « les vies sont lamentables ». Mais, poursuit-il, « ... si tu te laisses posséder par la ville, si tu te branches sur le flux d'énergie, si les forces de mort qui sont là pour te broyer éveillent en toi le vouloir-vivre, alors New York te psychédélise »[25].

Cette métaphore exprime bien le va-et-vient constant entre le stéréotype coutumier et l'archétype fondateur. Il me semble que c'est ce processus de constante réversibilité qui à mon sens constitue ce que Gilbert Durand appelle le « trajet anthropologique » ; en la matière l'étroite connexion qui existe entre les grandes œuvres de la culture et cette « culture » vécue au jour le jour, constitue le ciment essentiel de toute vie sociétale. Cette « culture » a de quoi étonner plus d'un, elle est faite de l'ensemble de ces petits « riens » qui par sédimentation font système signifiant. Impossible d'en dresser la liste exhaustive, qui en tant que telle, constituerait un programme de recherche des plus pertinents pour notre temps, cela peut aller du fait culinaire à l'imaginaire de l'électroménager sans oublier la publicité, le tourisme de masse, le ressurgissement et la multiplication des occasions festives[26]. On le voit, toutes choses qui rendent bien compte d'une sensibilité collective qui n'a plus grand-chose à voir avec la dominance économico-politique qui a caractérisé la Modernité. Cette sensibilité ne s'inscrit plus dans une rationalité orientée, finalisée (la *Zweckrationalität* wébérienne), mais se vit au présent, s'inscrit dans un espace donné. *Hic et nunc*. Et ce faisant fait « culture » au quotidien ; permet l'émergence de véritables valeurs, parfois étonnantes ou choquantes, mais expressives d'une dynamique indéniable (peut-être faut-il rapprocher cela de ce que W. Weber appelle la *Wertrationalität*).

C'est une telle compréhension de la coutume comme fait culturel qui peut permettre d'apprécier la vitalité des tribus métropolitaines. Ce sont elles qui sécrètent cette *aura* (la culture informelle) dans laquelle, *volens nolens,* chacun d'entre nous baigne. Nombreux sont les exemples que l'on pourrait donner en ce sens. Tous ont pour dénominateur commun de renvoyer à la proxémie. Ainsi, dans le sens le plus simple du terme, ces réseaux d'amitié, qui n'ont d'autres buts que de se rassembler sans objets, sans projets spécifiques, et qui de plus en plus quadrillent la vie quotidienne des grands ensembles. Certaines recherches font bien ressortir qu'ils rendent la structure associative obsolète[27]. Cette dernière pourtant se voulait souple, proche des usagers, directement en prise avec leurs problèmes ; mais elle était pourtant par trop finalisée, organisée, reposant la plupart du temps sur une idéologie politique ou religieuse dans le sens abstrait (lointain) du terme. Dans les réseaux d'amitié, la *reliance* est vécue *pour elle-même,* sans projection quelle qu'elle soit. De plus, ceux-ci peuvent être des plus ponctuels. Technologie aidant, ainsi les regroupements favorisés par le Minitel, c'est dans le cadre éphémère de telle ou telle occasion spécifique qu'un certain nombre de personnes vont se (re)trouver. Cette occasion peut susciter des relations continues, ou pas. Ce qu'elle ne manque pas de faire, en tout cas, c'est de créer ainsi des « chaînes » d'amitié qui, sur le modèle formel des réseaux analysés par la sociologie américaine, permettent une multiplication des relations uniquement par le jeu de la proxémie : un tel me présente à un tel qui connaît tel autre etc.

Une telle concaténation proxémique, sans projet, ne manque pas d'ouvrir des effets secondaires. Ainsi, celui de l'entraide. Il s'agit là du résultat d'une antique sagesse ; cette sagesse populaire, à laquelle il est de bon ton de ne pas croire, et qui sait que dans tous les sens du terme la « vie est dure aux pauvres... l'argent dur à gagner, et donc qu'on se doit entre proches aide et assistance »[28]. E. Poulat résume ainsi le substrat populaire de l'idéologie « démo-chrétienne ». A plus d'un titre, c'est un modèle qui mérite attention, car au-delà de la démocratie chrétienne *stricto sensu,* on peut entendre en écho ce que fut la doctrine sociale thomiste depuis des siècles, et qui ne fut pas sans effet dans la formation d'une symbolique commune. Ainsi, à côté d'une analyse socio-historique, on peut également accentuer la dimension socio-anthropologique, et souligner l'intime liaison existant entre la proxémie et la solidarité. En quelque sorte, il y a entraide par la force des choses, il ne s'agit pas d'un pur désintérêt : le soutien apporté peut toujours être réescompté le jour où moi-même j'en aurai besoin. Mais ce faisant, chacun est inséré dans un processus de correspondance, de participation qui privilégie le corps collectif.

Cette connexion étroite est également discrète. En effet, c'est à mots couverts que l'on parle de ses heurs et malheurs personnels, familiaux, professionnels ; et cette oralité fonctionne comme une rumeur qui, en la matière, a une fonction intrinsèque : elle délimite le territoire où s'effectue le partage. L'étranger n'y a pas sa part, et si besoin est, vis-à-vis de la presse, de l'autorité publique, des curieux, l'on rappelle que « le linge sale se lave en famille ». Réflexe de survie concernant l'action délinquante, mais qui peut s'appliquer également aux actions ou aux moments heureux. En fait, sous ses diverses modulations, la parole coutumière, le secret partagé est le ciment primordial de toute socialité. G. Simmel l'a bien montré, d'une manière paroxystique, pour les sociétés secrètes, mais on le retrouve également dans les recherches concernant la médecine traditionnelle, qui montrent que le corps individuel ne peut être guéri que grâce au corps collectif[29]. Il s'agit là d'une métaphore intéressante, cette médecine on le sait considère chaque corps comme un tout qu'il faut traiter comme tel, mais il faut également observer que cette vision globale est souvent redoublée par le fait que le corps individuel total est tributaire de ce tout qu'est la communauté. Cette notation permet de donner tout son sens au terme « entraide », il ne renvoie pas uniquement à ces actions mécaniques que sont les relations de bon voisinage. En fait l'entraide telle qu'on l'entend ici s'inscrit dans une perspective organique où tous les éléments par leur synergie confortent l'ensemble de la vie. Ainsi l'entraide serait la réponse animale, « non-consciente » du vouloir-vivre social ; sorte de vitalisme qui « sait », de savoir incorporé, que *l'unicité* est la meilleure réponse à l'emprise de la mort, un défi qui est lancé en quelque sorte. Laissons à cet égard la parole au poète :

> « Ne faire qu'un avec toutes choses vivantes ! A ces mots... la dure Fatalité abdique, la mort quitte le cercle des créatures, et le monde, guéri de la séparation et du vieillissement, rayonne d'une beauté accrue. » (Hölderlin, *Hypérion*).

Ce sentiment collectif de force commune, cette sensibilité mystique qui fonde la perdurance utilisent des vecteurs bien triviaux. Sans qu'il soit possible de les analyser ici, ce sont tous ces lieux de la parlerie ou plus généralement de la convivialité. Cabarets, cafés et autres espaces publics qui sont des « régions ouvertes », c'est-à-dire des lieux où il est possible de s'adresser aux autres, et par là-même de s'adresser à l'altérité en général. Nous sommes partis de l'idée de sacralité des rapports sociaux, celle-ci s'exprime au mieux dans la circulation de la parole qui en général accompagne la circulation de la nourriture et de la boisson. Ne l'oublions pas l'eucharistie chrétienne qui souligne l'union des fidèles, et l'union au Dieu, n'est qu'une des formes réussies de la commensalité que l'on retrouve dans toutes les religions du monde. Ainsi est stylisé le fait que dans le café, au cours d'un repas, en m'adressant à l'autre, c'est à la déité que je m'adresse. On revient par là, à la constatation, maintes fois exprimée, qui lie le divin, l'ensemble social et la proximité[30]. La commensalité, sous ses diverses formes, n'est que la visibilisation de cette complexe liaison. Il est bon cependant de rappeler que le divin est issu des réalités quotidiennes, qu'il s'élabore peu à peu dans le partage de gestes simples et routiniers. C'est en ce sens que l'*habitus* ou la coutume servent à concrétiser, à *actualiser* la dimension éthique de toute socialité.

Il suffit de retenir que la coutume, en tant qu'expression de la sensibilité collective permet, *stricto sensu,* une ex-tase au quotidien. La beuverie, la parlerie, la conversation anodine qui ponctuent la vie de tous les jours font « sortir de soi », et par là, créent cette *aura* spécifique qui sert de ciment au tribalisme. Comme on le voit, il ne faut pas réduire l'extase à quelques situations paroxystiques particulièrement typées. Le dionysiaque renvoie bien sûr à la promiscuité sexuelle, et autres effervescences affectuelles ou festives, mais il permet également de comprendre l'élaboration des opinions communes, des croyances collectives ou de la *doxa* communes. En bref, ces « cadres collectifs de la mémoire » pour reprendre l'expression de M. Halbwachs qui permettent de faire ressortir ce qui est vécu, les « courants d'expérience »[31]. A côté d'un savoir purement intellectuel, il y a une connaissance qui intègre aussi une dimension sensible, une connaissance qui, au plus proche de son étymologie, permet de « naître avec ». Cette connaissance incarnée s'enracine dans un corpus de coutumes qui méritent en tant que telles une analyse spécifique. Cela permettrait d'apprécier quelle est la modulation contemporaine de la « palabre » dont les divers rituels jouaient un rôle d'importance dans l'équilibre social du village et de la communauté traditionnels. Il n'est pas impossible d'imaginer que corrélativement au développement technologique la croissance des tribus urbaines favorise une « palabre informatisée » qui rejoue les rituels de l'agora antique. On ne serait plus alors confronté, comme ce le fut à sa naissance, aux dangers du computer macroscopique et déconnecté des réalités proches, mais au contraire, grâce au « micro » ou à la télévision cablée renvoyé à la diffraction à l'infini d'une oralité se disséminant de proche en proche. Le succès du Minitel, en France, doit être interprété en ce sens, et dans nombre de domaines : éducation, temps libre, travail partenarial, culture, la communication proche induite par ce processus se structure en réseau avec tous les effets sociaux que l'on peut imaginer [32].

Dans un premier temps, l'accroissement et la multiplication des médias de masse ont pu provoquer la désintégration de la culture bourgeoise fondée sur l'universalité et la valorisation de quelques objets et attitudes privilégiés. On peut maintenant se demander si la poursuite de cet accroissement et la banalisation qu'il induit, ne conduit pas ces mêmes médias au plus proche de la vie banale. En ce sens, ils réinvestiraient une certaine culture traditionnelle dont l'oralité est un vecteur essentiel. Ce faisant les médias contemporains, en visualisant non pas forcément les grandes œuvres de la culture, mais en mettant en image la vie de tous les jours, joueraient le rôle dévolu aux diverses formes de la parole publique : assurer par le mythe la cohésion d'un ensemble social donné. Ce mythe, on le sait, peut être de diverses sortes ; pour ma part, je considère qu'il y a une fonction mythique qui transversalement parcourt l'ensemble de la vie sociale. Tel événement politique comme tel petit fait anodin, la vie d'une star comme celle d'un gourou local peuvent, à un moment donné, prendre une dimension mythique. S'interrogeant justement sur les médias de masse, F. Dumont ne manque pas de souligner, d'une manière nuancée, que ceux-ci, quel qu'en soit le contenu, servent principalement à « alimenter, comme jadis, potins et conversations courantes... ce que l'on disait autrefois du curé ou du notaire, on le dit maintenant de telle ou telle vedette de cinéma ou de la politique »[33]. On ne peut qu'être frappé par l'aspect judicieux de cette remarque pour peu que l'on sache entendre les conversations de bureaux, d'usines, de cours d'école, ou encore cette fameuse conversation du café de commerce si instructive pour l'observateur social. J'aurais même tendance à être quelque peu plus radical, et à dire qu'il est dans la logique des médias de n'être qu'un *simple prétexte* à communication, comme pouvait l'être la diatribe philosophique dans l'Antiquité, le sermon religieux au Moyen Age ou le discours politique à l'ère moderne.

Dans ces diverses formes, le contenu certes n'est pas négligeable pour quelques-uns. Mais c'est parce qu'il conforte le sentiment de participer à un groupe plus vaste, de sortir de soi, qu'il vaut pour le plus grand nombre. En ce sens, on est plus attentif au contenant qui sert de toile de fond, qui crée ambiance et par là unit. Dans tous les cas, ce dont il est question est, avant tout, ce qui permet l'expression d'une émotion commune, ce qui fait que l'on se reconnaît en communion avec d'autres. Il faut voir si la multiplication des télévisions ou des radios locales ne va pas favoriser une telle sensibilité. C'est en tout cas une hypothèse envisageable qui ne rend pas tout à fait dénuée de fondement l'importance que l'on peut accorder à la coutume. En rendant visible le proche, celle-ci sécrète du « liant » pour une communauté donnée. Les quartiers ou même les immeubles « cablés » vont peut-être vivre des valeurs finalement fort peu éloignées de celles qui animaient les tribus ou les clans constituant les sociétés traditionnelles.

Dès lors, et en donnant au terme communication son sens le plus fort, *i.e.* ce qui structure la réalité sociale et non pas ce qui viendrait par surcroît, on peut voir dans la coutume une de ses modulations particulières. Modulation qui prend de l'importance lorsque, suite à la saturation des organisations et des représentations sociales surplombantes, ce sont les valeurs proxémiques qui (re)viennent sur le devant de la scène. On peut même dire qu'à ce stade du mouvement du balancier, l'aspect communicationnel ressort davantage puisque, sans prendre le prétexte d'une finalisation quelconque, il est vécu pour lui-même. Il existe un rapport direct entre une accentuation de la communication qui n'a pour objectif que la communication elle-même et le dépassement de l'attitude *critique* qui, elle, est liée à une orientation plus instrumentale, plus mécaniste, plus opérationnelle de la société. Avec la prédominance de l'activité communicationnelle, le monde est accepté tel qu'il est : ce qui renvoie à ce que j'ai déjà proposé d'appeler le « donné social ». D'où la liaison que l'on peut établir entre la coutume et la communication. Le monde accepté pour ce qu'il est, c'est bien sûr le « donné » naturel que l'on va ménager, qui s'inscrit dans un processus de réversibilité, ainsi la perspective écologique, mais c'est également le « donné » social avec lequel chacun va structurellement compter, d'où l'engagement organique des uns envers les autres. Ce que j'appelle ici le tribalisme. C'est bien ce à quoi nous renvoie la thématique générale de la coutume, c'est moins *l'individu* qui compte, que la *personne,* qui doit jouer son rôle dans une scène globale, et ce en fonction de règles très précises. S'agit-il là d'une régression ? Peut-être si l'on considère l'autonomie individuelle comme étant l'horizon indépassable de toute vie en société. Mais outre le fait que l'anthropologie nous montre qu'il s'agit là d'une valeur qui n'est générale ni dans le temps ni dans l'espace, on peut s'accorder sur le fait que le *principium individuationis* est de plus en plus contesté, au sein même du monde occidental. Ce qui est perceptible au travers de ce baromètre qu'est la sensibilité des poètes ou des romanciers (cf. par exemple le théâtre de S. Beckett), ou plus empiriquement, au travers de la multiplication des attitudes groupales qui parsèment la vie de nos sociétés. Enfin, et cela mérite d'être noté, il se trouve que certains pays qui n'ont pas fait de l'individualisme le fondement de leur développement connaissent de nos jours une *vitalité* indéniable, et de plus, exercent une fascination qui semble appelée à durer. Le Japon est du nombre, et, quoique cela paraisse paradoxal, on peut également y ajouter le Brésil. Prenons l'un et l'autre de ces pays comme des prototypes dont l'*aura* est essentiellement rituélique, dont la structure de base est la « tribu » (ou le regroupement organique si l'on ne veut pas choquer), et qui sont actuellement pour l'un, potentiellement pour l'autre, des pôles d'attraction de l'imaginaire collectif ; et ce tant du point de vue existentiel, qu'économique, culturel ou cultuel.

Il n'est pas question de les présenter comme des modèles achevés, mais d'indiquer qu'en alternative au *principe d'autonomie,* quels que soient les noms dont on veuille bien le parer (autogestion, *autopoëisis,* etc.), existe un *principe d'allonomie** qui repose sur l'ajustement, sur l'accommodation, sur l'articulation organique à l'altérité sociale et naturelle[34]. Ce principe contrevient au modèle activiste qui façonna la Modernité. Dans l'hypothèse présentée ici, il est essentiellement coutumier, et réinvestit, d'une manière prospective, les valeurs traditionnelles que l'on avait cru dépasser. En fait après la période du « désenchantement du monde » (*Entzauberung* chez Weber), je postule que l'on assiste à un véritable *réenchantement du monde* dont je vais essayer de retracer la logique. Disons, pour faire bref, que des masses qui se diffractent en tribus, ou des tribus qui s'agrègent en masses, un tel réenchantement a pour principal ciment une émotion ou une sensibilité vécue en commun. Je pense au début de cette démarche, aux méditations prophétiques que Hölderlin faisait sur les bords paisibles du Neckar, il y liait le sentiment de ce qui est commun, le « nationel »** qui sert de ciment à la communauté aux « ombres des dieux antiques, (qui) tels qu'ils furent, visitent à nouveau la terre... ». Quand il revint sur ce calme chemin, ce fut submergé par ces dieux. C'est également dans la solitude du sentier d'Eze que cet autre « fou » qu'est

* La loi vient de l'extérieur.
** Désignant le substrat populaire.

Nietzsche éprouva l'irruption dionysiaque. La vision n'en est pas moins prémonitoire :

> « Aujourd'hui solitaires, vous qui vivez séparés, vous serez un jour un peuple. Ceux qui se sont désignés eux-mêmes formeront un jour un peuple désigné et c'est de ce peuple que naîtra l'existence qui dépasse l'homme. »

Notre *Philosophenweg* quant à nous passera par les plages surpeuplées de « congés payés », dans les grands magasins agités d'une furie consommatoire, parmi les rassemblements sportifs aux frénésies inquiétantes, au-travers de la foule anodine qui baguenaude sans buts particuliers. A des titres divers, il semblerait que Dionysos les ait tous submergés. Les tribus qu'il impulse présentent une trouble ambiguïté : tout en ne dédaignant pas une technologie des plus sophistiquées, elles sont quelque peu barbares. Peut-être est-ce là le signe de la post-modernité qui s'annonce. Quoi qu'il en soit le principe de réalité d'une part nous invite à les prendre en compte puisqu'elles sont là, et d'autre part nous rappelle qu'en de nombreuses périodes, ce fut la barbarie qui régénéra bien des civilisations moribondes.

# 2.

# La puissance souterraine

## 1. *Aspects du vitalisme*

Il est une remarque de bon sens d'Emile Durkheim qui dans sa banalité même mérite attention : « Si l'existence perdure c'est qu'en général les hommes la préfèrent à la mort[1]. »

Il est inutile de revenir sur l'impossibilité qu'ont nombre d'intellectuels à comprendre ce puissant vouloir vivre (la puissance) qui malgré les diverses impositions, ou peut-être grâce à elles, continue d'irriguer le corps social ; par contre on peut se demander, sinon pourquoi, du moins ce qui fait que cette question ne peut plus être ignorée. Restons dans l'ordre des banalités, ne serait-ce que pour faire enrager ces trissotins de l'université qui jouent aux scientifiques pour faire oublier leur incroyable platitude de pensée. Certains historiens de l'art font ressortir qu'il existe des périodes où dominent les « arts tactiles » et d'autres où prévalent les « arts optiques », ou encore un art qui doit être « vu de près » et un autre qui nécessite une « mise à distance » pour être apprécié. C'est en s'appuyant sur une telle dychotomie que W. Worringer va élaborer sa célèbre opposition entre l'abstraction et l'empathie *(Einfühlung)*. En bref, tout ce qui a trait à l'empathie renvoie à l'intuition pour ce qui concerne les représentations et à l'organique pour ce qui est de l'ordre de la structuration. Ou encore à partir de l'idée de *Kunstwollen*, il est fait référence au peuple, à la force collective qui l'anime, en un mot à ce *vitalisme* méritant une attention particulière[2].

Il est bien évident qu'il faut considérer cette classification d'une manière archétypale, c'est-à-dire n'existant pas sous une forme pure : il s'agit d'une « irréalité » qui a pour seule fonction de servir de révélateur à des situations courantes qui sont elles bien « réelles ».

Ainsi pour répondre à la question que l'on vient de poser, il est possible qu'après une période où a prévalu la mise à distance, « période optique » que l'on pourrait appeler, en référence à son étymologie, une période *théorique* (*theorein* : voir), on soit en train de rentrer dans une époque « tactile », où seule la proxémie importe. En termes plus sociologiques, on peut dire que l'on retrouve là le glissement du global au local, le passage du prolétariat en tant que sujet historique actif au peuple nullement responsable de l'avenir ; ce qui nous oblige à envisager la saturation de la question du pouvoir (*i.e.* du politique) dans sa fonction projective, et l'émergence de celle de *puissance* qui meut en profondeur la multiplicité des communautés éparses, éclatées et pourtant liées les unes aux autres dans une architectonique différenciée s'exprimant dans ce que j'ai appelé « l'harmonie conflictuelle »[3]. C'est dans cette perspective schématique qu'il convient d'apprécier la prise en compte du vitalisme : à savoir le fait qu'il y ait de la vie plutôt que rien. Foin de la « séparation », de l'aliénation, et de l'attitude critique qui en est l'expression, il est maintenant important d'analyser « l'affirmation » de la vie, le vouloir vivre sociétal, qui même d'une manière relativiste sert de support à la vie quotidienne « vue de près ».

En reprenant le schéma que j'avais mis en œuvre pour la figure emblématique de Dionysos, il me semble que le rôle de la « puissance » ne cesse jamais d'être à œuvre. Cependant son action est soit secrète, soit discrète, soit affichée. Lorsqu'elle ne s'exprime pas dans ces formes d'effervescence que sont les révoltes, les fêtes, les soulèvements et autres moments chauds des histoires humaines, elle se concentre en hyper dans le secret des sectes et avant-gardes quelles qu'elles soient, ou en hypo dans les communautés, les réseaux, les tribus, en bref dans les menus faits de la vie courante qui sont vécus pour eux-mêmes et non en fonction d'une quelconque finalité[4]. Il s'agit là de la tradition mystique ou gnostique, s'opposant à la lignée critique ou rationaliste ; mais de la gnose ancienne à la gnose de Princeton, en passant par la mystique de Böhme et de Loisy[5], des débridements des sens et des mœurs aux médecines douces et aux contemporaines explorations astrologiques, il y a un même fil rouge qui se poursuit : celui de la puissance. Sinon que l'on pourrait appeler « dionysienne » l'attitude spirituelle, alors que la perspective plus sensuelle renverrait au « dionysiaque » ; l'une et l'autre cependant reposant sur le primat de l'expérience, sur un vitalisme profond et sur une vision plus ou moins explicitée de l'organicité des divers éléments du cosmos. Nombre de questions concernant la saturation du politique, le changement de valeurs, la faillite du mythe progressiste, le resurgissement du qualitatif, l'importance que l'on peut accorder à l'hédonisme, la perdurance du souci religieux, la prégnance de l'image que l'on croyait totalement évacuée et qui devient de plus en plus envahissante dans notre vie quotidienne (publicité, télévision), toutes ces questions ont pour toile de fond ce que l'on peut appeler la *puissance* irrépressible. Il s'agit là d'une force bien difficile à expliquer mais dont on peut constater les effets dans les diverses manifestations de la socialité : ruse, quant à soi, scepticisme, ironie et joyeusetés tragiques au sein d'un monde réputé en crise. Alors que la crise est bien celle des pouvoirs dans ce qu'ils ont de surplombant, d'abstrait. C'est cette opposition entre le *pouvoir extrinsèque* et la *puissance intrinsèque* qu'il faut penser avec rigueur, et qui est la traduction sociologique de la dichotomie esthétique (optique — tactile) posée plus haut. Sur ce mouvement de pendule qui permet de comprendre le (re)surgissement et l'usure des questions dans le cycle spiralesque du retour du même, on peut se reporter à un auteur canonique, Célestin Bouglé, qui tout en étant de son époque (le début de ce siècle rationaliste) et de son milieu (l'Ecole française positiviste) ne manque pas de souligner les qualités qui sont à l'œuvre dans ce qui n'est pas la stricte tradition occidentale. Ainsi dans son analyse toute en nuances du régime des castes, sur laquelle il faudra revenir, après avoir remarqué que « la terre des castes » pourrait être le berceau du mythe de Dionysos (p. 156), il montre bien qu'il existe un balancement entre « l'existence pleine de réalité » du monde grec (et pourrions-nous dire de ses héritiers) et le fait que cette existence n'est « qu'une illusion décevante » pour l'Hindou (p. 154). Mais cette conception sceptique ne s'exprime pas moins dans un « souffle de sensualité » parfois même de « brutalité » (p. 155) : ainsi au-delà de remarques convenues, ne peut-il pas s'empêcher de souligner qu'un non-activisme (plutôt que passivité), peut être dynamique. Impossible de s'étendre sur cette question, reconnaissons encore avec Bouglé qu'à la « raison ordonnatrice » peut s'opposer « l'imagination amplificatrice » (p. 191), et que chacune de ses spécificités peut avoir sa fécondité propre[6].

On peut certainement extrapoler cette idée, et dépasser le cadre étroit des « races » pour lui donner la dimension socio-anthropologique qui nous intéresse ici. Il est possible que la *puissance* à l'œuvre aujourd'hui ne soit pas étrangère à la fascination que ne manquent pas d'exercer la pensée et les modes de vie orientaux. Non pas que ceux-ci soient appelés à jouer le rôle monopolistique qui fut celui du modèle européen, ou qui est encore pour quelque temps celui de l'*american way of life*, mais selon des modalités différenciées, ils pourront rentrer (ils entrent déjà) dans une composition interculturelle qui ne manquera pas de réactiver le débat tradition et modernité. A cet égard la place qu'occupe le Japon dans l'imaginaire contemporain est un indice éclairant ; à mon avis sa performativité industrielle, son dynamisme conquérant sont incompréhensibles si l'on n'a pas à l'esprit la forte charge traditionnelle, la dimension rituelle qui traversent de part en part les différentes modulations de sa vie collective dont on connaît l'importance. Le costume trois pièces fait bon ménage avec le kimono dans la garde-robe de l'efficace manager. Là encore on peut répéter que l'on est en présence d'un « enracinement dynamique »[7].

Ainsi au moment où il est bon ton de se lamenter (ou de se réjouir ce qui revient au même) sur la fin du social, il est nécessaire, avec bon sens et lucidité, de rappeler que la fin d'une certaine forme du social, la saturation évidente du politique peut surtout permettre de faire ressortir un *instinct vital* qui, lui, est loin de s'éteindre. Le catastrophisme ambiant reste en fait très dialectique (hégélien) trop linéariste (positiviste), encore chrétien (parousie) pour apprécier les multiples explosions de vitalisme qui sont le fait de tous ces groupes ou « tribus » en fermentation constante, qui prennent en charge, au plus près d'eux-mêmes, de multiples aspects de *leur* existence collective. C'est cela le polythéisme. Mais cela, comme c'est très souvent le cas, les intellectuels et plus précisément les sociologues, le comprendront *post festum* !

Risquons-nous à quelques métaphores : à la manière du phénix antique le déclin d'une forme en appelle toujours à l'éclosion d'une autre. Et « l'imagination amplificatrice » dont il a été question peut nous permettre de saisir que la mort de la monovalence historique ou politique peut être l'occasion d'investir à nouveau la matrice naturelle. J'ai déjà indiqué ce processus : glissement de l'économie omniprésente à l'écologie généralisée, ou encore selon les termes de l'Ecole de Francfort passage de la nature comme objet *(gegenstand)* à la nature comme partenaire *(gegenspieler)*. Et les mouvements écologistes (se structurant ou non en partis), la vogue des nourritures biologiques, macrobiotiques, la mode des naturalismes divers sont à cet égard des indices instructifs. Il ne s'agit pas là d'un détour inutile dans le cadre de notre réflexion, mais bien d'un paramètre d'importance qui échappe trop souvent aux tenants du catastrophisme, à moins qu'ils ne le réduisent à sa composante politique. On peut penser à E. Jünger et à sa fascination pour les minéraux, on peut également faire référence à ce poète qu'est J. Lacarrière soulignant avec force et beauté le resurgissement de la Grande Déesse Terre :

> « J'ai toujours trouvé une certaine ressemblance entre les mythes et les coraux : sur un tronc commun et vivant qui... se minéralise avec les siècles... bourgeonnement des floraisons vivantes, des embranchements de tentacules... bref des varicutes orales et éphémères qui prolongent sans cesse l'élan abyssal du phylum. » (J. Lacarrière, *L'Eté grec*, Plon, Paris, 1976, p. 148.)

L'ensemble de ce beau livre, que l'on pourrait comparer au *Colosse de Maroussi* de H. Miller, est de la même eau ; il fait bien état d'un réenchantement du monde en montrant l'étroite connexion qui existe entre l'arborescence, même minérale, de la nature et l'explosion de vie dont le mythe est l'indice. Le *Phylum* dont il est question nous rappelle, à bon escient, que si les civilisations sont mortelles ou encore éphémères, le substrat sur lequel elles s'enracinent est lui invariant, au moins au regard du sociologue. Il est bon de se souvenir de cette banalité, que notre « nombrilisme » tend à nous faire oublier.

Ce faisant il est dès lors possible de comprendre ce que j'ai appelé la « perdurance sociétale », terme un peu barbare qui indique la capacité de résistance des masses. Cette capacité n'est pas forcément consciente, elle est incorporée ; minérale en quelque sorte, elle survit aux péripéties politiques. Je me risquerais à dire qu'il y a chez le peuple un « savoir de source sûre », une « direction assurée », à la manière heideggérienne, qui en fait une *entité naturelle* dépassant et de beaucoup ses diverses modulations historiques ou sociales. Vision quelque peu mystique, mais qui seule peut permettre d'expliquer qu'au travers des carnages et des guerres, des migrations et des disparitions, des splendeurs et des décadences, l'animal humain continue de prospérer. Maintenant que nous n'avons plus peur des invectives et des procès d'intention, maintenant que les terrorismes théoriques ne paralysent plus les aventures de la pensée (ou même nos pensées aventureuses), il est bon que les sociologues analysent avec rigueur cette perspective globale, holiste, qui était celle affirmée dans l'acte de fondation de notre discipline. La reconnaissance d'un vitalisme irrépressible peut être du nombre. Il n'est pas question de faire ici un relevé exhaustif des recherches en ce sens[8], il suffit d'indiquer qu'à la suite du thème goethéen du *Natur-Gott*, du Dieu-Nature, ce vitalisme ne fut pas absent de la psychologie des profondeurs dont l'importance fut capitale pour notre XX$^{e}$ siècle.

C'est chose patente pour la démarche de C.G. Jung dont on (re)commence de nos jours à reconnaître la fécondité, mais également à la marge du mouvement freudien, le « principe organisateur de la vie » est au centre de l'œuvre de Groddeck. Ainsi selon un de ses commentateurs celui-ci a toujours manifesté « un grand intérêt pour la physis, c'est-à-dire la croissance spontanée, l'accomplissement effectué d'un devenir, dans la nature comme chez l'être humain »[9]. Si dans la tradition psychanalytique je cite Groddeck, c'est parce que d'une part il s'inspire de Nietzsche dont on n'a pas fini d'explorer l'actualité, mais également parce que l'adage dont il s'inspira : *Natura sanat, medicus curat*, est à la base des mouvements alternatifs qui aux quatre coins du monde sont en train de bouleverser la configuration sociale. Et à cela aussi nous avons à être attentifs pour jauger la pertinence de ce que j'appelle *puissance*. On peut imaginer que cet « accomplissement » dans le donné naturel, l'arborescence ou la croissance toujours continuée ne soit pas sans effet sur le donné social. En redécouvrant les vertus d'une nature-mère, c'est le sens de la globalité qui est réinvesti. Il y a réversibilité, et non domination unilatérale. C'est ce qui peut permettre de dire que tous les groupes pour lesquels la nature est considérée comme une partenaire sont des forces alternatives qui à la fois signent le déclin d'un certain type de société mais en même temps en appellent à une irrésistible renaissance.

Bien sûr celle-ci, que nous voyons *in statu nascendi*, est tout à fait cahotique, désordonnée, effeverscente. Mais nous savons depuis Durkheim que l'effervescence est l'indice le plus sûr de ce qui est prospectif, de ce qui est appelé à durer, parfois même à s'institutionaliser. Le fourmillement est pour Bachelard une « image première », il rappelle en outre qu'au XVIIe siècle le « mot chaos (est) orthographié cahot ». Rapprochement éclairant quand on sait que le chaos est cela même sur quoi s'érige le cosmos et par après ce micro-cosmos qu'est le donné social. Le grouillement est signe d'animalisation, mais également d'animation[10]. G. Durand l'illustre abondamment. Le grouillement que l'on peut observer actuellement et qui a une forte connotation naturelle peut être compris comme expression de la puissance ou du vouloir vivre qui sont cause et effet du *phylum* vital. Ainsi que le dit le psychanalyste allemand : *« Kot ist nicht Tot, es ist Anfang von allem ».*

Soyons plus précis encore, s'il y a déclin des grandes structures institutionnelles et activistes — des partis politiques, en tant que médiation nécessaire, au prolétariat en tant que sujet historique — il y a par contre développement de ce que l'on peut appeler d'une manière très générale les communautés de base, or celles-ci reposent essentiellement sur une réalité *proxémique* dont la nature est la forme achevée. Avec beaucoup d'acuité, G. Simmel montre que « l'attachement sentimental à la nature », « la fascination de la puissance » ne manque pas de se transformer en religion. Il y a *stricto sensu communion* dans la beauté et la grandeur[11]. La religion est ici ce qui lie ; et elle lie parce qu'il y a coude à coude, parce qu'il y a physiquement proximité ; ainsi à l'opposé de l'« ex-tension » de l'histoire, qui repose sur des ensembles vastes et peu à peu impersonnels, la nature favorise l'« in-tension » *(in-tendere)*, avec l'investissement, l'enthousiasme, la chaleur que cela présuppose. La référence même cavalière à la nature et la « religion » qu'elle sécrète, a pour seule ambition d'indiquer qu'au-delà de l'arbitraire coupure entre vie physique et vie psychique et par voie de conséquence entre sciences de la nature et sciences de l'esprit, coupures imposées par le XIX^e siècle, on est en train de retrouver une perspective globale qui ne laisse pas d'être prospective.

Nombreux sont les scientifiques (physiciens, astro-physiciens, biologistes) qui œuvrent activement pour une telle révision. Certains même, tel le prix Nobel F. Capra ou le biologiste R. Sheldrake font référence au Tao ou à la pensée hindoue pour étayer leurs hypothèses. De son côté le physicien J.E. Charron entend montrer que « l'esprit est inséparable des recherches en physique ». Par manque de compétence il ne m'est certes pas possible de rentrer dans le débat. Par contre je peux à mon tour utiliser, d'une manière métaphorique, ses analyses pour mieux illustrer cette piste du vitalisme ou de la puissance à l'œuvre dans le donné social. En particulier en ce qui concerne les « trous noirs », ces étoiles qui par densification vertigineuse meurent à notre espace-temps pour naître « dans un nouvel espace-temps », ce qu'il appelle un « espace-temps complexe »[12]. Pour faire image, en réponse à ceux qui s'interrogent sur le déclin des modes classiques de structurations sociales, on peut suggérer que c'est la densité de la socialité, ce que j'ai appelé il y a un instant son « in-tension » *(in-tendere)*, qui la fait accéder à un autre espace-temps où elle se meut à l'aise. Une telle densité existe toujours, c'est l'expérience dans ses diverses dimensions, le vécu dans toute sa concrétude, le sentiment ou la passion qui, à l'encontre de ce qu'il est convenu d'admettre, constituent l'essentiel de toutes les agrégations sociales. En général cette densité trouve à s'exprimer au travers des délégations, des représentations qui ponctuent les histoires humaines (assemblées générales, conseils, démocraties directes, parlements en leurs débuts, etc.), mais avec le temps, et en vertu de la rigidification inéluctable des institutions, on assiste à une séparation croissante qui peut conduire au divorce. C'est alors que la « densité » s'exile dans un autre espace-temps en attendant d'avoir trouvé des nouvelles formes d'expression. Car pour reprendre le terme que E. Bloch appliquait à d'autres phénomènes, il y a très souvent « non-contemporanéité » entre une institution et son support populaire. Ainsi dans nos pays démocratiques, ce que des belles âmes appellent le développement de l'antiparlementarisme n'est peut-être qu'une fatigue vis-à-vis de la *libido dominandi* qui anime la vie publique, ou encore une saturation du jeu politique qui n'est considéré que pour ce par quoi il est encore intéressant : ses performances théâtrales.

Mais en laissant ceux qui en vivent à leurs jeux puérils, il est tout de même nécessaire de s'interroger sur « l'importance de ces "trous noirs" de la socialité ». Cela a au moins le mérite de nous obliger à tourner nos regards vers cette base, trop souvent ignorée, de notre discipline. Passons de l'architecture céleste à celle qui constitue nos villes. Réfléchissant sur l'intervalle, G. Dorflès, en s'inspirant de nombreux esthéticiens, déclare qu'il n'y a pas d'architecture « sans espace intérieur ». D'ailleurs il élargit le débat en montrant que cette spatialité intérieure a un important enracinement anthropologique (grotte, niche, abri) ou psychologique (giron maternel, utérus, appareil digestif). La réflexion sur le « labyrinthe », qui a été particulièrement bien illustrée par les surréalistes et les situationistes, ou encore le « creux » dont parle G. Durand, tout cela souligne le fait qu'il faut de « l'intérieur » pour qu'il y ait une construction quelle qu'elle soit[13]. Ce qui est dit de l'architecture peut s'extrapoler à l'architectonique de la socialité. Il s'agit là de l'hypothèse centrale de ma recherche depuis de nombreuses années : la nécessité d'une *centralité souterraine.* Que les architectes ou les urbanistes contemporains redécouvrent la nécessité de l'espace perdu, de l'agora, du passage souterrain, des portiques, du patio, etc., n'est que la transcription constructiviste de cette impérieuse nécessité du « creux ». Je l'ai déjà indiqué avant d'être le monde que l'on sait, le *mundus* fut ce « trou » où l'on jettait les victimes sacrifiées aux dieux, les enfants refusés par leurs pères et les ordures[14] ; en bref toutes les choses qui donnent sens à la cité.

Un fait (paraissant futile aux urbanistes du moment mais qui ne fut pas sans effet par la suite) qui a alimenté bien des débats avec des amis grenoblois, ainsi C. Verdillon, mérite d'être ici souligné. Lorsque la municipalité de Grenoble décida de construire la « Villeneuve », laboratoire d'une nouvelle manière de vivre la ville, de vivre en ville, elle demanda aux urbanistes de prévoir de longues « coursives » reliant les appartements aux ascenseurs, et des « galeries » pour permettre aux gens de se rencontrer. Ce fut le lieu des courants d'air, de la course à pied ou de la peur panique. Furent également pévus, en conformité avec la loi, des « mètres carrés sociaux ». Ainsi outre les équipements socio-éducatifs, une pièce fut laissée libre au bout de chaque coursive. On la destinait aux réunions, aux associations, aux ateliers. En fait ces pièces furent vite occupées, de manière informelle, pour des activités anodines ou contraires à la morale classique. En tout cas ce furent des lieux où l'on pensait — par projections, par constructions fantasmatiques — que se passaient des choses inouïes mais combien nécessaires à toute vie de groupe. *Mundus est immundus.* Et les « mètres carrés sociaux » étaient l'immonde permettant la communication, la diatribe, ou la vie par procuration. Bien sûr cela ne dura pas et l'on mit des serrures à ces lieux de liberté qui furent confiés à des animateurs sociaux. Triste fin s'il en est !

Mais au-delà de cette notice anecdotique, ce que j'entends faire ressortir, c'est qu'il y a toujours pour reprendre une expression de Simmel « un comportement secret du groupe vis-à-vis de l'extérieur »[15]. C'est celui-ci, suivant les époques plus ou moins affirmé, qui est à l'origine de la perdurance sociétale, et qui au-delà des déclins ponctuels assure la pérennité du *phylum*. Faut-il le préciser encore, il s'agit naturellement d'un idéal-type qui n'existe pas sous sa forme pure, qui est rarement présenté en tant que tel par les protagonistes eux-mêmes, chose bien normale ; et pourtant c'est certainement ce « secret » qui permet de mesurer la vitalité d'un ensemble social. En effet c'est en préservant les étapes d'une révolution, les motifs d'une conspiration, ou plus simplement la résistance passive ou l'évident « quant-à-soi » vis-à-vis de quelque pouvoir que ce soit (politique, étatique, symbolique), que l'on crée une communauté. Explosive ou silencieuse il s'agit là d'une violence dont on n'a pas fini de souligner les aspects fondateurs. C'est également de la *puissance* dont il est ici question.

Pour résumer ces quelques remarques, on peut dire que le « vitalisme », qui ne manquera pas d'étonner, et qui en tout cas est la condition de possibilité pour comprendre *la puissance* de la vie sans qualité, ce vitalisme donc ne peut être saisi que si l'on abandonne l'attitude judicative (ou normative) qui est en général celle du détenteur du savoir et du pouvoir. Julien Freund parlant de la versatilité de la foule, propose de la classer « sous la catégorie du privatif », c'est-à-dire qu'elle n'est ni négative, ni positive, qu'elle peut être « en même temps socialiste et nationaliste »[16]. Je traduirai en mon langage que la foule est en creux, qu'elle est la vacuité même, et c'est là que réside sa *puissance*. Refusant la logique de l'identité, qui transforme le peuple en prolétariat (en « sujet » de l'Histoire), la foule peut être d'une manière séquentielle ou en même temps la foule des « beauf » ou la foule en révolte, la foule raciste ou la foule pleine de générosité, la foule illusionnée ou la foule retorse. Philosophiquement il s'agit là d'une incomplétude qui *en tant que telle* est riche d'avenir. Seule l'imperfection est signe de vie, la perfection quant à elle est synonyme de mort. C'est dans sa bigarrure, dans son effervescence, dans son aspect désordonné et stochastique, dans sa naïveté touchante, que le vitalisme populaire nous intéresse. C'est parce qu'il est ce *rien* qui donne fond au tout que, d'une manière relativiste, on peut voir en lui l'alternative au déclin ; mais en même temps il sonne un glas : celui de la modernité.

## 2. *Le divin social*

On peut s'interroger sur un autre aspect de la *puissance* populaire. Celui du « divin social », terme par lequel E. Durkheim désignait cette force agrégative qui est à la base de quelque société ou association que ce soit. On pourrait dire « religion » également, si ce mot est employé pour désigner ce qui nous unit à une communauté ; il s'agit moins d'un contenu, qui est de l'ordre de la foi, que d'un contenant, c'est-à-dire ce qui est matrice commune, ce qui sert de support à « l'être-ensemble ». Je reprendrai à cet égard une définition de Simmel : « Le monde religieux plonge ses racines dans la complexité spirituelle de la relation entre l'individu et ses semblables ou un groupe de ses semblables... ces relations constituent les plus purs phénomènes religieux au sens conventionnel du terme[17]. »

Il ne s'agit pas ici de faire de la sociologie de la religion, d'ailleurs les spécialistes du domaine sont réticents dès qu'il est question de resurgissement du religieux. Je me garderais bien d'empiéter sur leur objet propre, et me bornerai à rester dans le flou, dans la nébuleuse du sentiment religieux. A dessein d'ailleurs, ce qui permet de rendre attentif au développement religieux *stricto sensu* (en particulier ses manifestations non institutionnelles), à l'importance accordée à l'imaginaire, au symbolique, toutes choses qui incitent les esprits pressés ou prévenus à parler de retour de l'irrationalisme.

On peut tout d'abord dire qu'il y a un rapport certain entre le réinvestissement du naturel (du naturalisme) et le réenchantement du monde que l'on observe aujourd'hui. Au-delà des démystifications, des « démythologisations » qui ont trouvé des adeptes au sein même des réflexions théologiques, ce « renifleur » social qu'est le sociologue ne peut pas ne pas considérer tous ces multiples éléments qui privilégient le sort, le destin, les astres, la magie, le tarot, les horoscopes, les cultes de la nature, etc. Il est même certain que le développement des jeux de hasard tel qu'on le connaît en France, des jeux populaires (loto, tacotac, tiercé, loterie nationale) à la mode des casinos participe de ce même processus. Il s'agit là de pistes qui mériteraient des recherches précises. Il n'y a pas lieu, à cet égard, de pousser des cris d'orfraie. Rappelons en effet ce qui est un « postulat essentiel de la sociologie » pour E. Durkheim : « Une institution humaine ne saurait reposer sur l'erreur et sur le mensonge : sans quoi elle n'aurait pu durer. Si elle n'était pas fondée dans la nature des choses, elle aurait rencontré... des résistances dont elle n'aurait pu triompher[18]. » Cette sage remarque peut s'appliquer à notre sujet. Le sens commun, la constatation empirique, les articles journalistiques, tout le monde s'accorde sur la multiplication des phénomènes religieux. Il convient donc de les aborder, sans forcément en exagérer la portée, sans non plus les disqualifier a priori.

Tout d'abord donc parce que cela renvoie à des attitudes largement répandues dans tous les milieux. Pour ce qui est de la « populace » cela s'entend, mais même si c'est fait avec discrétion, il n'est plus incongru dans l'intelligentsia de parler de son horoscope, de porter à son cou, ou autour de son poignet, un gri-gri quelconque. Quant à d'autres couches sociales, des études en cours feront bien ressortir ces phénomènes. A titre d'anecdote : tout récemment au cours d'un même dîner rassemblant des membres de la haute fonction publique (plus quelques « danseuses » telles un évêque, un universitaire et une astrologue) j'ai pu, d'une part, m'entretenir longuement avec cette astrologue fameuse m'énumérant tous les hommes politiques, de tous bords de l'échiquier politique, qui étaient ses clients, et, d'autre part, entendre en confidence tel Préfet, homme rationnel s'il en est, m'expliquer le frisson magique, véritable drogue hebdomadaire, qui l'étreint lors du tirage du « loto ». Naturellement, pour limiter la compromission totale, c'est son chauffeur qui est commis à l'achat du bulletin fatidique. Tout cela est bien anecdotique, mais ce sont bien ces faits, aussi minuscules soient-ils, qui par sédimentations successives constituent l'essentiel de l'existence individuelle et collective tout à la fois. Ce que par contre ils soulignent avec force c'est bien un autre rapport avec l'environnement naturel ou cosmique que celui auquel nous avait habitué une pensée purement rationaliste. Et naturellement cet autre rapport n'est pas sans conséquence sur nos rapports aux autres (famille, bureau, usine, rue), tant il est vrai que c'est la manière dont est vécu et représenté « l'être (là-jeté) dans le monde » qui détermine sa mise en scène ; je veux dire par là la gestion des situations, qui de proche en proche constituent la concaténation existentielle. Si donc on peut parler de réenchantement du monde, c'est que celui-ci « va de soi ». Ce naturalisme, cette connivence méritent d'être soulignés, c'est ce qui peut faire parler de « donné » social ou encore selon l'expression de Schütz de *« Taken for Granted »* (accepté comme concédé)[19]. On participe tant bien que mal, on est de ce monde misérable, imparfait et pourtant préférable à « rien ». Vision tragique s'il en est, qui suppose moins le changement (réforme, révolution) que l'acceptation de ce qui est, du statu quo. Fatalisme, diront certains, pour partie certainement ; mais à l'opposé de l'activisme (anglo-saxon ?) qui met en concurrence des individus opposés, ce fatalisme (méditerranéen ?) par une intégration dans la matrice naturelle renforce l'esprit collectif. Je précise que si le « divin » humain ou social (à partir de Feuerbach, puis au travers de Comte ou de Durkheim) est une préoccupation de la pensée sociale, on peut cependant établir un parallèle avec une certaine tradition mystique pour laquelle ce à quoi il faut arriver, c'est la perte dans le « grand tout ». Une telle attitude d'une part renvoie au naturalisme dont il a été question, et en même temps sert de fondement à la constitution de petits groupes (communion, fusion érotique ou sublimée, sectes, congrégations, etc.) qui ne sont pas sans rapport avec ce que l'on peut observer de nos jours[20]. Il ne faut pas l'oublier, l'expression théologique rendant le mieux compte de ce processus, « la communion des saints », repose essentiellement sur l'idée de participation, de correspondance, d'analogie, notions qui paraissent tout à fait pertinentes pour analyser les mouvements sociaux qui ne se laissent plus réduire à leurs dimensions rationnelles ou fonctionnalistes. Un grand sociologue comme Roger Bastide, dont les analyses sont appelées à rejouer un grand rôle, parlait de la religion en terme « d'évolution arborescente »[21]. Là encore, outre l'image naturaliste qui est ici en cause, on est renvoyé à l'idée d'éléments liés organiquement (branches formant un arbre), d'anneaux et de concaténation, de communautés s'imbriquant les unes aux autres dans un ensemble plus vaste. Vieille figure biblique de la Jérusalem mythique « où tout ensemble fait corps », figurant par là la convivialité du paradis à venir. Peut-on à partir de ces quelques remarques extrapoler, et faire une liaison avec la *puissance* populaire ? Il me semble qu'il s'agit là d'un processus légitime.

D'autant que la caractéristique essentielle de la religion, qui peut se moduler différentiellement, reste cependant intangible : il s'agit toujours de transcendance. Que celle-ci soit située dans un au-delà ou qu'elle soit une « transcendance immanente » (le groupe, la communauté qui transcende les individus) ne change rien à l'affaire. Or notre hypothèse, à l'encontre de ceux qui se lamentent sur la fin des grandes valeurs collectives et le rétrécissement sur l'individu, qu'ils mettent abusivement en parallèle avec l'importance accordée à la vie quotidienne, est justement que le fait nouveau qui se dégage (et qui se développe) se trouve être la multiplication des petits groupes de réseaux existentiels ; sorte de tribalisme qui repose à la fois sur l'esprit de religion *(re-ligare)* et sur le localisme (proxémie, nature). Peut-être, maintenant que s'achève la civilisation individualiste inaugurée par la Révolution française allons nous être confrontés à ce qui fut un essai avorté (Robespierre) : à savoir cette « religion civile » que Rousseau appelait de ses vœux. Cette hypothèse n'est certainement pas infondée d'autant que, tout comme le remarque E. Poulat, elle ne manque pas de préoccuper, tout au long du XIX^e siècle et au début de celui-ci, des penseurs comme Pierre Leroux, Comte naturellement, Loisy, ou encore Ballanche qui pensait que « l'humanité serait appelée à former une quatrième personne dans les cieux »[22]. En s'inspirant d'un terme appliqué à Lammenais, on peut dire que cette perspective « démothéiste »* peut permettre de comprendre la puissance du tribalisme, ou la puissance de la socialité incompréhensible aux analystes économico-politiques.

On le sait, Durkheim resta préoccupé par le lien religieux : « comment *tient* une société que rien ne transcende mais qui transcende tous ses membres », cette belle formule de Poulat (*ibid.*, p. 241) résume bien la thématique de la transcendance immanente. La causalité ou l'utilitarisme ne peuvent seuls expliquer la propension à s'associer. Malgré les égoïsmes et les intérêts particuliers, il y a un ciment qui assure la perdurance. Peut-être faut-il en chercher la source dans le sentiment partagé. Suivant les époques ce sentiment se portera sur des idéaux lointains et, par voie de conséquence, de faible intensité, ou sur des objectifs plus puissants parce que plus proches. Dans ce dernier cas il ne pourra pas être unifié, a fortiori rationalisé ; et son éclatement même fera davantage ressortir la coloration religieuse. Ainsi la « religion civile » qu'il est difficile d'appliquer à toute une nation peut fort bien être vécue, au niveau local, par une multiplicité de cités (exemple grec)

* Le peuple étant dieu, ou encore le « divin social ».

ou de groupements particuliers. A ce moment-là, la solidarité qu'elle engendre prend un sens concret. C'est en ce sens qu'une certaine indifférenciation consécutive à la mondialisation et à l'uniformisation des modes de vie et parfois de pensée, peut aller de pair avec l'accentuation de valeurs particulières qui elles sont investies, avec intensité, par quelques-uns. Ainsi l'on peut assister à une mass-médiation croissante, à un habillement standardisé, à un *fast food* envahissant, et dans le même temps au développement d'une communication locale (radios libres, TV câblée), au succès de vêtements spécifiques, de produits ou de plats locaux, quand il s'agira, à des moments particuliers, de se réapproprier son existence. C'est cela même qui fait ressortir que l'avancée technologique n'arrive pas à gommer la puissance de la liaison (de la re-ligion), et parfois même lui serve d'adjuvant.

C'est parce qu'il y a saturation des phénomènes d'abstraction, des valeurs surplombantes, des grandes machineries économiques ou idéologiques que l'on peut observer, sans que celles-ci soient contestées (ce qui serait encore leur attribuer trop d'importance), un recentrage sur des objectifs à portée de main, sur des sentiments réellement partagés, toutes choses qui constituent un monde, de coutumes, de rituels, accepté *en tant que tel (taken for granted)*.

C'est cette proximité justement qui donne tout son sens à ce que l'on appelle le « divin social ». Celui-ci n'a rien à voir avec une quelconque dogmatique ou inscription institutionnelle ; il réinvestit la fibre païenne qui, n'en déplaise aux historiens, n'a jamais totalement disparu des masses populaires. Tout comme les dieux Lares, cause et effet du rassemblement familial, le divin dont nous parlons permet dans les inhumaines et froides métropoles, de recréer des cénacles où l'on se tient chaud, des espaces de socialité. Le développement vertigineux des grandes métropoles (mégapoles faudrait-il dire) que les démographes nous annoncent, ne peut que favoriser cette création de « villages dans la ville » pour paraphraser un titre connu. Le rêve d'Alphonse Allais s'est réalisé, les grandes villes sont devenues des campagnes où les quartiers, les ghettos, les paroisses, les territoires et les diverses tribus qui les habitent ont remplacé les villages, hameaux, communes et cantons d'antan. Mais comme il est nécessaire de se rassembler autour d'une figure tutélaire, le saint patron que l'on vénère et que l'on célèbre, sera remplacé par le gourou, la célébrité locale, l'équipe de football ou la secte aux dimensions très modestes.

Le fait de « se tenir chaud » est une manière de s'acclimater, ou de domestiquer un environnement qui sans cela serait menaçant. Des recherches empiriques en milieu urbain font bien ressortir ces phénomènes. Faisant l'analyse des changements sociaux consécutifs aux migrations urbaines d'une ville de la Zambie, Bennetta Jules-Rosette rend attentif au fait qu'il y a des « habitants qui ont toujours participé activement » à la réorganisation et à la croissance de la communauté. Et, précise-t-elle : *« The most distinctive characteristic shared by many of these residents is their membership in indigenous African churches. »* C'est d'ailleurs cette participation qui en fait les plus visibles des sous-groupes de la communauté[23]. Ainsi le changement urbain est peut-être corrélatif d'une dé-christianisation galopante, mais il ne manque pas de favoriser un syncrétisme religieux, aux effets encore incalculés.

Dans un texte d'une étonnante actualité sur la « conception sociale de la religion », Durkheim, pour qui « la religion est le plus primitif de tous les phénomènes sociaux », après avoir constaté la fin des vieux idéaux ou divinités, ne manque pas de souligner qu'il faut sentir « par dessous le froid moral qui règne à la surface de notre vie collective, les sources de chaleur que nos sociétés portent en elles-mêmes », sources de chaleur qu'il situe « dans les classes populaires »[24]. Il s'agit d'un diagnostic qui s'inscrit tout à fait dans la ligne de notre démonstration (diagnostic qui est de plus en plus partagé par nombre de chercheurs) : la déshumanisation réelle de la vie urbaine, sécrète des rassemblements spécifiques pour partager la passion, les sentiments. Ne l'oublions pas, les valeurs dionysiaques, qui paraissent d'actualité, concernent le sexe, mais aussi les sentiments religieux : les deux sont des modulations de la passion.

C'est parce que le « divin social » a en mineur une fonction d'adaptation, de conservation en quelque sorte, qu'on le retrouve en majeur dans les explosions de révolte. J'ai déjà abordé ce thème avec la notion de « révolution ourobore »[25], en montrant qu'il y a toujours eu une forte charge religieuse dans les phénomènes révolutionnaires qui ont par après été qualifiés d'uniquement politiques. Pour la Révolution française la chose est évidente, ce fut également le cas durant les « 48 » européens et H. de Man a montré que la révolution bolchévique n'en fut pas indemne. La *Guerre des Paysans* peut être considérée comme un paradigme en la matière et le très beau livre de E. Bloch en fait une analyse incontournable. C'est d'ailleurs à ce propos que Mannheim n'hésitait pas à parler « d'énergies orgiastico-extatiques » qui avaient « leurs racines en des plans... profonds et vitaux de l'âme »[26]. Pourquoi faire référence à ces moments d'effervescence sinon pour indiquer qu'il y a un constant va-et-vient entre explosions et détentes, et que ce processus est cause et effet du lien religieux, *i.e.* du partage de la passion.

En fait la religion ainsi comprise est la matrice de toute vie sociale[27].

Elle est le creuset où se façonnent les diverses modulations de l'être ensemble. Les idéaux peuvent en effet vieillir, les valeurs collectives se saturer, le sentiment religieux sécrète toujours et à nouveau cette « transcendance immanente » qui permet d'expliquer la perdurance des sociétés au travers des histoires humaines. C'est bien en ce sens qu'il est un élément de cette mystérieuse *Puissance* qui nous préoccupe ici.

J'ai dit attitude ex-tatique, qu'il convient de comprendre, *stricto sensu*, comme sortie de soi. En effet la perdurance dont il vient d'être question repose essentiellement sur le fait qu'il y a masse, peuple. G. Le Bon n'hésite pas à parler de « moralisation de l'individu par la foule », et il donne quelques exemples en ce sens[28]. C'est ce qu'avaient bien compris les théologiens catholiques pour lesquels la foi est secondaire par rapport à l'expression de cette foi dans le cadre de l'Eglise. Pour employer un langage de moraliste, on peut dire que pour eux le « for extérieur » (ou for ecclésiastique) est plus important que le « for intérieur ». Pour employer un langage qui m'est plus familier, et que j'ai précédemment théorisé à propos de ce que j'ai appelé « l'immoralisme éthique » : quelles que soient la situation et la qualification morale, qui sont, on le sait, éphémères et localisées, le partage du sentiment est le vrai ciment sociétal ; il peut conduire au soulèvement politique, à la révolte ponctuelle, à la lutte pour le pain, à la grève pour solidarité, il peut également s'exprimer dans la fête ou dans la banalité courante. Dans tous les cas il constitue un *ethos* qui fait que contre vents et marées, au travers des carnages et des génocides, le peuple se maintient en tant que tel, et survit aux péripéties politiques. Ce *« démothéisme »* est ici exagéré (caricaturé), mais c'est à mon avis chose nécessaire si l'on veut comprendre l'extraordinaire résistance aux impositions multiformes qui constituent la vie en société. En poussant plus avant notre hypothèse, on peut, à partir de ce qui vient d'être dit, proposer un changement minime de l'adage classique, et substituer *populo* à *deo*. C'est ainsi que pour le sociologue essayant de comprendre le vitalisme de la socialité le sésame pourrait être : *« Omnis potestas a populo »*. En effet, et c'est là où la socio-anthropologie peut avoir une dimension prospective sinon prophétique : il est possible que la structuration sociale en une multiplicité de petits groupes s'agençant les uns aux autres permette d'échapper, ou tout au moins de relativiser les instances de pouvoir. C'est cela la grande leçon du polythéisme sur lequel nombre d'analyses ont déjà été faites, mais qui propose encore une piste de recherche tout à fait féconde. Pour être plus précis, on peut imaginer un pouvoir en voie de mondialisation, bi ou tricéphale, se disputant et se partageant les zones d'influence économico-symboliques, jouant à l'intimidation atomique, et, en-deçà ou à côté, la prolifération de groupements d'intérêt divers, la création de baronnies spécifiques, la multiplication de théories et d'idéologies opposées les unes aux autres. D'un côté l'homogénéité, de l'autre l'hétérogénéisation. Ou encore, pour reprendre une vieille image : la dichotomie au plan universel d'un « pays légal » et d'un « pays réel ». Cette perspective est actuellement déniée par la majorité des politistes ou des observateurs sociaux, en particulier parce que cela contrevient à leurs schémas d'analyse issus des pensées positivistes ou dialectiques du siècle dernier. Mais si l'on est à même d'interpréter des indices (index : le doigt qui pointe) tels que le massif désengagement politique ou syndical, l'attirance de plus en plus affirmée pour le présent, le fait de considérer le jeu politicien pour ce qu'il est : activité théâtrale ou de variétés de plus ou moins grand intérêt, l'investissement dans de nouvelles aventures économiques, intellectuelles, spirituelles ou existentielles, tout cela devrait nous inciter à penser que la socialité qui est en train de naître ne doit rien au vieux monde (qui est encore le nôtre) politico-social.

A cet égard la science-fiction est un exemple instructif : on y retrouve, sous un habillage technologico-gothique, l'hétérogénéisation et l'insolence par rapport aux conformismes dont nous venons de parler[29].

C'est au travers de cette autonomisation vis-à-vis des pouvoirs surplombants que peut s'exprimer la divinité sociale. En effet sans se poser la question de ce qui « doit être » la société à venir, on sacrifie à des « dieux » locaux (amour, commerce, violence, territoire, fête, activités industrieuses, nourriture, beauté, etc.) qui peuvent avoir changé de noms depuis l'antiquité gréco-romaine, mais dont la charge emblématique reste identique à elle-même. C'est en ce sens justement que s'opère la réappropriation de l'existence « réelle » qui est à la base de ce que j'appelle la *puissance* populaire. Avec assurance et entêtement, d'une manière peut-être un peu animale c'est-à-dire exprimant plus un instinct vital qu'une faculté critique —, les groupes, les petites communautés, les réseaux affinitaires ou de voisinage se préoccupent des rapports sociaux proches, il en est de même avec l'environnement naturel. *Ainsi même si l'on semble aliéné par le lointain ordre économico-politique, on assure sa souveraineté sur son existence proche.* Voilà bien l'aboutissement du « divin social », qui est en même temps le secret de la perdurance, c'est dans le secret, le proche, l'insignifiant (ce qui échappe à la finalité macroscopique) que s'exerce la maîtrise de la socialité. On peut même dire que les pouvoirs ne peuvent s'exercer que tant qu'ils ne se distancient pas trop de cette souveraineté. On peut comprendre ce « souverain » dans la perspective contractuelle de J.J. Rousseau, ce qui lui donne une dimension unanimiste et quelque peu idyllique[30].

On peut également l'envisager comme étant cette « harmonie conflictuelle », où par effet d'action-rétroaction un ensemble, tant bien que mal, ajuste les éléments naturels, sociaux, biologiques qui le composent, et par là même assure sa stabilité. La théorie des systèmes ou la réflexion de E. Morin montrent avec rigueur l'actualité et la pertinence d'une telle perspective. Ainsi même si pour beaucoup il s'agit là d'une figure de style le rapprochement qui peut être fait entre le peuple et le souverain est parfaitement fondé. Et d'ailleurs par le soulèvement, par l'action violente, par la voie démocratique, par le silence et l'abstention, par la méconnaissance méprisante, par l'humour ou par l'ironie, multiples sont les manières qu'a le peuple d'exprimer sa puissance souveraine. Et tout l'art du politique est de faire en sorte que ces *expressions* ne prennent pas trop d'ampleur.

Le pouvoir abstrait peut ponctuellement triompher. Et il est vrai que l'on peut se poser la question de La Boétie : Qu'est-ce qui fonde la « servitude volontaire ». La réponse se trouve certainement dans cette assurance incorporée où le corps social sait que dans le long terme le Prince, quelle que soit sa forme (aristocratie, tyrannie, démocratie, etc.), est toujours tributaire du verdict populaire. Si le pouvoir est le fait d'individus, ou d'une suite d'individus, la puissance est l'apanage du *phylum* et s'inscrit dans la continuité. C'est en ce sens que cette dernière est une caractéristique de ce que l'on peut appeler le « divin social ». Tout est une question d'antériorité. Parler de puissance, de souveraineté, de divin à propos du peuple, c'est reconnaître, pour reprendre une expression de Durkheim, « que le droit est issu des mœurs, c'est-à-dire de la vie elle-même »[31], ou encore que ce sont « les mœurs qui font la véritable constitution des Etats ». Cette priorité vitaliste sous la plume du positiviste que l'on sait, mérite d'être soulignée ; c'est certainement cette réflexion qui lui permit de souligner l'importance du lien religieux dans la structuration sociale. Il s'agit naturellement d'une idée générale qui demande à être actualisée, mais reconnaître que l'intime liaison du vitalisme (naturalisme) et du religieux constitue une véritable *vis a tergo* poussant les peuples, et leur assure pérennité et *puissance*, est lourd de conséquences en un moment où la communication, le loisir, l'art et la vie quotidienne des masses imposent une nouvelle donne sociale.

### 3. *Le « quant-à-soi » populaire*

Quand on considère les histoires humaines, on peut dire que le politique, en tant qu'ajustement des individus et des groupes entre eux, est une structure indépassable. Et sur ce point on ne peut qu'être d'accord avec Julien Freund qui parle « d'Essence du Politique ». Il n'en reste pas moins que celle-ci, si elle est permanente, n'en est pas moins mouvante. Il y a des modulations du politique. Suivant les situations et les valeurs qui pour un temps prédominent, l'ordre politique aura plus ou moins d'importance dans le jeu social. Naturellement cette importance dépend, pour une grande part, de l'attitude des gouvernants. Pour reprendre une expression appliquée à la pensée sociologique de Pareto, tant qu'il y a un « lien physiologique » entre les gouvernants et les masses, une certaine réversibilité continue de s'exercer ; il y a, sinon consensus, du moins échange et légitimation[32]. Il s'agit là d'un phénomène qui n'est pas exceptionnel : de la chefferie antique à un certain parternalisme patronal en passant par l'aequanimité des Antonins ou par un certain populisme ecclésiastique, il existe un certain type de pouvoir qui repose avant tout sur la réalité des *devoirs* qui incombent aux chefs[33]. Ceux-ci sont responsables de leur autorité, et ils doivent répondre aussi bien de la famine, de la catastrophe naturelle, que du désordre économique ou social. La fonction symbolique qu'ils exercent cesse ou est fissurée dès lors que l'équilibre dont ils sont le garant ne fonctionne plus.

Il n'est pas possible de développer ici cette piste de recherche. Je l'indique uniquement pour servir de révélateur à cette forme de la *puissance* populaire qu'est le « quant-à-soi ». En effet, c'est lorsque l'ordre de la réversibilité n'existe plus (et l'analyse de cet achèvement ne peut certainement pas se réduire à des considérations moralistes) que l'on voit se développer les attitudes de repli.

Pour comprendre cela, faisons encore référence à cette métaphore des « trous noirs » qu'un certain nombre d'entre nous (Baudrillard, Hillman, Maffesoli) ont emprunté à l'astrophysique. On le sait, dans un livre, non de vulgarisation mais de divulgation, le physicien J. Charron, montre bien qu'il s'agit d'une étoile dont la densité croissante donne naissance à un autre espace[34]. Un « nouvel univers » dit-il. En procédant par analogie (pratique que d'aucuns refusent mais qui pourtant ne manque pas d'intérêt pour nos disciplines) on peut émettre l'hypothèse qu'à certaines périodes la masse n'entrant plus en interaction avec les gouvernants, ou encore la *puissance* se dissociant complètement du pouvoir, on assiste à la mort de l'univers politique et à l'entrée dans l'ordre de la socialité. Je pense d'ailleurs qu'il s'agit là d'un mouvement pendulaire procédant par saturation ; d'une part c'est la participation, directe ou par délégation, qui prédomine, d'autre part c'est l'accentuation de valeurs plus quotidiennes. Dans ce dernier cas on peut dire que la socialité est le conservatoire d'énergies qui dans l'ordre du politique avaient tendance à se répandre dans le domaine public.

Il est d'ailleurs intéressant de noter qu'en général cette rétention quant à l'investissement public, va de pair avec une « dépense » dans l'ordre existentiel (jouissance, hédonisme, *carpe diem,* corps, soleil). Alors que dans le bourgeoisisme c'est le contraire que l'on peut observer : frilosité, économie de (et dans) l'existence, et dépense énergétique dans l'ordre du public (économie, service public, grandes idéologies motivantes...) qui lui est triomphant.

Quoi qu'il en soit, c'est certainement en fonction de cette toile de fond qu'il convient d'apprécier toute une série de faits qui soulignent le désintérêt croissant vis-à-vis d'une chose publique générale et abstraite. La « majorité silencieuse » qui n'est en fait qu'un conglomérat de groupes et de réseaux juxtaposés ou sécants ne peut plus être définie par des enjeux communs abstraits et décidés en dehors d'elle. Elle ne peut plus être caractérisée à partir d'un objectif à réaliser, *i.e.* être le prolétariat, agent d'une société à venir ou être l'objet d'un stigmate structurel et congénital : la populace débile et/ou enfantine qu'il faut conduire ou protéger. Entre ces deux pôles, nombreuses sont les idéologies et les actions dans lesquelles s'engagent encore les politiques (conservateurs, révolutionnaires, réformistes), les pouvoirs publics, le travail social et les responsables économiques. En fait le débat est déjà ailleurs. En effet poursuivant l'hypothèse de la saturation de l'ordre politique, on peut expliquer l'attitude de la masse — qui inquiète tant les analystes et commentateurs politiques — par le fait qu'il existe, d'une manière latente, une réticence anthropologique à tous les pouvoirs qui ne manque pas ponctuellement de s'exprimer, avec une plus ou moins grande efficacité selon les lieux et les temps. D'une manière paroxystique, c'est-à-dire pour bien comprendre ce phénomène, on peut faire référence à ces pays — ainsi la Sicile telle qu'en parle *le Guépard* de Lampedusa — qui surent préserver leur originalité à cause ou grâce aux multiples invasions qui les submergèrent. Sachant courber le dos et ruser, ils maintinrent vivantes leurs particularités. Ou encore cette analyse de Bouglé sur l'Inde : « Toutes sortes d'autorités se sont essayées sur ces masses immenses : elles ont vu... se succéder les empires et se multiplier les principautés. Ce qui reste vrai, c'est que tous les gouvernements... ne semblent jamais reposer que sur la surface du monde hindou. Ils ne l'atteignent pas... dans ses profondeurs. » Et là où l'actualité de ce texte est encore plus frappante, c'est quand le sociologue explique l'impossibilité de maîtriser le pays « réel » par le fait qu'il y a des compartiments des castes. Notation savoureuse : les hindous de ce fait « semblent faits pour être subjugués par tout le monde, sans se laisser assimiler ni unifier par personne »[35], quitte à ce que Bouglé se retourne dans sa tombe, on peut, d'une manière heuristique, extrapoler cette remarque, et souligner que la « non-domestication » des masses, leur rempart le plus solide face aux diverses dominations, reposent avant tout sur le *pluralisme*. Dans l'exemple de l'Inde, ce peut être le système des castes ; pour celui de la Sicile ce sera la force du localisme, des divers « pays » et « familles » qui la composent ; dans nos sociétés ce pourraient être les divers réseaux, groupes d'affinité et d'intérêt, liens de voisinage qui structurent nos mégapoles. Quoi qu'il en soit, ce qui est en jeu c'est la *puissance* contre le *pouvoir*, même si celle-là ne peut avancer que masquée pour ne pas être écrasée par celui-ci. En référence aux exemples historiques, que l'on pourrait multiplier à loisir, on peut dire cependant que ce qui n'est actuellement qu'en pointillé, ce que l'on peut voir *in statu nascendi*, ne manquera pas de s'affirmer dans les décennies à venir. Chaque fois qu'il y a resurgissement de ce « polythéisme des valeurs » dont parlait M. Weber et qui, mis à part quelques chercheurs assez audacieux pour braver les conformismes ambiants[36], semble inquiéter si fort les belles âmes, on assiste à la relativisation des structures et institutions unifiantes. Il n'y a pas lieu de s'en émouvoir, bien au contraire, car l'effervescence induite par ce polythéisme est en général l'indice le plus sûr d'un dynamisme renouvelé dans tous les domaines de la vie sociale : que ce soit dans l'économie, la vie spirituelle et intellectuelle et naturellement les nouvelles formes de socialité. Et il est frappant d'observer, qu'en règle générale, le retrait vis-à-vis du politique sert de révélateur au dynamisme dont il vient d'être question. Ce retrait est en fait la réactivation de l'instinct vital de préservation, de conservation dans l'être. C'est cette figure démoniaque que l'on retrouve dans tous les mythes et dans toutes les religions, le Satan de la tradition biblique qui dit non à l'asservissement. Même si elle est ponctuellement destructrice la figure satanique ne manque d'avoir une fonction fondatrice. C'est en ce sens qu'elle renvoie à la *« puissance »* populaire. J'ai indiqué ailleurs qu'il existait une « sagesse démoniaque » toujours à l'œuvre dans le corps social, on peut certainement lui créditer pour partie cette faculté de retrait, de non-appartenance structurelle. On peut observer que même au XIX^e^ siècle, au moment où prend naissance et s'organise le mouvement ouvrier, celui-ci s'exprime en une multiplicité de tendances : communiste, anarchiste, coopératiste, utopiste, chacune d'entre elles se divisant d'ailleurs à l'infini. Qu'est-ce à dire sinon qu'aucune instance politique ne peut prétendre au monopole. Comme le remarque avec justesse E. Poulat : « les masses populaires gardent, plus ou moins, une part de quant-à-soi... en quoi elles ne font que rendre leur monnaie aux classes supérieures »[37] ; j'ajouterais : même lorsque certains membres de ces classes prétendent parler au nom du peuple ou, ce qui revient au même, le diriger. A ceux « qui n'en sont pas » on ne fait jamais totalement confiance, car l'on sait de mémoire immémoriale que ceux qui, animés de la *libido dominandi,* s'appuient sur le peuple pour arriver au pouvoir ne manquent pas, au nom de raisons plus valables les unes que les autres, de pratiquer une *real politik* qui n'a que de très lointains rapports avec les aspirations populaires.

On pourrait digresser à l'infini sur ce thème, il suffit d'indiquer que le « quant-à-soi » est bien plus tenace que les ponctuelles ou superficielles adhésions à tel ou tel parti ou à telle ou telle politique. Pour ma part j'y vois une *structure anthropologique* qui au travers du silence, de la ruse, de la lutte, de la passivité, de l'humour ou de la dérision, sait résister avec efficacité aux idéologies, aux enseignements, aux prétentions de ceux qui entendent soit dominer, soit faire le bonheur du peuple, ce qui en la matière ne fait pas grande différence. Le quant-à-soi ne veut pas dire que l'on prête aucune attention au jeu (du) politique, bien au contraire puisqu'il est considéré comme tel. J'ai proposé d'appeler cela la « politique du Bel Canto » : peu importe le contenu il suffit que la chanson soit bellement interprétée. On sait que pour les partis politiques il est de plus en plus important de « faire passer le message » et bien moins de peaufiner ce dernier ; impossible de s'étendre sur ce problème, mais il se peut qu'il ne soit que l'expression du relativisme populaire. Pour répondre au désengagement et au recul on soigne l'image. On s'adresse plus à la passion qu'à la raison, et lors des rassemblements le spectacle de variétés est beaucoup plus important que le discours de la personnalité politique qui doit très souvent se contenter du rôle de vedette américaine.

C'est en ayant cela à l'esprit que l'on peut comprendre qu'il est possible de faire « comme si » tout en n'en pensant pas moins sur l'action et la sincérité du marchand de soupe politique. Dans mon livre sur la vie quotidienne, j'ai montré l'importance de la catégorie de la duplicité : ce trivial double-jeu qui informe en profondeur toutes nos existences (*La Conquête du Présent,* pp. 138-148). C'est dans ce cadre que l'on peut apprécier les attitudes du « comme si » en tant que manifestations de *Puissance.* La duplicité est ce qui permet d'exister, souvenons-nous de cet aphorisme de Nietzsche :

> « Tout ce qui est profond aime le masque... tout esprit profond a besoin d'un masque. Je dirai plus encore : autour de tout esprit profond croît et s'épanouit sans cesse un masque. »

Ce propos ne s'applique pas seulement au génie solitaire, il est tout aussi bien le fait du *genius* collectif. Et en rendre compte, c'est introduire en sociologie un vitalisme ontologique. Ainsi ce sera la rouerie paysanne, la gouaille ouvrière, plus généralement la multiplicité des « systèmes D », toutes choses qui sans trop savoir le verbaliser manifestent une méfiance structurelle à l'encontre de ce qui est institué tout en affirmant l'aspect irrépressible de la vie. Mais comme il n'est pas possible d'exprimer ouvertement cette méfiance et ce vouloir-vivre, on utilise la procédure « perverse » (*per via* = chemin détourné) de l'acquiescement apparent.

Il s'agit là d'une vieille structure anthropologique qui est celle de la magie, et que l'on retrouve encore dans les rituels et pratiques de superstitions qui ont la vie dure. On participe et on prend ses distances. C'est ce qui fait que ces rituels résument techniquement l'ambivalence de l'homme, *sapiens* et *demens* à la fois. En l'appliquant à un autre objet, E. Morin parle de « participation esthétique »[38] pour bien marquer ce double jeu. Et l'on peut penser que l'engouement populaire pour des feuilletons télévisés tels *Dallas,* est l'expression de ce ludisme profondément incorporé. Si cette attitude « esthétique » s'exerce vis-à-vis de ces pouvoirs symboliques que sont la télévision, l'art ou l'école, il n'y a pas de raison qu'elle ne s'applique pas au domaine du politique ; ne serait-ce qu'en fonction de ce que nous avons dit sur son devenir spectaculaire ou théâtral. Le vote pour tel député ou tel parti peut aller de pair avec la profonde conviction que rien ne changera quant à la « crise » économique, ce qu'il est convenu d'appeler l'insécurité, ou le développement du chômage. Mais en faisant « comme si » on participe magiquement à un jeu collectif qui rappelle que quelque chose comme la « communauté » a pu, peut, ou pourra exister. C'est tout à la fois de l'esthétisme et de la dérision, de la participation et de la réticence. C'est surtout l'affirmation mythique que le peuple est source de pouvoir. Ce jeu ou ce sentiment esthétique est collectivement mis en scène aussi bien pour soi-même que pour le pouvoir qui l'orchestre. Cela permet en même temps de rappeler à ce dernier qu'il s'agit d'un jeu, et qu'il y a des limites à ne pas dépasser. Ce que l'on nomme la versatilité des masses (un vote à gauche, un vote à droite) peut être interprété en ce sens et ne manque pas à l'occasion de s'exprimer de façon paroxystique. Tous les penseurs politiques se sont interrogés sur ce phénomène. Cette versatilité, véritable épée de Damoclès, est le perpétuel meneur du jeu, puisqu'elle hante les pensées des politiciens qui vont déterminer leur stratégie ou leur tactique en fonction d'elle ; elle est bien une des modulations de la Puissance qui, *stricto sensu,* détermine le Pouvoir. Une singulière remarque de Montesquieu résume bien le propos : « Le peuple a toujours trop d'action ou trop peu. Quelquefois avec cent mille bras il renverse tout ; quelquefois avec cent mille pieds il ne va que comme les insectes » (*De l'esprit des lois,* 1re partie, liv. II, ch. II). Passivité, activité, et ce d'une manière qui échappe à nombre de raisonnements logiques. Dans une perspective purement rationnelle on ne peut pas lui faire confiance. En s'appuyant sur quelques exemples historiques, J. Freund fait bien ressortir cette ambivalence particulièrement remarquable durant les situations paroxystiques : guerres, émeutes, luttes de faction, révolutions[39]. En fait dans la perspective que je développe ici, ce que l'on peut appeler la démarche stochastique de la masse est l'expression d'un véritable instinct vital : à l'image des combattants sur les champs de bataille, ses zigzags lui permettent d'échapper aux balles des pouvoirs.

En référence à une figure emblématique particulièrement vivante en Italie, on peut comparer la versatilité du peuple à Pulcinella qui résume en lui-même l'unité des contraires : « Mon destin est d'être une girouette ; serviteur et rebelle, crétin et génial, courageux et couard. » Certaines versions de son mythe en font même un hermaphrodite ; ou encore le fils d'un grand de ce monde et/ou un enfant de la plèbe. Ce qui est certain, c'est qu'il incarne bien la duplicité absolue (double, *duple*) qui permet d'échapper aux diverses mainmises ou récupérations politiques. Il n'est naturellement pas neutre que ce soit dans la Naples populeuse et vivante que cette figure ait pu trouver son lieu d'élection[40].

Il se trouve d'ailleurs que sa perpétuelle ambiguïté s'exprime dans une dérision vis-à-vis des pouvoirs ou de toutes formes d'institutions, politiques bien sûr mais également familiales, économiques ou sociales. En extrapolant, on peut dire que dans cette attitude il n'est pas question de s'attaquer frontalement aux pouvoirs surplombants, ce qui est le fait des organisations politiques, mais de ruser, de biaiser. Pour reprendre une expression situationniste, plutôt que de « lutter contre l'aliénation avec des moyens aliénés » (bureaucratie, partis, militance, report de jouissance), on pratique la dérision, l'ironie, le rire, toutes choses qui d'une manière souterraine contreviennent à la normalisation ou à la domestication qui est le fait de tous les garants de l'Ordre voulu de l'extérieur, et donc abstrait. Pour ce qui concerne nos sociétés cette domestication des mœurs aboutit à ce que j'ai appelé « l'asepsie sociale » (*La Violence totalitaire*, pp. 146-167) qui a pour conséquence la crise éthique ou la destructuration sociale que nous connaissons.

Mais l'ironie justement empêche que cette domestication soit totale. Du rire dionysiaque des bacchantes contre le sage gestionnaire Penthée jusqu'au sourire douloureux du brave soldat Schweik, réactualisé dans la Tchécoslovaquie contemporaine, la liste est longue de toutes les attitudes d'esprit qui témoignent de la non-adhésion. Ce qui est particulièrement irritant pour les pouvoirs qui entendent naturellement maîtriser les corps, mais qui savent bien que pour que cette maîtrise s'inscrive dans la longue durée, il faut qu'elle s'accompagne de la mainmise sur les esprits. Le quant-à-soi de l'ironie, même si c'est d'une manière mineure, introduit une faille dans la logique de la domination. Les boutades, les racontars, les pamphlets, les chansons et autres jeux de mots populaires, ou encore les foucades de ce que l'on nomme « l'opinion publique », sont là pour mesurer l'évolution de cette faille. Et il n'est pas d'époques ou de pays où, à plus ou moins long terme, ce mécanisme de défense n'ait pas de résultat positif ; ainsi qu'on a pu le voir ces dernières années, en France ou aux USA par exemple, ce pourra être par l'éclatement de scandales aux inévitables répercussions politiques, mais cela peut également prendre la forme d'une disqualification qui ne manque pas progressivement de ronger la légitimité du pouvoir en place. Signalons rapidement que, ainsi qu'on a pu le voir pour la France de la fin du XVIIIe siècle ou pour la Russie du début de celui-ci, ce climat d'ironie subversive précède en général les grands soulèvements révolutionnaires.

Dans son livre remarquable sur la formation de la société brésilienne, Gilberto Freyre donne maints exemples de ce qu'il appelle la « malice populaire » ; ainsi dans un pays où la couleur de la peau revêt une grande importance, les surnoms et jeux de mots qui font ressortir « les traits négroïdes de grandes familles aristocratiques », de même toute une série de traits font remarquer leur alcoolisme, leur avarice ou leur érotomanie[41]. Il n'est pas sûr qu'il s'agisse là de réactions moralistes, mais bien plutôt d'une manière, ne fut-ce que symboliquement, de relativiser le pouvoir. En particulier, dans le dernier exemple, en soulignant tout ce qu'à leur corps défendant, ou malgré leurs idéologies affichées, les classes dominantes doivent aux turpitudes ou aux faiblesses de l'humaine nature.

Et l'on retrouve ainsi une des hypothèses qui est à la base de cette réflexion préalable sur la *Puissance* populaire : celle d'un vitalisme, ou d'un développement naturel qui ne fait que traduire au plan social toute la dynamique de la *phusis*. Le rire et l'ironie sont explosion de vie, même et surtout lorsque celle-ci est exploitée et dominée. La dérision souligne que même dans les conditions les plus difficiles on peut, contre ou à côté de ceux qui en sont les responsables, se réapproprier son existence, et essayer d'une manière relative d'en jouir. Perspective tragique s'il en est, qui entend moins changer le monde que s'en accommoder ou l'aménager ; tant il est vrai que l'on ne change pas la mort (forme paroxystique de l'aliénation) mais que l'on peut s'y habituer, ruser avec elle ou l'adoucir.

C'est donc tout naturellement que l'ironie et l'humour débouchent sur la dimension festive, dont le tragique, on l'oublie trop souvent, est un élément d'importance. En reprenant la terminologie de G. Bataille on peut dire que la « dépense » résume à la fois le vitalisme naturel du peuple et l'aspect dérisoire du pouvoir (Cf. les mécanismes d'inversions, fêtes des fous, etc.). Or la « dépense » n'est qu'une manière paroxystique d'exprimer l'ironie, le rire ou l'humour, et ce d'une manière presque institutionnelle. En même temps elle est cause et effet de cette énergie sociale qui ne s'épuise pas dans les jeux et arcanes du pouvoir. Platon qui ne s'intéressait qu'aux âmes d'élite se préoccupait peu de l'homme ordinaire, il pensait même que pour ne pas l'exposer aux tentations du pouvoir, il fallait au peuple un « hédonisme intelligent » qui était « la meilleure règle praticable d'une vie satisfaisante »[42]. Cette leçon fut écoutée par de nombreux tyrans ou pouvoirs divers qui ne manquèrent pas de fournir à la populace son quantum de jeux pour la faire tenir tranquille. Et certains soulignent à juste titre, que c'est encore le rôle que l'on attribue aux divers spectacles, sports et autres émissions télévisuelles de grande audience lénifiante. Avec le totalitarisme doux que nous connaissons, « les chiffres et les lettres » ont pris la place des sanglants jeux du cirque. Cette thématique n'est pas fausse, cependant elle ne tient pas compte de l'ambivalence structurelle de l'existence humaine qui est à la fois ceci et cela. Le tout ou rien qui a prévalu dans la perspective critique, issue des Lumières et qui encore prévaut dans nos disciplines, n'est pas à même de saisir le conflit des valeurs qui travaille en profondeur toute existence sociale. On peut cependant être persuadé que la fécondité de la sociologie est dans cette voie. A cet égard il est intéressant d'indiquer une très belle analyse du sociologue H. Lefebvre, représentant émérite de cette perspective critique, et qui ne peut s'empêcher de souligner la « double dimension du quotidien : platitude et profondeur ». Dans un langage quelque peu daté, et tout en minorant ses constatations, il est obligé de reconnaître que « dans les quotidiennetés, les aliénations, les fétichismes, les réifications... produisent tous leurs effets. En même temps, les besoins, y devenant *(jusqu'à un certain point)* désir, rencontrent les biens et se les approprient »[43]. En faisant cette référence, j'entends avant tout accentuer le fait qu'il est impossible de réduire la polysémie de l'existence sociale, sa *« Puissance »* repose justement sur le fait que chacun de ses actes soit à la fois l'expression d'une certaine aliénation et d'une certaine résistance. Elle est un mixte de banalité et d'exception, de morosité et excitation, d'effervescence et de détente. Et cela est particulièrement sensible dans le ludique qui peut être à la fois « marchandisé » et le lieu d'un réel sentiment collectif de réappropriation de l'existence. Dans chacun de mes livres précédents je me suis expliqué sur ce phénomène. Il me paraît être une des caractéristiques essentielles du peuple. Caractéristique plus ou moins évidente, mais qui traduit bien au-delà de la *séparation* héritée du judéo-christianisme (bien-mal, Dieu-Satan, vrai-faux), le fait qu'il existe une organicité des choses, et que d'une manière différencielle tout concourt à son unicité. A côté des festivals de la culture traditionnelle, la multiplication des fêtes villageoises, des rassemblements folkloriques, ou mieux encore des réunions festives autour des produits agro-alimentaires de tel ou tel « pays » ne manquent pas d'être instructifs. En effet la célébration du vin, du miel, des noix, de l'olive, etc., durant la saison touristique est à la fois on ne peut plus commerciale, mais n'en resserre pas moins les liens collectifs tout en montrant ce que ceux-ci doivent à la nature et à ses produits. Au Québec francophone, la société des Festivals populaires a pu ainsi ponctuer l'année de toute une série de rassemblements qui au travers du canard, du faisan, du bleuet, de la pomme... à la fois rejouent le cycle naturel et confortent le sentiment collectif que le Québec a de lui-même.

Voilà bien en quoi une « dépense » fut-elle commercialisée, récupérée diront quelques esprits chagrins, est indice de résistance et de *puissance*. Jouir au jour le jour, avoir le sens du présent, profiter de ce présent, prendre la vie du bon côté, c'est ce que tout analyste point trop déconnecté d'avec l'existence courante peut observer dans toutes les situations et occurrences qui ponctuent la vie des sociétés. « Les membres des classes populaires sont depuis toujours des *épicuriens de la vie quotidienne.* » Pertinente remarque de R. Hoggart qui, dans son livre, donne de multiples exemples en ce sens. Et il souligne que cet épicurisme est en liaison directe avec la méfiance que l'on éprouve pour ces politiciens qui entendent faire de bonheur du peuple ; conscient que l'on est du caractère illusoire de leurs promesses, c'est avec scepticisme et ironie que l'on accueille en général leurs actions. « On peut mourir d'un jour à l'autre », aussi importe-t-il, contre ceux qui pensent toujours à demain ou en fonction du lendemain, d'affirmer les droits même précaires du présent. C'est cette philosophie relativiste issue des dures réalités de la vie qui sert de support au quant-à-soi et à l'hédonisme populaires[44].

# 3.

# La socialité contre le social

## 1. *Au-delà du politique*

En général c'est *in absentia* que l'intellectuel aborde un sujet, fait son investigation et propose son diagnostic. Ainsi pour nos disciplines il existe une méfiance de nature vis-à-vis du bon sens populaire (« la pire des métaphysiques » disait Engels). Méfiance, peu originale somme toute, et qui s'enracine profond dans la mémoire collective du clerc. Et ce certainement pour deux raisons essentielles. D'une part parce que le peuple* se préoccupe sans vergogne, *i.e.* sans hypocrisie ni souci de légitimation, de ce qui est la matérialité de sa vie. De tout ce qui est proche, pourrait-on dire, par opposition à l'idéal ou au report de jouissance. D'autre part parce qu'il échappe au grand fantasme du chiffre, de la mesure, du concept qui est depuis toujours celui de la procédure théorique. Cette inquiétude, on peut la résumer par cette formule de Tacite : *« Nihil in vulgus modicum »* (« la multitude n'a aucune mesure », *Annales* I, 29), ou encore par cette forte expression de Cicéron : *« immanius belua »* (« l'animal le plus monstrueux », *République* III, 45). On pourrait multiplier à loisir les remarques en ce sens concernant la masse ; toutes lui reprochent, d'une manière plus ou moins euphémisée, sa monstruosité, le fait qu'elle ne se laisse pas aisément « bocaliser » dans une définition.

C'est dans cette lignée « cicéronienne » que l'on peut ranger la crainte d'un Durkheim vis-à-vis de la « Sociologie spontanée », ou encore le mépris de P. Bourdieu vis-à-vis du sabir culturel ou du bric à brac de notions que serait le savoir populaire[1]. Tout ce qui est de l'ordre de l'hétérogène et de la complexité répugne aux gestionnaires du savoir, tout comme cela inquiète les gestionnaires

* J'envisage bien sûr le peuple en tant que « mythe » (cf. note 1).

du pouvoir. Si on se réfère à Platon et à son souci de conseiller le Prince, on comprend que c'est de fort loin que viennent les intimes relations unissant le savoir et le pouvoir.

Quelque chose de spécifique cependant s'inaugure avec la Modernité. La Révolution française fait intervenir une transformation radicale dans la vie politique, ainsi que dans le rôle que l'intellectuel est appelé à y jouer. Pour reprendre une analyse de Nisbet, dont on peut rappeler la formule : « la politique devient à présent un mode de vie intellectuel et moral »[2]. On pourrait longuement disserter sur ce fait. C'est en tout cas cela même qui est à la base de toute la pensée politique et sociale du XIXe et du XXe siècle. Mais c'est en même temps ce qui explique la quasi-impossibilité où nous sommes de comprendre aujourd'hui ce qui dépasse l'horizon politique. Pour le protagoniste des sciences sociales, le peuple ou la masse est objet et domaine réservés. C'est ce qui lui donne raison d'être et justification ; mais en même temps il est bien délicat d'en parler avec sérénité. Les a priori dogmatiques et les prêts à penser foisonnent, qui en fonction d'une logique du « devoir être » essaieront de faire de la populace un « sujet de l'histoire » ou autre entité recommandable et policée. Du mépris à l'idéalisation abstraite il n'y a qu'un pas qui est vite franchi ; étant entendu qu'il ne s'agit pas d'un mouvement irréversible : si le sujet ne s'avère pas être un « bon » sujet on revient à l'appréciation du départ. Voilà bien une sociologie qui « ne peut reconnaître qu'un social toujours ramené à l'ordre de l'Etat »[2].

En fait le populaire en tant que tel, dans son ambiguïté et sa monstruosité, ne peut être conçu que péjorativement par l'intellectuel politique, intellectuel jaugeant toute chose à l'aune du projet *(pro-jectum)*. Au mieux ce populaire (pensée, religion, manière d'être) sera-t-il considéré comme signe d'une impuissance à *être autre chose,* impuissance qu'il convient donc de corriger[3]. En fait nous pourrions essayer d'appliquer à nous-même cette critique, et voir si ce qui nous caractérise n'est pas justement cette impuissance à comprendre *l'autre chose* qu'est le peuple ! Masse informe, tout à la fois populacière et idéaliste, généreuse et mesquine, en bref un mixte contradictoriel qui comme tout ce qui est vivant repose sur la tension paradoxale. Ne peut-on pas envisager une telle ambiguïté pour ce qu'elle est ? La masse quelque peu chaotique, indéterminée, qui d'une manière quasi-intentionnelle a pour seul « projet » de perdurer dans l'être. Ce qui, compte tenu de l'imposition naturelle et sociale, n'est pas rien.

Inverser notre regard. En paraphrasant Machiavel, on pourrait dire prendre en compte la pensée de la place publique plutôt que celle du palais. Ce souci ne s'est jamais perdu ; du cynique de l'antiquité au populiste du XIXe siècle ce fut le cas de quelques philosophes et historiens. Parfois même la primauté du « point de vue du village » sur celui de l'intelligentsia est proclamé[4], mais cela devient maintenant une urgence en un temps où les « villages » se multiplient dans nos mégapoles. Il ne s'agit pas d'un quelconque état d'âme, vœu pieux ou proposition sans consistance, mais bien d'une nécessité qui correspond à l'esprit du temps. Et que l'on pourrait ainsi résumer : c'est à partir du « local », du territoire, de la proxémie, que se détermine la vie de nos sociétés, toute chose qui en appelle également à un savoir local, et non plus à une vérité projective et universelle. Cela sans doute nécessite que l'intellectuel sache « en être » de cela-même qu'il décrit ; se vivre, pourquoi pas, comme un « *narodnik* moderne »[5], protagoniste et observateur d'une connaissance ordinaire. Mais il est une autre conséquence, fort importante également, qui est de savoir faire ressortir la permanence du fil rouge populaire qui parcourt l'ensemble de la vie politique et sociale.

Qu'est-ce à dire sinon que l'Histoire, ou les grands événements politiques sont avant tout le fait de la masse. Dans ses thèses sur la philosophie de l'histoire, Walter Benjamin a déjà attiré l'attention sur ce point. A sa manière, Gustave Le Bon avait faire remarquer que ce n'était pas les rois qui avaient fait la Saint-Barthélémy ou les guerres de Religion, pas plus que Robespierre ou Saint-Just ne firent la Terreur[6]. Il peut y avoir des processus d'accélération, des personnalités qui peuvent être considérées comme des vecteurs nécessaires, il y a bien sûr des causes objectives qui ne manquent pas d'agir, mais rien de tout cela n'est suffisant. Ce ne sont que des ingrédients qui ont besoin, pour s'assembler d'une énergie spécifique. Celle-ci peut prendre des noms divers, ainsi « effervescence » (Durkheim) ou *Virtu* (Machiavel), elle n'en reste pas moins parfaitement indécidable, et c'est pourtant ce « je ne sais quoi » qui sert de ciment. Ce n'est que par après que l'on pourra disséquer la raison objective de telle ou telle action, qui dès lors paraîtra bien frigide, trop prévue, tout à fait inéluctable, alors qu'on le sait elle dépend avant tout, au propre comme au figuré, d'une masse en chaleur. Témoin la splendide description que fait E. Canetti de l'incendie du palais de justice de Vienne, où avait été acquittés les policiers meurtriers d'ouvriers. « Quarante six ans se sont écoulés, et l'émotion de cette journée, je la ressens encore jusqu'à la moelle. Depuis je sais qu'il ne me serait pas nécessaire de lire un mot sur ce qui s'est passé lors de la prise de la Bastille. *Je devins une partie de la masse,* je me fondis en elle ; je ne sentais pas la moindre résistance contre ce qu'elle entreprenait »[7]... On voit bien comment au feu de l'émotion commune se soude un bloc compact et solide; comment tout un chacun se fond dans un ensemble qui a sa propre autonomie et sa dynamique spécifique.

On pourrait donner de multiples exemples en ce sens. Exemples qui peuvent être paroxystiques ou au contraire plus anodins ; ce que par contre ils soulignent tous, c'est qu'il existe *stricto sensu* une expérience « ex-tatique » qui fonde cet être-ensemble en mouvement qu'est une masse révolutionnaire ou politique. Expérience qui naturellement doit bien peu de chose à la logique du projet. Ainsi quoiqu'il puisse paraître, l'énergie dont il a été question, cause et effet du symbolisme sociétal, peut être désignée comme une sorte de *centralité souterraine* que l'on retrouve constamment, dans les histoires de tout un chacun, comme dans celles qui ponctuent la vie commune.

Il est une formule de K. Mannheim, dans *Idéologie et utopie,* qui résume bien cette perspective : « Il existe une source d'histoire intuitive et inspirée, que l'histoire réelle elle-même ne reflète qu'imparfaitement[8]. » Perspective mystique, mythique s'il en est, mais qui ne manque pas d'éclairer de nombreux aspects, de la vie concrète de nos sociétés. D'ailleurs la mystique est d'une essence plus populaire qu'on ne croit, en tout cas son enracinement l'est manifestement. En son sens éthymologique elle renvoie à une logique d'union : ce qui unit les initiés entre eux ; forme paroxystique de la religion *(re-ligare).*

On se souvient que pour définir la politique, K. Marx disait que c'était la forme profane de la religion. Ainsi que dans le cadre de notre propos, et en forçant un peu le trait, serait-il tout à fait inepte de dire que dans le balancement des histoires humaines, l'accentuation de la perspective mystico-religieuse relativise l'investissement politique. Celle-là favorisant avant tout l'être-ensemble, celui-ci privilégiant l'action et la finalisation de cette action. Pour illustrer cette hypothèse d'un exemple à la mode (mais rien n'est inutile pour la compréhension de l'Esprit du temps), on peut rappeler que la pensée Zen (Tch'an) et la mystique taoïste fortement enracinées dans la masse chinoise resurgissent régulièrement, en s'opposant toujours aux formes instituées de l'idéologie et de la politique officielle de l'Etat chinois. C'est l'éclatement du concept, la spontanéité et la proximité qu'elles induisent qui leur permettent de favoriser résistance molle ou révolte active parmi les masses[9]. Ceci pour dire que la mystique ainsi que je viens d'en parler est un conservatoire populaire où, au-delà de l'individualisme et de son activisme projectif, se confortent une expérience et un imaginaire collectifs dont la synergie forme ces *ensembles symboliques* qui sont à la base, dans le sens fort du terme, de toute vie sociétale[10]. Cela n'a rien à voir avec la relation tétanique qui unit le subjectivisme de l'intimisme frileux et l'objectivisme de la conquête économico-politique. Les ensembles symboliques doivent plutôt être compris comme matrices où d'une manière organique, les divers éléments du donné mondain s'interpénètrent et se fécondent, suscitant ainsi un vitalisme irrépressible qui mérite une analyse spécifique.

Il faut naturellement préciser que l'espace religieux dont il est question, n'a rien à voir avec l'habituelle manière que l'on a de comprendre la religion dans l'officielle tradition chrétienne. Et ce sur deux points essentiels, d'une part concernant l'adéquation qui est faite en général entre religion et *intériorité,* d'autre part le rapport que l'on établit en principe entre religion et *salut.* Ces deux points pouvant d'ailleurs se résumer par l'idéologie individualiste qui établit une relation privilégiée entre l'individu et la déité. En fait à l'image du polythéisme grec, on peut imaginer une conception de la religion qui avant tout insiste sur la forme de l'être-ensemble, sur ce que j'ai appelé la « transcendance immanente », autre manière de dire l'énergie qui cimente les petits groupes et les communautés[11]. Perspective métaphorique, cela va de soi, nous permettant de saisir comment le retrait du politique va de pair avec le développement, de ces petits « dieux parleurs » (P. Brown), causes et effets de la multiplication de nombreuses tribus contemporaines.

Précisons également, même de manière allusive, que si la tradition chrétienne fut officiellement et doctrinalement sotériologique et individualiste, sa pratique populaire fut autrement conviviale. Il n'est pas possible d'aborder ce problème ici, il suffit de signaler qu'avant qu'elle se dogmatise en foi, la religiosité populaire — celle des pèlerinages, des cultes des saints et autres multiples formes de superstition — est avant tout expression de socialité. Plus que la pureté de la doctrine, c'est le vivre ou le survivre ensemble qui préoccupe les communautés de base. L'Eglise catholique ne s'y est pas trompée qui, d'une manière quasi-intentionnelle, a toujours évité d'être une Eglise de purs. D'une part elle a lutté contre les hérésies qui voulaient l'entraîner dans une telle logique (ainsi le donatisme), d'autre part elle a réservé la « mise à l'écart » de la prêtrise, du monachisme et a fortiori de l'érémitisme à ceux qui entendaient suivre et vivre les « conseils évangéliques ». Pour le reste elle a fermement maintenu une dimension multidiniste frisant parfois le laxisme moral ou doctrinal. On pourrait lire dans une telle perspective la pratique des Indulgences qui entraîna, on le sait, la révolte de Luther, ou la bienveillance des Jésuites de cour qui offusqua si fort Pascal. Cette perspective « multidiniste » peut être rapprochée de la notion de conservatoire employé plus haut, elle rend un groupe responsable de ce dépôt sacré qu'est la vie collective[12]. En ce sens la religion populaire est bien un ensemble symbolique qui permet et conforte la bonne tenue du lien social.

> Sous forme de divertissement je proposerai une première « loi » sociologique : *les divers modes de structurations sociales ne valent que dans la mesure, et si elles restent en adéquation avec la base populaire qui leur a servi de support.*

Cette loi est valable pour l'Eglise, elle l'est également pour sa forme profane qu'est la politique. « Une Eglise ne tient pas sans peuple » (E. Renan)[13], et les diverses décadences qui ponctuent les histoires humaines pourraient se comprendre à la lumière d'une telle remarque. La déconnexion d'avec la base fait que les institutions deviennent creuses et vides de sens. Mais a contrario, dans l'optique qui est la nôtre, cela indique et souligne avec force, que si la socialité peut ponctuellement se structurer dans des institutions ou des mouvements politiques précis, elle les transcende tous. Pour reprendre une image minéralogique, ils ne sont que des pseudomorphoses, venant se nicher dans une matrice qui leur survit. C'est cette perdurance qui nous intéresse ici, et également explique que le désengagement politique massif que l'on peut observer de nos jours ne soit nullement corrélatif d'une déstructuration accélérée, mais au contraire l'indice d'une vitalité renouvelée. C'est cette perdurance qui est la marque du divin, lequel n'est pas une entité surplombante et extérieure, bien au contraire il est au cœur de la réalité mondaine, à la fois son essence et son devenir. On peut à cet égard se référer à la classique terminologie de la sociologie allemande, ainsi l'opposition *Gemeinschaf-Gesellschaft* propre à Tonnies, ou celle que propose M. Weber entre « communalisation » *(Vergemeinschaftung)* et « sociation » *(Vergesellschaftung)*.

L'éthos communautaire désigné par le premier ensemble d'expressions renvoie à une subjectivité commune, à une passion partagée, alors que tout ce qui a trait à la société est essentiellement rationnel. Rationalité en valeur *(Wert)* ou en finalité *(Zweck)*. Il est un texte de M. Weber qui ne manque pas d'être éclairant. Il remarque d'une part que toute sociation qui « déborde le cadre de l'association à but déterminé... peut faire naître des valeurs sentimentales qui dépassent la fin établie par la libre volonté ». Par ailleurs il remarque qu'une communauté peut s'orienter vers une certaine rationalité ou finalité. Ainsi parfois « un groupement familial est comme une communauté et, d'un autre côté, exploité ressenti comme une "sociation" par ses membres »[14]. Weber souligne ainsi qu'il peut y avoir évolution et réversion d'une forme à une autre. Etant bien entendu que la dimension communautaire est le moment fondateur ; ce qui est particulièrement flagrant pour les villes reposant sur les « groupes de parenté » ou sur les « associations confessionnelles ». C'est donc à la fois sur ce mouvement et sur ce qui le fonde qu'il convient de porter notre attention. En effet dans la combinatoire qui constitue les structurations sociales, le changement de place de tel ou tel élément, ou encore sa saturation peut entraîner une différence qualitative d'importance. Ainsi la fin d'une forme particulière, peut-elle nous aider à comprendre le resurgissement d'une autre.

A côté de la religion, de la communauté, comme je viens d'en parler, il est une autre notion qui mérite attention, c'est celle de peuple. Ce terme peut être employé sans intention particulière, ainsi qu'on peut le faire du mot « social » dans le sens le plus simple, on peut également montrer que son acception peut renvoyer à un ensemble de pratiques et de représentations alternatives à l'ordre du politique. C'est ce qu'a essayé de faire le courant « populiste ». Parmi ses diverses expressions, c'est le populisme russe qui au XIX^e^ siècle, l'a le mieux illustré. Il eut son heure de gloire, ses penseurs, et de nombreuses réalisations économico-sociales. Bien sûr il a été très rapidement considéré, par Lénine en particulier, comme l'adolescence du vrai socialisme, du socialisme scientifique. Naturellement concernant les communes paysannes, il y avait des hésitations dans le marxisme en voie de rigidification dogmatique, et je me plais toujours à citer la célèbre lettre du 8 mars 1881 de K. Marx à Véra Zasulic où l'on voit bien ses incertitudes face au populisme bien vivant à ce moment là en Russie. En fait on peut considérer que la réalité même du peuple fut complètement étrangère à la tradition « autoritaire » (marxisme, léninisme, stalinisme) du mouvement ouvrier et à ceux qui en assurèrent la gestion théorique. Car à l'encontre des « non-autoritaires » (anarchistes, fédéralistes) la perspective des premiers est essentiellement politique. Marx avait d'ailleurs bien résumé le débat par cette formule : « Quand on parle de peuple, je me demande quel mauvais coup on est en train de jouer au prolétariat. » En incidente, maintenant que, soit dans sa version réformiste soit dans sa version révolutionnaire, ce sont les défenseurs du prolétariat qui ont pris en de multiples endroits le pouvoir, on est un peu mieux fixé sur les mauvais coups qu'ils ont fait subir au peuple ![15].

Au-delà des oukases dont il fut l'objet, le populisme était bien autre chose qu'un enfant débile non encore parvenu à maturité. On peut postuler qu'il représentait la forme prophétique ou, ce qui revient au même, le laboratoire où s'esquissait la relativisation de la prégnance économico-politique. En mettant l'accent sur la solidarité de base, sur les effets de la communauté, sur ce mythe de la commune (la fameuse *obscina* russe), pour certains en annonçant que la machine allait favoriser cette communauté[16], les populistes pourraient être fort utiles à tous ceux qui aujourd'hui pensent le présent et l'avenir en termes d'autonomie ou de micro-sociétés. Il y aurait intérêt à avoir cette perspective populiste en tête pour comprendre le développement des petites entreprises, des coopératives, de la prise en charge au plus proche qui caractérise l'économie de nos jours. En bref pour comprendre ce passage de *l'économie généralisée* à *l'écologie généralisée* qui entend moins maîtriser le monde, la nature, la société, que réaliser collectivement des sociétés fondées avant tout sur la qualité de la vie.

C'est en correspondance avec l'esprit du temps, qu'à la fin du siècle dernier et au début de celui-ci la *classe* (ou le prolétariat) prend progressivement la place du peuple. Ce processus, qui s'accomplit principalement en relation avec la prévalence de l'histoire ou de la politique, est maintenant bien connu. En même temps on est d'une part de plus en plus conscient de la difficulté de définir une classe, d'autre part on s'accorde à reconnaître que c'est toujours *post festum* que l'on attribue telle ou telle action, telle ou telle lutte à la classe ouvrière, ou au prolétariat agissant en toute conscience[17]. La plupart du temps d'ailleurs cette qualité n'est accordée qu'aux luttes qui correspondent à la stratégie que le bureau politique a édicté, le reste s'appelant, selon les circonstances, provocations, compromis, trahisons ou collaborations de classe. On peut justement faire un parallèle entre le fait que la classe ouvrière obéit de moins en moins aux diverses injonctions qui lui sont faites et la moindre croyance, que l'on peut observer, en une direction assurée de l'Histoire. Le *no future*, slogan des jeunes générations, n'est pas sans écho, d'une manière moins exubérante, sur l'ensemble de la société. Et l'on peut se demander si le recours à l'histoire passée (folklore, réinvestissement des fêtes populaires, regain de la sociabilité, fascination pour les histoires locales), n'est pas une manière d'échapper à la dictature de l'histoire finalisée, progressiste, et par là-même de vivre au présent ? Ce qui est certain, c'est qu'en court-circuitant la marche royale du Progrès, le refus du futur dont je viens de parler redonne ses lettres de noblesse au peuple, ce n'est pas qu'un jeu de mot : il fait ressortir l'aspect aristocratique du peuple.

Par rapport à l'ordre politique, cet aristocratisme prend des formes diverses. Tout d'abord le mépris dans lequel est englobé le personnel politique, toutes tendances confondues. J'ai déjà analysé ce « quant-à-soi » populaire. Les nombreuses anecdotes, bons mots, et remarques de bon sens en font foi[18]. Il n'y a pas lieu de s'y étendre. Par contre on peut noter la *versatilité* des masses. Cette versatilité, pendant du « quant-à-soi », est une forme d'insolence spécifique : de ceux qui sont animés par la *libido dominandi*, on attend ce qu'ils peuvent donner, ou en quoi ils peuvent être utiles. On retrouve ici la religion profane, ainsi qu'il en a été question plus haut, *do ut des* : je te donne ma voix afin que tu me donnes en retour. Mais en même temps, cela montre la profonde non adhésion des masses au politique. Leur intérêt est à la mesure de ce qu'elles peuvent escompter ou « réescompter ».

Dans le même temps cette versatilité insolente est un bouclier contre le pouvoir quel qu'il soit. Les historiens et les sociologues ne manquent pas de souligner de quelle manière la masse adore et brûle successivement les maîtres et les valeurs les plus divers. Les exemples abondent en ce sens. On peut dire la même chose concernant les idéologies et les croyances exaltées en un temps, honnies peu après par les mêmes[19]. Au lieu de s'en offusquer, il vaut mieux y voir un relativisme fondamental par rapport à des entités surplombantes qui n'ont que peu de chose à voir avec la proximité où se tissent les vrais liens de solidarité. Dans le ciel des idées ou des projets lointains tous les chats sont gris qui promettent des lendemains qui chantent.

J'ai indiqué plus haut le devoir sacré de faire durer l'existence. Il s'agit d'un savoir incorporé, animal en quelque sorte, d'un savoir qui permet aux masses de résister. En effet ce que l'on appelle versatilité pourrait être une manière de maintenir l'essentiel, et de négliger le factuel, le ponctuel. La guerre des chefs, sa théâtralisation, n'est pas négligeable, en particulier en tant que spectacle, mais elle est avant tout *abstraite*, et n'a pas la plupart du temps les effets positifs ou négatifs qu'on lui prête. Si le rôle du politique est celui de l'animation — d'où la mise en scène dont il a besoin, la monumentalité où il se tient et l'apparat dont il s'habille —, le rôle de la masse, quant à elle, est celui de la survie. Il faut se maintenir dans l'être. Dès lors l'on peut comprendre les échappatoires et les changements d'opinion en fonction d'une telle responsabilité ; cela est du *concret*. Je ferai un pas de plus dans le sens de mon argumentation, et je dirai que, sans s'embarrasser de scrupules excessifs ou d'états d'âme accessoires, *le peuple en tant que masse* a pour responsabilité essentielle de triompher de la mort de tous les jours. Tâche qui demande, on s'en doute, un effort constant et une grande économie d'énergie. C'est cela même qui fonde sa noblesse.

En reprenant une dichotomie que j'avais posé entre le *Pouvoir* et la *Puissance* (*La Violence totalitaire*, P.U.F., 1979, chapitre 1), et en jouant avec les mots, je proposerai ici une deuxième loi :

> *Le pouvoir peut et doit s'occuper de la gestion de la vie, la puissance quant à elle est responsable de la survie.*

Naturellement je joue avec les mots (ce qui est nécessaire lorsqu'on fait des lois), et par « survie » j'entends à la fois ce qui fonde, ce qui surpasse et ce qui garantit la vie. La survie selon l'expression de Canetti est la « situation centrale de la puissance »[20] ; elle signifie cette permanente lutte contre la mort à laquelle on ne croit jamais tout à fait ; que cette mort soit *stricto sensu* la mort naturelle ou que ce soit l'imposition mortifère sécrétée par la dimension « pro-jective » de l'ordre économico-politique quel qu'il soit. On pourrait comparer cette Puissance au *mana* ou autres expressions désignant une force collective transcendant les individus ou les factions particulières. Pour ma part je ferai une liaison entre la Puissance et ce « concret le plus extrême » (W. Benjamin) qu'est la vie de tous les jours. Et face à ces histoires faites de rien et de tout, de chair et de sang, l'Histoire politique est sans consistance pour une mémoire collective qui sait là-dessus à quoi s'en tenir.

Les histoires plutôt que l'Histoire. Tel pourrait être le merveilleux secret qui nous expliquerait la perdurance des sociétés. Au-delà de l'ordre du politique, de grands ensembles culturels se maintiennent au travers des siècles. Les cultures grecque, latine, arabe, chrétienne, pour ce qui nous concerne, reposent sur une puissance intérieure qui toujours et à nouveau renouvelle, conforte, redynamise, ce que les pouvoirs ont tendance à parcellariser, rigidifier et en fin de compte détruire. Il s'agit là d'un vouloir-vivre collectif qui en appelle à une attention plus aiguë de la part de l'observateur social. Simmel faisait remarquer que pour comprendre une décision politique il fallait embrasser l'ensemble de la vie du décideur, et « considérer bien des aspects de cette vie, étrangers à la politique ».

A fortiori pour saisir cette décision fondamentale toujours renouvelée qu'est la « survie » de l'espèce, il faut savoir dépasser le cadre étriqué de la simple finalité politique. La vie du tout venant, têtue et irrépressible nous y pousse. Faut-il y voir, comme le dit si joliment Gilbert Renaud, l'expression d'une « socialité frondeuse qui résite à (la) domestication » ?[21]. Je dirai en tout cas qu'il y a là un enjeu auquel il est difficile, en cette fin de siècle de ne pas répondre.

## 2. *Un « familialisme » naturel*

A l'encontre de ce qu'il est peut-être difficile d'admettre, il me semble qu'il existe un rapport étroit, quelque peu pervers, entre l'individu et le politique. En fait ces deux entités sont les pôles essentiels de la Modernité. Je m'en suis déjà expliqué : le *principium individuationis* est cela même qui détermine toute l'organisation politico-économique et techno-structurelle qui s'inaugure avec le bourgeoisisme. Durkheim, qui est certainement un des grands penseurs de ce processus, remarque d'une manière péremptoire que « le rôle de l'Etat n'a rien de négatif. Il tend à assurer l'individuation la plus complète que permette l'état social »[22]. L'Etat en tant qu'expression par excellence de l'ordre politique, protège l'individu contre la communauté. D'une manière anecdotique, il suffit d'observer que ceux qui étaient les plus ultra-politiques des années soixante, ceux-là mêmes qui clamaient « tout est politique », affirment avec la même conviction, et parfois le même sectarisme, la nécessité de l'individualisme. Il n'y a pas pour eux de changement fondamental, seulement une différence d'accentuation.

Il est donc fallacieux d'établir un parallèle entre la fin du politique et le repliement sur l'individu, ou ce que l'on appelle le retour du narcissisme. Il s'agit là d'une perspective à courte vue. En fait je postulerai que la saturation de la forme politique va de pair avec celle concernant l'individualisme. Etre attentif à ce fait est donc une autre manière de s'interroger sur les masses. Tant en ce qui concerne le conformisme des jeunes générations, la passion de la ressemblance dans les groupes ou « tribus », les phénomènes de mode, la culture standardisée, jusque et y compris ce que l'on peut appeler *l'unisexualisation* de l'apparence, tout cela nous permet de dire que l'on assiste à une déperdition de l'idée d'individu dans une masse bien plus indistincte. Celle-ci n'a que faire de la notion d'identité (individuelle, nationale, sexuelle) qui fut une des conquêtes les plus importantes du bourgeoisisme. A mon sens une interrogation sur le fondement socio-anthropologique de ce fait, peut nous éclairer sur le rapport antinomique qui existe entre la masse et le politique.

Disant cela, il s'agit de montrer que la masse, a déjà existé, qu'elle est une modulation de l'être-ensemble, et qu'elle tend à favoriser des éléments que le projet politique (tautologie) oublie ou dénie. On peut tout d'abord souligner, ne fut-ce que très rapidement, l'aspect changeant et chaotique de l'identité. D'une manière pascalienne on peut dire que sa vérité varie selon les frontières temporelles ou spatiales. Ce que résume fort bien une remarque de Max Weber : « L'identité n'est jamais, du point de vue sociologique, qu'un état de choses simplement relatif et flottant[23]. » Avec acuité, Weber observe ici que suivant les situations et l'accentuation de telle ou telle valeur, le rapport à soi, le rapport à l'autre, le rapport à l'environnement peuvent être modifiés. Etant bien entendu que « l'identité » concerne aussi bien l'individu que le groupement dans lequel il se situe : c'est quand il y a une identité individuelle que l'on retrouve une identité nationale. En fait l'identité sous ses diverses modulations est avant tout l'acceptation à être quelque chose de déterminé. Acquiescement à l'injonction d'être ceci ou cela; processus qui en général survient tardivement dans le devenir humain ou social. En effet ce qui tend à prédominer dans les moments de fondation, c'est le pluralisme des possibilités, l'effervescence des situations, la multiplicité des expériences et des valeurs ; toutes choses qui caractérisent la jeunesse des hommes et des sociétés. Je dirai pour ma part qu'il s'agit là du moment *culturel* par excellence. Par contre le choix qui progressivement s'impose dans l'élaboration d'une individualité personnelle ou sociale, le fait que l'on élimine l'effervescence et le pluralisme sous leurs divers aspects, cela conduit généralement à ce que l'on peut appeler *civilisation*. C'est dans ce second moment dominé par la morale de la responsabilité que s'épanouit le politique.

Je m'appuie ici sur la classique dichotomie utilisée par la pensée allemande et bien formalisée par N. Elias[24] : avant de se policer, de se finaliser, une structuration sociale, quelle qu'elle soit, est un véritable bouillon de culture où chaque chose et son contraire sont présents. Le bouillon de culture est grouillant, monstrueux, éclaté, mais en même temps riche en possibilités futures. On peut se servir de cette image, pour signifier que la masse est cela-même qui se suffit à elle-même, elle ne se projette pas, ne se finalise pas, ne se « politise » pas, elle vit le tourbillon de ses affects et de ses expériences multiples. C'est pourquoi elle est cause et effet de la déperdition du sujet. Dans mon jargon, je dirais qu'elle est dionysiaque, confusionnelle. Nombreux sont les exemples qui contemporainement, d'une manière plus ou moins tranchée, plaident en ce sens. Dans ces moments se crée une « âme collective » dans laquelle aptitudes, identités et individualités s'effacent. Ce qui n'empêche d'ailleurs que cette entité effervescente puisse être le lieu d'une réappropriation réelle. Chacun participe de ce « nous » global. A l'encontre du politique qui paradoxalement repose sur le « je » et le lointain, la masse quant à elle est faite de « nous » et de proximité. Le développement des histoires de vie fait ressortir que le sujet qui raconte parle souvent en terme de « nous »[25]. Ainsi la communauté « effervescente » peut être à la fois déperdition individuelle et réappropriation de la personne.

On touche ici à la distinction, classique depuis M. Mauss, entre personne et individu. De nos jours L. Dumont en France et R. da Matta au Brésil l'ont traité avec le bonheur que l'on sait. Dans la perspective qui nous occupe, on peut dire que, « de jure » bien sûr, l'individu est libre, il contracte et s'inscrit dans des rapports égalitaires. C'est ce qui va servir de base au projet, ou mieux à l'attitude pro-jective (*i.e.* la politique). Par contre la personne est tributaire des autres, accepte un donné social et s'inscrit dans un ensemble organique. D'un mot on peut dire que l'individu a une fonction, la personne un rôle[26]. Cette distinction est importante, car elle permet de comprendre que tel un mouvement de balancier les formes d'agrégation puissent privilégier soit le politique, soit ce que je propose depuis quelque temps d'appeler la socialité. La masse, dont on a dit qu'elle était « monstrueuse », renvoie bien sûr à la seconde catégorie.

Cependant cette « monstruosité » mérite attention car elle permet de souligner un aspect non négligeable de la masse, c'est son rapport à la nature, à ce qui est naturel. On a dit bouillon de culture, effervescence et éclatement, toutes choses qui désignent le chaos et le non-policé ; toutes choses qui justement réaccentuent cet élément naturel que la civilisation tente toujours de dénier. Un petit apologue de W. Benjamin indique comment le don de reconnaître des similitudes lui semblait comme le vestige de « la vieille compulsion à devenir semblable aux autres ». Ressemblance qui pouvait se faire avec les gens, mais aussi avec les meubles, les vêtements, les appartements[27]. On voit ainsi comment ce *principe de similitude*, qui est à la base du « nous », du peuple, de la masse est un intermédiaire entre le monde naturel et le monde social. Il n'y a plus une séparation entre le cosmos et le social et à l'intérieur du tout social ; on est au contraire en présence de ce que l'on peut appeler *la culturalisation de la nature, et la naturalisation de la culture*.

C'est là que l'on trouve l'origine du conformisme, la prégnance du sentiment, dont on recommence à mesurer l'impact dans la vie sociale, ou encore un espèce de vitalisme ontologique qui se manifeste dans l'écologisme ambiant du moment.

Il me semble que ce souci d'imitation et de conformisme, le vitalisme dont je viens de parler, en bref cette « correspondance » quelque peu mystique qui est en train d'émerger, peut être une des caractéristiques essentielles de la masse populaire. Si l'on reprend la distinction posée plus haut, on peut dire qu'à l'individu unifié répond la personne hétérogène capable d'une multiplicité de rôles.

> On peut considérer que cette personne n'est qu'une *condensation*, en perpétuel déséquilibre ; elle s'inscrit dans un *phylum* dont elle n'est qu'un élément.

La constatation poétique ou plus tard psychologique de la pluralité de la personne (« je est un autre »), peut être en effet interprétée, d'un point de vue socio-anthropologique, comme étant l'expression d'un continuum infrangible. Nous ne valons que pour autant que nous sommes liés à un groupe. Etant bien évident qu'il est peu important que cette liaison soit réelle ou fantasmatique. On se souvient comment Proust, après la mort de sa grand-mère voit les traits de celle-ci se reporter sur sa mère. En reprenant l'image de la grand-mère, en s'identifiant à elle la mère prend ainsi en charge, au travers des générations, un type qui doit se perpétuer. Avec sa sensibilité le romancier montre bien comment la mort s'inscrit dans une vitalité indestructible. Ce n'est pas faire preuve d'un impérialisme sociologiste que de reconnaître comme le fait Halbwachs « qu'en réalité nous ne sommes jamais seuls... car nous sentons toujours en nous une quantité de personnes »[28]. La mémoire ou les souvenirs collectifs, qu'ils soient publics, privés ou familiaux, le montrent bien qui font d'un quartier, d'une ville, des *lieux* où des vies se sont sédimentées, ce qui en fait des lieux habitables. Voilà ce qui permet le *feed-back* s'établissant entre le groupe et la personne, et ce naturellement d'une manière organique et non plus selon la rationnelle équivalence de l'ordre politique. E. Renan a montré que pour les premiers chrétiens la force de la communauté, je dirais pour ma part sa puissance, reposait sur des « grands hommes bases » (Megala Stoikeia). C'est autour de leurs tombeaux que se constituaient les églises. A son tour P. Brown a indiqué qu'un tel sanctuaire s'appelait tout simplement « le lieu » *(o topos)*, et que progressivement ces lieux vont constituer de véritables réseaux parcourant le pourtour méditerranéen. Que ce soit sous forme religieuse ou profane une telle pratique de fondation se retrouve régulièrement au cours des histoires humaines. Et outre la monumentalité urbaine ou rurale (palais, église, monuments divers), ce *feed-back* s'exprime dans toutes les cérémonies de commémoration. Du culte l'Auglaure* de la cité athénienne à toutes les fêtes nationales contemporaines, en passant naturellement par le calendrier liturgique du rituel chrétien, c'est toujours le même processus d'anamnèse dont il s'agit : nous n'existons qu'en tant que corps. Analysant le christianisme d'un village breton, le sociologue Y. Lambert fait état d'une cérémonie particulièrement instructive. Parlant des fins dernières, le prêtre élabore une mise en scène où des enfants du village représentent, *en nombre égal*, les défunts de l'année[29]. On ne peut mieux dire la fécondité et la prégnance de l'idée de *phylum*. C'est autour de lui que l'imaginaire social se construit une histoire et donc se constitue en tant que telle.

Il faudrait voir, grâce à l'éclairage de ces exemples paroxystiques, comment tous les groupes se fondent, dans le sens simple du terme, sur la transcendance de l'individu. C'est cela qui m'incite à parler d'une *transcendance immanente*, *i.e.* ce qui à la fois dépasse les individus et jaillit de la continuité du groupe. Il s'agit là d'une perspective mystique que l'on peut rapprocher de cet autre mysticisme que sont certaines psychanalyses. Telle celle de Groddeck dont on sait l'enracinement vitaliste. « Nous sommes vécus par le ça », « le ça est une force » ou encore « le moi n'est qu'un artifice, un instrument au service du ça », on pourrait multiplier les exemples en ce sens[30]. Il suffit d'indiquer que le « ça » dont il est question peut parfaitement décrire, d'une manière métaphorique, la masse, le peuple ou le groupe qui nous occupe ; c'est une force qui agit alors qu'on croit l'agir ; le moi ne vaut qu'en référence à elle. Il y a là tous les ingrédients que l'on retrouve dans la constitution des petites masses contemporaines. De plus une telle extrapolation permet de souligner l'étroite parenté qui existe entre ces entités et l'ordre naturel. On voit bien ainsi ce qui outrepasse l'individualisme en tant que pratique bien sûr, mais également en tant que construction idéologique.

La mémoire collective est certainement une bonne expression pour décrire le système symbolique et le mécanisme de participation dont je viens de parler. Bien sûr le terme est peut-être un peu usé ou daté, mais il souligne avec justesse et rigueur que tout comme il n'y a pas de durée individuelle, il n'existe pas une pensée singulière. Notre conscience n'est que point de rencontre, cristal-

* Déesse représentant la ville d'Athènes.

lisation de courants divers qui avec des pondérations spécifiques s'entrecroissent, s'attirent, se repoussent. Les constructions idéologiques, même les plus dogmatiques, en sont des exemples achevés, qui n'arrivent jamais à être tout à fait unifiés. Ainsi on peut dire qu'une pensée personnelle est celle qui suit « la pente d'une pensée collective »[31]. Ce que corroborent à leurs manières les chercheurs contemporains en physique théorique ou encore en biologie, tel R. Scheldrake qui parle de « Chréode » (direction nécessaire) pour décrire la simultanéité de découvertes proches ou semblables en des laboratoires très éloignés les uns des autres. Partant d'hypothèses diverses, mais participant du même « esprit du temps », ces chercheurs forment groupe, fût-il en pointillé, fût-il traversé de conflits. On peut dire la même chose pour les regroupements constitutifs de la socialité ; chacun, à sa manière, compose son idéologie, sa petite histoire, à partir de ces éléments disparates que l'on retrouve aux quatre coins du globe. Ces éléments peuvent être empruntés à la tradition du lieu, ou au contraire être transversaux à ces traditions, leurs assemblages pourtant présentent des similitudes qui vont constituer une sorte de matrice donnant naissance et confortant les représentations particulières.

Il semblerait qu'une telle manière de poser le problème permette de dépasser le classique pont aux ânes en sciences sociales : sont ce les individus ou les groupes indifférenciés qui déterminent l'histoire ? Ou encore : est-ce le « grand homme » providentiel ou l'action aveugle des masses ? D'un côté la raison et sa lumière, de l'autre l'instinct et sa dangereuse obscurité. On peut imaginer une voie médiane, une « forme sociale »[32] spécifique qui fasse que le savoir faire et le savoir dire soient autre chose qu'une action individuelle ou autre chose qu'une structure imposée. La « mémoire collective » (M. Halbwachs), l'*habitus* (M. Mauss) peuvent être une telle forme où rentrent en composition à la fois des archétypes et les diverses intentionnalités qui permettent de s'ajuster à ces archétypes, de les habiter en quelque sorte. C'est cela l'esprit de groupe, l'esprit du clan, dont la synergie ou la juxtaposition produit l'Esprit du Temps.

Il s'agit là d'une mise en relation permanente, d'un « relationisme » essentiel où « l'expérience biographique personnelle, se corrige et s'élargit dans l'expérience biographique générale »[33]. C'est cela qui aboutit à la vie commune. L'interaction, l'intersubjectivité créent quelque chose qui est qualitativement différent des éléments qui les constituent. Ainsi la mémoire collective peut-elle servir, dans le sens simple du terme, de révélateur aux actions intentions et expériences individuelles. Elle est véritablement une sphère de communication, cause et effet de la communauté. Ainsi ce qui paraît le plus particularisé, la pensée, n'est-il qu'un élément d'un système symbolique qui est la base même de toute agrégation sociale. Dans son aspect purement ustensilaire ou rationnel la pensée individualise, tout comme au niveau théorique elle découpe et discrimine ; par contre en s'intégrant dans une complexité organique, *i.e.* en laissant sa place à l'affect et à la passion, au non-logique aussi, cette même pensée favorise la communication de l'être-ensemble. C'est ce qui entraîne dans le premier cas le développement du politique comme facteur de rassemblement de ces éléments disparates. C'est ce qui permet de faire ressortir, dans le second cas la prééminence du groupe, de la tribu, qui ne se projette pas dans le lointain, ou le futur, mais vit dans ce concret le plus extrême qu'est le présent. Il s'agit là de l'expression la plus simple et la plus prospective de la saturation du politique et de son support qu'est l'individualisme. A leur place on voit se substituer des structures de communication à la fois intensives et réduites dans l'espace. Ces regroupements affinitaires réinvestissent cette antique structure anthropologique qu'est la « famille élargie ». Structure où la négociation de la passion et du conflit se fait au plus proche. Sans renvoyer à la consanguinité ce regroupement s'inscrit bien dans la perspective du *phylum* qui renaît avec le redéploiement du naturalisme. On peut dire que les réseaux qui ponctuent nos mégapoles retrouvent les fonctions d'entraide, de convivialité, de commensalité, de soutien professionnel et parfois même de rituels culturels caractérisant l'esprit de la *gens* romaine[34]. Quel que soit le nom que l'on donne à ces regroupements : groupes de parenté, groupes familiaux, groupes secondaires *peer-groups*, il s'agit d'un tribalisme qui a toujours existé, mais qui suivant les époques est plus ou moins valorisé. Ce qui est certain c'est qu'actuellement on le retrouve bien vivant, tenant ses assises dans les caves de nos grands ensembles ou dans les locaux de la rue d'Ulm.

Des recherches contemporaines telles celles de Young et Willmot concernant la sociabilité du voisinage dans les grandes villes, ou celles de Raynaud sur la multiplicité des « groupes secondaires » témoignent de la perdurance d'un esprit de corps[35]. Celui-ci est cause et effet de l'interaction, de la reversibilité qui sont certainement les éléments les plus étrangers à la vie politique. C'est donc en eux qu'il convient de chercher la forme contemporaine qu'est en train de revêtir la socialité.

> En un mot *l'économie* de l'ordre politique, fondée sur la raison, le projet et l'activité, laisse la place à *l'écologie* d'un ordre organique (ou holistique) intégrant à la fois la nature et la proxémie.

Quoiqu'un tel changement ne laisse pas d'être inquiétant par bien des aspects il n'est plus possible d'en nier la réalité. Durkheim attribuait aux groupes secondaires le dynamisme intégrant les individus dans le « torrent général de la vie sociale ». Une telle image vient bien à propos. Il y a de l'effervescence dans le vitalisme social et naturel, surtout en certaines périodes qui voient la déstabilisation de leurs valeurs et de leurs convictions. Et il est bien possible que les groupes secondaires qui se métastasent dans le corps social, tout en signifiant par leur présence la fin d'une modernité policée, esquissent avec pertinence la forme sociétale qui est en train de naître.

# 4.

# Le tribalisme

## 1. *La nébuleuse affectuelle*

*« Noi siamo la splendida realta. »* Cette inscription, à l'écriture maladroite, relevée dans un coin perdu de l'Italie méridionale, que rien n'autorise à une telle prétention, résume bien l'enjeu de la socialité. On y trouve en raccourci les divers éléments qui la caractérisent : relativisme du vivre, grandeur et tragique du quotidien, pesanteur du donné mondain que l'on assume tant bien que mal, le tout s'exprimant dans ce « nous » servant de ciment, et qui aide justement à supporter l'ensemble. On a tellement insisté sur la déshumanisation, le désanchantement du monde moderne, sur la solitude qu'il engendre, que l'on n'est plus à même de voir les réseaux de solidarité qui s'y constituent.

A plus d'un titre, l'existence sociale est aliénée, soumise aux injonctions d'un *Pouvoir* multiforme, il n'en reste pas moins qu'il existe une *Puissance* affirmative qui malgré tout redit le « jeu (toujours) recommencé du solidarisme ou de la réciprocité ». Il s'agit là d'un « résidu » qui mérite attention[1]. Pour faire bref, on peut dire que, suivant les époques, un type de sensibilité prédomine ; un style qui spécifie les rapports que nous établissons avec les autres. Cette mise en perspective stylistique est de plus en plus soulignée (P. Brown, P. Veyne, G. Durand, M. Maffesoli)[2]. En la matière, elle permet de rendre compte du passage de la *« polis à la thiase »*, ou encore de l'ordre politique à celui de la fusion. Alors que le premier privilégie les individus et leurs associations contractuelles, rationnelles, le second va mettre l'accent sur la dimension affective, sensible. D'un côté, le social qui a une consistance propre, une stratégie et une finalité, d'un autre côté, une masse où se cristallisent des agrégations de tous ordres, ponctuelles, éphémères aux contours indéfinis.

La constitution du social et sa reconnaissance théorique ne furent pas choses aisées. Il en est de même, actuellement, de cette nébuleuse que l'on appelle *socialité.* Ce qui explique qu'une recherche peut être approximative, partielle, parfois cahotante, à l'image de ces rassemblements sur lesquels on n'a aucune certitude. Mais l'enjeu, encore une fois, est d'importance ; et je parie que l'avenir de nos disciplines dépend essentiellement de notre capacité à savoir rendre compte du grouillement en question.

Pour ma part, je considère que les ressassements sur le narcissisme ou sur le développement de l'individualisme, lieux communs de nombre d'analyses sociologiques et journalistiques sont des pensées convenues. A moins qu'elles n'expriment le désarroi profond d'intellectuels ne comprenant plus rien à la société qui est leur raison d'être, et qui tentent ainsi de lui redonner sens; en des termes adéquats au champ moral et/ou politique dans lequel ils excellent. Je ne reviendrai donc pas sur un combat d'arrière-garde, il suffit d'indiquer, même si c'est d'une manière un peu tranchée, comment *l'expérience d'autrui* fonde communauté, fût-elle conflictuelle. Que l'on me comprenne bien, je n'entends pas participer à l'élaboration de cette bouillie morale, fort à la mode par les temps qui courent, mais plutôt de donner les linéaments de ce que pourrait être une logique de la fusion. Métaphore s'il en est que cette fusion, car ainsi qu'on peut le voir à propos de la masse, elle peut s'opérer sans qu'existe ce que traditionnellement on appelle le dialogue, échange et autres fariboles de la même eau. La fusion de la communauté peut être parfaitement désindividualisante, elle crée une union en pointillé qui n'implique pas une pleine présence à l'autre (ce qui renvoie au politique), mais établit plutôt un rapport en creux, ce que j'appellerai un *rapport tactile* : dans la masse on se croise, se frôle, se touche, des interactions s'établissent, des cristallisations s'opèrent et des groupes se forment.

On peut comparer cela à ce que W. Benjamin dit du Nouveau-Monde Amoureux de Fourier, un « monde où la moralité n'a plus rien à faire », un monde où « les passions s'engrènent, se mécanisent entre elles », un monde où pour reprendre les termes mêmes de Fourier s'observe un ordre de combinaisons et d'associations indéfinies et indifférenciées[3]. Et pourtant, ces rapports tactiles, par sédimentations successives, ne manquent pas de créer une ambiance spéciale ; ce que j'ai appelé une *union en pointillé.* Pour aider notre réflexion, je propose une image : à sa naissance, le monde chrétien est une nébuleuse de petites entités parsemées dans l'empire romain tout entier. Le grouillement que cela induit, secrète alors cette belle théorie de la « communion des saints ». Liaison souple et ferme à la fois qui n'en assure pas moins la solidité du corps ecclésial. C'est cette effervescence groupale et son éthos spécifique qui vont donner naissance à la civilisation que l'on sait. On peut imaginer que l'on soit confronté aujourd'hui à une forme de « communion des saints ». Les messageries informatiques, les réseaux sexuels, les diverses solidarités, les rassemblements sportifs et musicaux sont autant d'indices d'un éthos en formation. C'est cela qui délimite ce nouvel Esprit du temps que l'on peut appeler socialité.

Précisons tout d'abord que la tradition phénoménologique et compréhensive a longuement abordé ce problème. Je pense en particulier à A. Schutz qui dans nombre de ses analyses, et très précisément dans son article « making music together », a étudié la « relation de syntonie » *(mutual tuning in relationship)* selon laquelle les individus en interaction s'épiphanisent dans un « nous très fortement présent » *(in vivid presence)*. Bien sûr, à la base on trouve la situation de face à face, mais, par contamination, c'est l'ensemble de l'existence sociale qui est concernée par cette forme d'empathie[4]. D'ailleurs, que ce soit par le contact, par la perception, par le regard, il y a toujours du sensible dans la relation de syntonie. Ainsi qu'on le verra plus loin, c'est ce sensible qui est le substrat de la reconnaissance et de l'expérience de l'autre. Dès à présent, on peut remarquer que c'est à partir de là que s'élabore « la relation des esprits », autre manière de nommer la compréhension dans son sens le plus fort. Même si c'est banalité de le dire, il ne faut pas craindre de le répéter, l'originalité de la démarche sociologique c'est qu'elle repose sur la *matérialité* de l'Etre ensemble.

Dieu (et la théologie), l'Esprit (et la philosophie), l'individu (et l'économie) laissent la place au regroupement. L'homme n'est plus considéré isolément. Et même lorsqu'on accorde, ce que j'aurais tendance à faire, la prévalence à l'imaginaire, on ne doit pas oublier qu'il est issu d'un corps social, et qu'il s'y matérialise en retour. Il n'y a pas à proprement parler d'auto-suffisance, mais constante rétroaction. Toute vie mentale naît d'un rapport et de son jeu d'actions et de rétroactions. Toute la logique communicationnelle ou symboliste est fondée là-dessus. C'est ce que O. Spann appelle « l'idée d'appariement » *(Gezweiung)*. Effet de couple que l'on peut voir entre les parents et l'enfant, le maître et les disciples, l'artiste et ses admirateurs[5]. Etant bien entendu que cet effet de couple transcende les éléments qui le composent. Cette transcendance est caractéristique de la perspective sociologique à ses débuts qui fut on le sait obnubilée par la communauté médiévale. Cependant, comme le bourgeoisisme triomphant avait pour vecteur essentiel l'individualisme, ce modèle communautaire fut progressivement refoulé, ou ne servit, « a contrario », qu'à justifier l'aspect progressiste et libérateur de la modernité. Il n'en reste pas moins que les mythes corporatiste ou solidariste sont présents, telle la statue du Commandeur, à l'horizon de notre démarche. Même le plus positiviste des sociologues, A. Comte, en donne une nouvelle formalisation dans sa religion de l'humanité. On connaît son influence sur Durkheim et la sociologie française, mais ce que l'on sait moins bien, c'est que, par W.G. Sumner interposé, le mythe solidariste trouva écho dans la pensée américaine[6].

Sans vouloir s'y étendre, on peut signaler que le solidarisme ou la religion de l'humanité peuvent servir de toile de fond aux phénomènes groupaux auxquels nous sommes confrontés contemporainement. Et ce, principalement pour ce qui concerne la logique de l'identité. C'est cette dernière qui servit de pivot à l'ordre économique, politique et social qui a prévalu depuis deux siècles. Mais même s'il continue à fonctionner, son effet rouleau compresseur n'a plus du tout la même efficacité. Ainsi pour saisir le *sentiment et l'expérience partagés* qui sont à l'œuvre dans de nombreuses situations et attitudes sociales, il convient de prendre un autre angle d'attaque. Celui de l'esthétique me paraît le moins mauvais. J'entends esthétique, d'une manière étymologique, comme la faculté commune de sentir, d'éprouver. Malgré son rationalisme, Adorno avait remarqué que l'esthétique pouvait permettre de « défendre le non-identique qu'opprime dans la réalité la contrainte de l'identité »[7]. On ne peut mieux souligner l'efflorescence et l'effervescence du néo-tribalisme qui, sous ses diverses formes, refuse de se reconnaître dans quelque projet politique que ce soit, qui ne s'inscrit dans aucune finalité, et qui a pour seule raison d'être le souci d'un présent vécu collectivement. Il suffit de se référer aux recherches et monographies faites sur les groupes de jeunes, sur les cercles affinitaires, sur les petites entreprises industrielles pour s'en convaincre. Il reste encore à engager d'autres enquêtes sur les réseaux télématiques pour conforter l'aspect prospectif des relations de syntonie.

Les diverses lamentations des hommes politiques, des gens d'Eglise ou des journalistes sur la désindividualisation croissante sont un indice en faveur de réalités « supra-singulières » ou « supra-individuelles ». Hors de toute appréciation normative, il faut savoir en tirer les diverses conséquences. A partir d'expériences psychologiques menées dans les années soixante-dix, Watzlawick parlait du « désir ardent et inébranlable d'être en accord avec le groupe ». Actuellement, il n'est même plus question de désir, mais d'une ambiance dans laquelle on baigne. Et ce qui était expérimental dans les groupes californiens est devenu réalité commune dans la vie de tous les jours. Le désir faisait encore appel à un sujet qui en était le porteur ; ce n'est plus le cas. Le souci de conformité est une conséquence de la massification, et c'est à l'intérieur de celle-ci que s'opèrent incidemment et d'une manière aléatoire, les regroupements. J'ai parlé plus haut de la « matérialité » de l'être-ensemble, le va-et-vient masse-tribu en est l'illustration. On peut imaginer qu'à la place d'un sujet-acteur, on soit confronté à un *emboîtement d'objets*. Tel une poupée gigogne, le grand objet-masse recèle des petits objets-groupes qui se diffractent à l'infini.

En élaborant son éthique de la sympathie, M. Scheler s'attache à montrer qu'elle n'est ni essentiellement, ni exclusivement sociale. Elle serait une forme englobante, matricielle en quelque sorte. C'est une telle hypothèse que je formulerai à mon tour. Suivant le balancier des histoires humaines, après avoir été minorisée cette forme serait à nouveau présente. Elle privilégierait la fonction émotionnelle et les mécanismes d'identification, de participation qui lui sont subséquents. Ce qu'il appelle la « théorie de l'identification de la sympathie » permet d'expliquer les situations de fusion, ces moments d'extase qui peuvent être ponctuels, mais qui peuvent également caractériser le climat d'une époque[8]. Cette théorie de l'identification, cette sortie extatique de soi est en parfaite congruence avec le développement de l'image, avec celui du spectacle (du spectacle *stricto sensu* aux parades politiques), et naturellement avec celui des foules sportives, des foules touristiques, ou tout simplement des foules de badauds. Dans tous ces cas, on assiste à un dépassement du *principium individuationis* qui était le nombre d'or de toute organisation et théorisation sociales.

Faut-il établir comme le propose M. Scheler une gradation entre « fusion », « reproduction » et « participation » affectives ? Il vaut mieux, à mon avis, et ne serait-ce qu'à titre heuristique, faire état d'une nébuleuse « affectuelle », d'une tendance orgiastique ou, comme je l'ai déjà analysé, dionysiaque. Les explosions orgiastiques, les cultes de possession, les situations fusionnelles ont existé de tout temps. Mais parfois, ils prennent une allure endémique et deviennent prééminents dans la conscience collective. Sur quelque sujet que ce soit, nous vibrons à l'unisson. Halbwachs parle à ce propos « d'interférences collectives »[9]. Ce qui nous semble être une opinion personnelle, est en fait celle de tel ou tel groupe auquel nous appartenons. D'où la création de ces *doxa* qui sont la marque du conformisme, et que l'on retrouve dans tous les groupes particuliers, y compris dans celui qui s'en déclare le plus détaché : celui des intellectuels.

Cette nébuleuse « affectuelle » permet de comprendre la forme spécifique que prend la socialité de nos jours : le va-et-vient masses-tribus. En effet, à la différence de ce qui a prévalu dans les années soixante-dix — avec ces points forts que sont la contre-culture californienne et les communes étudiantes européennes — il s'agit moins de s'agréger à une bande, à une famille, à une communauté que de virevolter d'un groupe à l'autre. C'est ce qui peut donner l'impression d'une atomisation, c'est ce qui peut faire parler à tort de narcissisme. En fait, à l'encontre de la stabilité induite par le tribalisme classique, le néo-tribalisme est caractérisé par la fluidité, les rassemblements ponctuels et l'éparpillement. C'est ainsi que l'on peut décrire le spectacle de la rue dans les mégapoles modernes. L'adepte du jogging, le punk, le look rétro, le Bon-chic-Bon-genre, les amuseurs publics, nous invitent à un travelling incessant. Par sédimentations successives se constitue l'ambiance esthétique dont il a été question ; et c'est au sein d'une telle ambiance que ponctuellement peuvent s'opérer ces « condensations instantanées » (Hocquenghem-Scherer), fragiles mais qui dans le moment même sont l'objet d'un fort investissement émotionnel. C'est cet aspect séquentiel qui permet de parler de dépassement du principe d'individuation. Faisons ici image : dans une belle description des autoroutes américaines, et de leur trafic, J. Baudrillard fait état de cet étrange rituel et de la « régularité de (ces) flux (qui) met fin aux destinées individuelles ». Pour lui la « seule véritable société, (la) seule chaleur ici, (est) celle d'une propulsion, d'une compulsion collective »[10]. Cette image peut nous aider à penser. D'une manière quasi-animale on sent une force qui transcende les trajectoires individuelles ou plutôt qui fait que celles-ci s'inscrivent dans un vaste ballet dont les figures, pour aussi stochastiques qu'elles soient, n'en forment pas moins, en fin de compte, une constellation dont les divers éléments s'ajustent en système sans que la volonté ou la conscience y soit pour quelque chose. C'est cela l'arabesque de la socialité.

*Caractéristique du social :* l'individu pouvait avoir une *fonction* dans la société, et fonctionner dans un parti, une association, un groupe stable.

*Caractéristique de la socialité :* la personne *(persona)* joue des *rôles*, tant à l'intérieur de son activité professionnelle qu'au sein des diverses tribus à laquelle elle participe. Son costume de scène changeant, elle va, suivant ses goûts (sexuel, culturel, religieux, amicaux) prendre sa place, chaque jour, dans les divers jeux du *theatrum mundi*.

On n'insistera jamais assez là-dessus : à l'authenticité dramatique du social répond la tragique superficialité de la socialité. J'ai déjà montré à propos de la vie quotidienne comment la profondeur pouvait se cacher à la surface des choses. D'où l'importance de l'apparence. Il n'est pas question de l'aborder ici en tant que telle, mais uniquement d'indiquer brièvement qu'elle est vecteur d'agrégation. Dans le sens indiqué plus haut, l'esthétique est un moyen d'éprouver, de sentir en commun. C'est aussi un moyen de se reconnaître. *Parva esthetica ?* En tout cas, la bigarrure vestimentaire, les cheveux multicolores et autres manifestations punk servent de ciment. La théâtralité instaure et conforte la communauté. Le culte du corps, les jeux de l'apparence ne valent que parce qu'ils s'inscrivent dans une vaste scène où chacun est à la fois acteur et spectateur. Pour paraphraser Simmel et sa sociologie des sens, il s'agit d'une scène qui est « commune à tous ». L'accent est mis moins sur ce qui particularise que sur la globalité des effets[11].

Le propre du spectacle est d'accentuer soit directement, soit d'une manière euphémique, la dimension sensible, tactile de l'existence sociale. Etre-ensemble permet de se toucher. « La plupart des plaisirs populaires sont des plaisirs de foule ou de groupe » (A. Ehrenberg) ; et l'on ne peut pas comprendre cette étrange compulsion à se rassembler, si l'on a pas présent à l'esprit cette constante anthropologique. Je reviens sur la dichotomie développée par W. Worringer entre abstraction et *Einfühlung :* il est des moments abstraits, théoriques, purement rationnels, et d'autres où la culture, dans son sens le plus large, est fait de participation et de « tactilité ». Le retour de l'image, du sensible dans nos sociétés renvoie certainement à une logique du toucher.

Il faut certainement ranger sous cette rubrique, le resurgissement, fut-ce d'une manière plus ou moins marchandisée, des fêtes populaires, du carnaval et autres moments d'effervescence. Dans une heureuse formule qui mérite d'être notée, R. da Matta a pu faire remarquer que, dans ces moments-là, « les hommes se transforment et inventent ce que nous appelons peuple ou masse »[12]. L'invention doit être ici comprise, *strictissimo sensu* : faire venir, trouver *(in-venire)* ce qui existe. Le paroxysme du carnaval, sa théâtralité et sa tactilité exacerbées font ressortir avec force le mécanisme que l'on essaie de cerner ici : celui de la lame de fond des foules et au sein de celle-ci, les petites nodosités qui se forment, qui agissent et interagissent les unes sur les autres. Le spectacle, sous ses diverses modulations assure une fonction de communion. Cirque et cercle ont la même origine étymologique ; et d'une manière métaphorique on peut dire qu'ils se renforcent réciproquement. Or, ce qui caractérise notre époque, est bien l'entrecroisement souple d'une multiplicité de cercles dont l'articulation forme les figures de la socialité.

C'est cette théâtralité, du cirque et du cercle, cette concaténation des cercles qui caractérise un autre aspect de la socialité, celui de la *religiosité*. Il faut prendre ce terme dans son sens le plus simple, celui de *reliance* (Bolle de Bal), et ce en référence à une de ses étymologies : *religare,* relier. Il n'est pas question, dans la rêveuse sociologie qui est la mienne, de faire concurrence aux spécialistes. Ne faisant pas de distinction entre le religieux en tant que tel et le « religieux par analogie » (J. Seguy), j'entends par ce terme décrire la liaison organique dans laquelle interagissent la nature, la société, les groupes et la masse[13]. En reprenant une image déjà employée, il s'agit d'une nébuleuse qui comme toute nébulosité (radioactive ?) va-et-vient, est peut-être toujours là, mais a plus ou moins d'effet dans l'imaginaire collectif. On ne peut nier que, de nos jours, son effet soit certain.

Pour être quelque peu plus précis : cette religiosité peut aller de pair avec la déchristianisation ou autre forme de désinstitutionalisation. Et pour cause, la socialité désigne justement la saturation des grands systèmes et autres macro-structures. Mais le fait de fuir, ou à tout le moins de ne pas porter attention aux institutions, ne signifie nullement la fin du *religare.* Celui-ci peut s'investir ailleurs. Le débat est d'actualité, et des sociologues tel Y. Lambert ou D. Hervieu-Léger ne manquent pas de s'y atteler[14]. J'ajouterais que cette religiosité peut aller de pair avec le développement technologique, ou même être conforté par lui (ainsi la micro ou le minitel).

Quoi qu'il en soit, pour relier avec le fil directeur de notre propos, je dirais qu'il existe une liaison entre l'émotionnel et la religiosité ; M. Weber consacre à ce propos un paragraphe d'*Economie et Société* à la « communauté émotionnelle » ou à la « religiosité de la communauté ». Au nombre des caractéristiques qu'il leur attribue on trouve le « voisinage », et surtout la pluralité et l'instabilité de leurs expressions[15]. Est-ce abuser du droit à l'interprétation que de rattacher cela à la proximité, au tactile et à l'aspect éphémère qui régissent nos tribus contemporaines. Concernant la nouvelle donne du christianisme de nos jours, on a pu parler de « paroisses affinitaires » (D. Hervieu-Léger), je rapprocherai cela de ce que j'ai appelé la « socialité élective ». Il s'agit là d'un paradigme qui en tant que tel peut être méthodologiquement utilisable. On ne peut plus faire l'économie des formes de sympathie qui à côté du rapport de causalité donnent une vision plus complète d'un monde de plus en plus complexe.

En fait, le rapport symbolique que j'ai esquissé ici s'inscrit délibérément dans un schéma vitaliste proche du vouloir-vivre de Schopenhauer ou de l'élan vital de Bergson. De même, la socialité et le tribalisme qui la constitue sont essentiellement tragiques : les thèmes de l'apparence, de l'affectif, de l'orgiastique indiquent tous la finitude et la précarité, mais L.V. Thomas l'a fortement souligné, tous les rites de mort préparent le « passage vers la vie »[16]. C'est cela l'enjeu essentiel de la socialité, permettre de penser ce qui est porteur d'avenir au sein même de ce qui s'achève. Le désabusement vis-à-vis de tout ce qui fut prégnant dans le bourgeoisisme ne doit pas masquer les formes particulièrement vivaces qui sont en train de naître. En mourant à lui-même l'individu permet que l'espèce perdure. Je renvoie ici à cette formule des *Mémoires d'Hadrien :*

> « Je crois qu'il serait possible de partager l'existence de tous, et cette sympathie serait l'une des espèces les moins révocables de l'immortalité. » (M. Yourcenar.)

De même, en dépassant la catégorie de l'individualisme, la socialité nous permet de con-naître (*i.e.* de naître avec) les nouvelles formes de socialité qui sont en train d'émerger.

## 2. *L'être-ensemble « sans emploi »*

D'un mot encore, et pour servir de fondement à ce que peut être la structure socio-anthropologique du tribalisme, il peut être intéressant de rappeler que, directement ou *a contrario*, c'est toujours par rapport au groupe que l'on va déterminer la vie sociale. Banalité qu'il est important de rappeler. Certains ont pu même dire que la société médiévale en tant que système d'organisation organique avait constitué le modèle de « l'utopie sociologique ». Ainsi pour ne prendre que quelques exemples, on peut rappeler que c'est cette société qui sert de toile de fond à l'analyse que Tocqueville fait de la démocratie américaine. De même Le Play s'en sert pour élaborer son concept de « familles souches » ; il en est de même de la « communauté » de Tonnies ou des « associations intermédiaires » de Durkheim[17]. Il me semble que plus qu'un matériel de comparaison cette nostalgie médiéviste rappelle que à l'encontre des perspectives mécanistes et individualistes, propres au positivisme du XIX^e siècle, la perspective *organique* ne peut être totalement évacuée.

On a dit que K. Marx avait été fasciné par la seule révolution qui, à ses yeux, avait réussi : la Révolution bourgeoise de 1789 ; son œuvre, reposant sur des catégories essentiellement bourgeoisistes, s'en serait ressentie. Il est peut être possible de dire une chose semblable de Durkheim par rapport au médiévisme. C'est-à-dire que tout en étant un protagoniste de la primauté du rôle de la raison et de l'individu dans la société, il ne peut s'empêcher de constater, *de facto*, l'importance du sentiment et de la communauté. Il me semble que la distinction que fait Durkheim entre « solidarité mécanique » et « solidarité organique », et surtout l'application qu'il en fait, ne sont plus chose pertinente. Par contre il est important de souligner qu'il est véritablement obnubilé par cette réalité qu'est la solidarité[18]. Et ce n'est pas une mince affaire. En effet quoique cela n'ait pas été assez analysé par ceux qui se réclament du fondateur de l'Ecole Française de Sociologie, il est certain que le problème du consensus pré-rationnel et pré-individualiste est pour lui une base sur laquelle peut et va se construire la société. De là l'importance qu'il accorde à la conscience collective ou à ces moments spécifiques (fêtes, actions communes) par lesquels telle ou telle société va conforter « le sentiment qu'elle a d'elle-même ». Nisbet insiste à juste titre là-dessus, et c'est heureux car on oublie trop souvent que cette perspective de la *communitas* dépasse l'aspect utilitariste et fonctionnaliste qui prévaut dans l'économisme ambiant.

Il est d'ailleurs intéressant de noter que c'est dans cette perspective que M. Halbwachs analyse la permanence du groupe qui est autre chose qu'un « assemblage d'individus ». Ce qu'il dit d'un groupe formé à partir de l'Ecole (Normale Supérieure de la rue d'Ulm cela s'entend !) vaudrait pour l'étude de quelque maffia que ce soit. Communauté d'idées, préoccupations impersonnelles, stabilité de la structure qui dépasse les particularités et les individus, voilà autant de caractéristiques essentielles du groupe qui repose avant tout sur le sentiment partagé. Il y a dans cette analyse une logique de la dépersonnalisation quelque peu mystique. Cette « substance impersonnelle des groupes durables »[19] à forte connotation érotique et passionnelle s'inscrit bien dans la perspective holistique qui est le propre de la communauté organique ; tout contribue à son maintien y compris dissension et dysfonctionnements. Il suffit d'observer l'organisation des groupes primaires (familiaux, amicaux, religieux, politiques...) pour être convaincu de la pertinence d'une telle dynamique. Ce dépassement ou cette relativisation de l'individualisme se retrouve dans la sociologie allemande (chez Tonnies naturellement, mais également chez M. Weber ou K. Mannheim). Cela est évident pour G. Simmel qui en particulier à partir des sociétés secrètes a bien montré à la fois la dimension affective et sensible des relations sociales et son épanouissement dans les petits groupes contemporains. Il s'agit d'un fait culturel qui peut être du plus haut intérêt pour la compréhension du devenir communicationnel de nos sociétés. L'analyse des structures élémentaires ou des micro-groupes sociaux permet en effet de minoriser le rôle de l'individu qui s'est fortement enflé depuis la Renaissance. Grenouille de la fable qui veut faire oublier qu'elle se situe dans un ensemble dont elle est partie prenante et non élément essentiel. En effet pour paraphraser Platon répondant à Protagoras : pourquoi l'individu serait-il la mesure de toutes choses plutôt que le pourceau qui lui sert de nourriture ? En fait la logique communicationnelle, ou encore l'interaction qui sont particulièrement visibles dans les groupes, ont tendance à privilégier le tout, l'architectonique et la complémentarité qui en sont issus. C'est cela qui peut faire parler d'une âme collective, d'une matrice de base qui englobe et vivifie l'ensemble de la vie de tous les jours.

Sans avoir peur de la simplicité du propos, ou de son aspect répétitif, peut être peut-on parler d'une *socialité naturelle*, en insistant justement sur l'aspect paradoxal de l'expression. En effet, même si cela prend la forme de l'agressivité ou du conflit, il existe une propension à se regrouper : c'est ce que Pareto appellera l'instinct de combinaison, ou encore cet « instinct interne » qui selon Locke est à la base de toute société. Sans se prononcer sur le contenu de cette inclination, on peut considérer que la communication, à la fois verbale et non verbale, constitue un vaste filet qui lie les individus entre eux. Naturellement la prévalence d'une perspective rationaliste faisait considérer que seule la verbalisation avait statut de lien social. Dès lors il était facile d'observer que de nombreuses situations « silencieuses » échappaient à ce lien. C'est certainement une des raisons avancées par l'idéologie individualiste, héritière du siècle des Lumières et complètement étrangère aux modes de vie populaires, aux coutumes festives et banales, à l'*habitus* qui structurent en profondeur, mais sans être forcément verbalisés, la vie de tous les jours. Les recherches contemporaines sur le langage corporel, sur l'importance du bruit et de la musique, sur la proxémie, rejoignent d'une part les perspectives mystiques poétiques et utopiques de la correspondance et de l'architectonique, et d'autre part les considérations de la physique théorique sur l'infiniment petit[20].

Qu'est-ce à dire sinon que la réalité n'est qu'un vaste agencement d'éléments homogènes et hétérogènes, de continu et de discontinu. Il fut un temps où l'on mit en lumière ce qui se distinguait dans un ensemble donné, ce que l'on pouvait séparer et particulariser ; l'on se rend compte de plus en plus qu'il vaut mieux considérer la synchronicité ou la synergie des forces à l'œuvre dans la vie sociale. Dès lors, pour ce qui nous concerne, on retrouve que l'individu ne peut pas être isolé, mais qu'il est lié, par la culture, la communication, le loisir, la mode, à une communauté qui n'a peut être pas les même qualités que celles du Moyen Age, mais qui en a la même forme. C'est celle-ci qu'il faut faire ressortir. En m'inspirant de G. Simmel, j'ai proposé de voir dans la forme le « lien de réciprocité » qui est tissé entre les individus. Il s'agit en quelque sorte d'un lien où l'entrecroisement des actions, des situations, des affects forment un tout. D'où la métaphore : dynamique du tissage et statique du tissu social. Ainsi tout comme la *forme artistique* se crée à partir de la multiplicité des phénomènes réels ou fantasmatiques, de même la *forme sociétale* pourrait être une création spécifique à partir des minuscules faits qui sont ceux de la vie courante. Ce processus fait donc de la vie commune une forme pure, une valeur en soi. « Impulsion de socialité » *(Gesselligkeit)* irrépressible et infrangible qui emprunte pour s'exprimer, suivant les moments, la voie royale de la politique, de l'événement historique, ou celle souterraine mais non moins intense de la vie banale.

Dans cette perspective, la vie peut être considérée comme une œuvre d'art collective. Que cette œuvre d'art soit celle du mauvais goût, du kitsch, du folklore, ou même celle des diverses manifestations du *mass entertainment* contemporain. Tout cela peut paraître futilité creuse et vide de sens. Et pourtant s'il est indéniable qu'il existe une société « politique », une société « économique », il est une réalité qui n'a pas besoin de qualificatif, c'est celle de la coexistence sociale en tant que telle que je propose d'appeler socialité, et qui pourrait être la « forme ludique de la socialisation »[21]. Dans le cadre du paradigme esthétique qui m'est cher, le ludique étant ce qui ne s'embarrasse pas de finalité, d'utilité, de « praticité », ou de ce que l'on appelle les « réalités », mais étant ce qui *stylise* l'existence, en fait ressortir la caractéristique essentielle. Ainsi l'être-ensemble est à mon sens une donnée de base. Avant toute autre détermination ou qualification il est cette spontanéité vitale qui assure à une *culture* sa force et sa solidité spécifiques. Par la suite cette spontanéité peut s'artificialiser, c'est-à-dire se *civiliser* et produire des œuvres (politiques, économiques, artistiques) remarquables. Mais il est toujours nécessaire, ne serait-ce que pour mieux en apprécier les nouvelles orientations (ou les ré-orientations), de revenir à la forme pure qu'est *« l'être-ensemble sans emploi »*. Cela peut en effet servir de toile de fond, de révélateur aux nouveaux modes de vie qui renaissent sous nos yeux. Nouvelle donne concernant l'économie sexuelle, le rapport au travail, le partage de la parole, le temps libre, la solidarité sur les regroupements de base. Tout cela, pour être compris a besoin de ce levier méthodologique qu'est la perspective organique du groupe.

### 3. *Le modèle « religieux »*

Lorsque Durkheim décrit les *Formes élémentaires de la vie religieuse*, il n'entend pas faire une analyse exhaustive de la religion des tribus australiennes. Son ambition est de comprendre le fait social. Il en est de même pour M. Weber ; son éthique du protestantisme est passible de nombreuses critiques de la part d'une sociologie ou d'une histoire des religions *stricto sensu*. Mais ce n'est certainement pas son objet. Et que dire du *Totem et Tabou* de Freud ! Dans chacun de ces cas, avec des objectifs différents, il s'agit de mettre à jour une logique, celle de « l'attraction sociale »[22]. C'est dans cette perspective que je parle de modèle religieux. Perspective métaphorique s'il en est, tant il est vrai qu'au-delà de toutes spécialisations, et sans les invalider d'aucune manière, il est important de se servir des images religieuses pour saisir *in nuce* les formes d'agrégation sociale. Regard transversal, ou comparatisme en quelque sorte, qui constate que c'est à partir d'un imaginaire vécu en commun que s'inaugurent les histoires humaines. Même si l'étymologie est sujette à caution, la religion *(re-ligare)*, la *re-liance* est une manière pertinente de comprendre le lien social. Cela peut irriter le puriste, mais je m'en tiens pour ma part à la proposition de P. Berger et T. Luckmann : « *The sociological understanding of "reality"* falls somewhere in the middle between that of the man in the street and that of the philosopher[23]. »

De plus lorsque l'on observe des césures importantes dans l'histoire des mentalités, il est aisé de remarquer que l'effervescence qui en est la cause et l'effet, est très souvent prise en charge par des petits groupes religieux qui se vivent comme totalité, qui vivent et agissent à partir d'un point de vue de totalité. La séparation politique/idéel n'a plus de sens. Les modes de vie sont vécus en tant que tels, comme ce « concret le plus extrême », selon l'expression de W. Benjamin, où se jouent au jour le jour la banalité et l'utopie, le besoin et le désir, la fermeture sur la « famille » et l'ouverture sur l'infini. On a pu dire que les « thiases » dionysiaques propres à la fin de l'hellénisme ou les petites sectes du début du christianisme ont été la base de la structuration sociale qui a suivi. Peut-être est-il possible de dire la même chose pour ce qui concerne la multiplication des regroupements affectivo-religieux qui caractérisent notre époque. Ainsi l'utilisation de la métaphore religieuse peut être comparée à celle d'un rayon laser permettant une lecture des plus complète au cœur même d'une structure donnée.

Tous ceux qui se sont intéressés au culte de Dionysos ont souligné son arrivée tardive dans le panthéon grec, et par nombres d'aspects son étrangeté. Pour ce qui nous concerne, et en soulignant son aspect emblématique, on peut le considérer comme le paradigme de l'altérité fondatrice : ce qui à la fois clôt et inaugure. A cet égard il est intéressant d'observer que les « thiases », qui sont des regroupements religieux voués à cette divinité étrange et étrangère, ont cette double fonction. Ainsi, à l'encontre du clivage politique traditionnel, les thiases sont transversaux, ils refusent les discriminations sociales, raciales et sexuelles, ensuite ils vont s'intégrer à la religion de la cité[24]. D'une part ils rassemblent, ils constituent de nouvelles agrégations, de nouveaux groupes primaires, d'autre part ils revivifient la nouvelle société. Double attitude qui est bien celle de toute fondation. Il s'agit là d'une procédure qui ne manque pas de se répéter régulièrement, en particulier chaque fois que l'on observe la saturation d'une idéologie ou plus précisément d'une *épistémè* particulière.

Pour la période qui est celle du christianisme naissant, E. Renan montre bien comment ce sont les petits groupes qui vont donner naissance à ce qui va devenir le christianisme : « Il n'y a que les sectes peu nombreuses qui réussissent à fonder quelque chose. » Il les compare à des « petites franc-maçonneries », et leur efficacité repose essentiellement sur le fait que la proximité de ses membres crée des liens profonds, ce qui entraîne une véritable synergie des convictions de chacun[25]. Isolés ou, ce qui revient au même, perdus dans une structuration trop vaste, un individu et son idéal ont finalement peu de poids ; par contre imbriqués dans une étroite et proche connexion, leur efficace est démultipliée par celle des autres membres de la « franc-maçonnerie ». C'est d'ailleurs cela qui peut faire dire que les idées ont une fécondité propre, ce qu'en général le positivisme du XIX^e siècle, sous ses diverses variantes (marxisme, fonctionnalisme) a fortement mis en question. Il est vrai que la logique économique qui prévalut dans la Modernité et qui privilégia à la fois le projet politique et l'atomisation individuelle ne pouvait en rien intégrer la dimension d'un imaginaire collectif ; tout au plus put-elle la concevoir comme un supplément d'âme, une « danseuse » à usage privé et superfétatoire. Ce qui aboutit sans coup férir au « désenchantement du monde » *(Entsauberung)* que l'on connaît et qui en particulier triompha dans la théorie sociale ; ce qui ne permit pas de voir toute la charge mythique (utopique) qui était à l'œuvre dans le mouvement ouvrier.

Le petit groupe, par contre, tend à restaurer, structurellement, l'efficace symbolique. Et de proche en proche, on voit se constituer un réseau mystique aux fils tenus mais solides, qui permet de parler du resurgissement du culturel dans la vie sociale. C'est cela la leçon essentielle que nous donnent ces époques de masse, époques qui reposent principalement sur la concaténation de groupes aux intentionalités éclatées mais exigentes. C'est ce que je propose d'appeler le réenchantement du monde.

Le sociologue E. Troeltsch a, avec une grande finesse, fait une distinction entre le « type secte » et le « type Eglise ». En poussant plus avant une telle typologie, et peut-être même en accentuant son caractère tranché, on peut dire que tout comme il est des époques qui peuvent se caractériser à partir du « type Eglise », il en est d'autres qui se reconnaissent avant tout dans le « type secte ». Pour ce dernier c'est l'aspect *instituant* qui va être privilégié. Or ce qui caractérise l'instituant, c'est d'une part la force toujours renouvelée de l'être-ensemble, et d'autre part la relativisation de l'avenir, l'importance qui est accordée au présent dans la triade temporelle. Ceci n'est pas sans conséquences organisationnelles : ainsi la secte est-elle avant tout une *communauté locale* qui se vit en tant que telle, et qui n'a pas besoin d'une organisation institutionnelle visible. Il suffit pour cette communauté qu'elle se sente partie prenante de la communion invisible des croyants. Ce qui renvoie à une conception mystique la « communion des saints ». Donc un petit groupe fonctionnant sur la proximité et qui ne s'inscrit qu'en pointillé dans un ensemble plus vaste.

Un autre aspect du « type secte » est la relativisation de l'appareil bureaucratique. Il peut exister des chefs charismatiques et des gourous, mais le fait que leurs pouvoirs ne reposent pas sur une compétence rationnelle (savoir théologique) ou sur une tradition sacerdotale, les fragilise, et ne favorise pas leur inscription dans la longue durée. C'est ce qui peut faire dire que « tout, dans la secte, est l'affaire de tous »[26]. Il est peut-être difficile de parler à ce propos d'attitude démocratique ; il s'agit en fait d'un système hiérarchique, organique, qui rend tout un chacun indispensable dans la vie du groupe. C'est cette réversibilité qui d'ailleurs assure le dynamisme constant de l'ensemble. Les structures instituées par le mécanisme de délégation qu'elles suscitent ont tendance à favoriser la tiédeur de leurs membres. Par contre le « type secte » rend chacun responsable de tous et de chacun. De là la conformité et le conformisme qu'il ne manque pas de susciter. Présent, proximité, sentiment de participer à un tout, responsabilité, voilà autant de caractères essentiels à l'œuvre dans le groupe-secte. Ce sont ces caractères qui permettent que les groupes en question puissent se constituer en « masse ». En effet l'impérialisme de l'institution ne se comprend que s'il existe une structure rigide, orientée vers la longue durée, et dirigée par un pouvoir solidement assis. Si au contraire c'est le localisme qui prévaut, il est tout à fait possible de s'accommoder d'autres entités fonctionnant sur les mêmes principes. D'où l'image de fédéralisme ou au moins de cohabitation que donne en général la structuration en réseau.

En relation avec ce que je viens d'indiquer, il est également intéressant de noter la base populaire du « type secte ». C'est une constatation sur laquelle s'accordent tous ceux qui analysent ce phénomène, de l'Antiquité tardive à nos jours. Cela est particulièrement évident lorsqu'on observe les sectes chrétiennes durant les quatre premiers siècles de leur existence. Il est bien connu qu'en son début le christianisme attire avant tout le petit peuple et les esclaves. D'ailleurs lorsqu'il tente de combattre le christianisme, Julien l'Apostat pense n'avoir à faire qu'à des groupes incultes n'ayant aucun appui de la part de ces élites que sont pour lui les philosophes. Il en est de même pour les sectes médiévales, et il semblerait que ce soit une constante en la matière. On peut dire en effet que la structure sectaire est opposée, ou au moins indifférente, à l'égard du clergé et des classes dirigeantes en général[27]. Et ce en fonction de l'idéologie de la proximité dont il a été question. Conformisme et réticence vis-à-vis du pouvoir surplombant, on retrouve là la perspective générale de la logique anarchiste : l'ordre sans l'Etat.

C'est en ce sens que l'on peut développer la proposition de Troeltsch concernant un idéal type sectaire. Celui-ci permet de faire ressortir cette forme sociale qu'est le *réseau :* ensemble inorganisé et néanmoins solide, invisible et pourtant servant d'ossature à quelqu'ensemble que ce soit. L'on sait qu'en général l'historiographie a superbement ignoré le vivier de l'histoire au quotidien pour ne retenir que quelques cristallisations émergentes (hommes ou événements). Il en est de même pour les sciences sociales (politologie, économie, sociologie) qui négligent tout ce qui est *inorganisé,* ou ce qui est plus grave, en dénient l'importance. Le « type secte », de par sa dimension populaire, souligne qu'il existe un christianisme de masse qui peut être considéré comme une sorte de nappe phréatique irrigant en profondeur les institutions particulières que peuvent être les Eglises, sectes ou mouvements qualifiés[28]. Le resurgissement des communautés de base, ou des groupes affinitaires dans les Eglises contemporaines montre bien que cette nappe phréatique est loin d'être épuisée. Il est des moments où l'on ne prend pas soin d'elle, où l'on s'en sert en la saccageant. Il en est d'autres plus « écologiques » où l'on se rend compte de ce dont on lui est redevable, en particulier ce solide ciment que sont le partage, l'entraide ou la solidarité désintéressés. C'est cela qui permet sur la longue durée la perdurance de la socialité. Le petit groupe offre le modèle achevé d'une telle construction architectonique, on y trouve en raccourci, et hors de toute systématisation théorique, l'actualisation des caractères dont il vient d'être question.

Le « compagnonnage » dont on connaît l'enracinement dans les confréries religieuses, ou encore ces anciennes subdivisions paroissiales que sont les « frairies » renvoient bien au partage fraternel. Et leurs étymologies insistent particulièrement sur la convivialité, sur la solidarité familiale, sur le petit regroupement qui trouve son origine dans la lointaine partition clanique[29]. Là encore, peut-être sous d'autres noms, après avoir été oubliée cette structure de base n'est pas sans connaître une nouvelle actualité ou de nouvelles modulations, mais leur forme reste essentiellement religieuse (re-liante).

> Ce que l'on a appelé le « type secte » peut être compris comme une alternative à la pure gestion rationnelle de l'institution. Reprenant régulièrement de l'importance, cette alternative accentue le rôle du sentiment dans la vie sociale. Ce qui favorisera le jeu de la proximité et l'aspect chaleureux de ce qui est à l'état naissant.

C'est en ce sens que le modèle religieux est pertinent pour décrire le phénomène de réseaux qui échappe à toute espèce de centralité, et parfois même de rationalité. Les modes de vie contemporains, il est nécessaire de le dire et de le répéter, ne se structurent plus à partir d'un pôle unifié. D'une manière quelque peu stochastique, ils sont tributaires d'occurrences, d'expériences et de situations fort variées. Toutes choses qui induisent des regroupements affinitaires. Tout se passe comme si « l'amour fou » et le « hasard objectif » du Surréalisme, la rencontre et la « dérive » du Situationisme s'étaient progressivement capillarisés dans l'ensemble du corps social[30]. La vie comme œuvre n'est plus le fait de quelques-uns, elle devient un processus de masse ; étant bien entendu que l'esthétique auquel cela renvoie ne peut se résumer à une question de goût (bon ou mauvais goût esthétique) ou de contenu (l'objet esthétique). C'est la *forme esthétique pure* qui nous intéresse : comment se vit et s'exprime la sensation collective.

## 4. *La socialité élective*

On peut dire que c'est à partir de la conception qu'une époque se fait de l'Altérité, que l'on peut déterminer la forme essentielle d'une société donnée. Ainsi corrélativement à l'existence d'une sensation collective, on va voir se développer une logique du réseau. C'est-à-dire que les processus d'attraction et de répulsion vont se faire par choix. On assiste à l'élaboration de ce que je propose d'appeler une *« socialité élective »*. Ce mécanisme a certainement toujours existé mais, pour ce qui concerne la Modernité par exemple, il était tempéré par le correctif politique faisant intervenir le compromis et la finalité à long terme dépassant les intérêts particuliers et le localisme. La thématique de la vie quotidienne ou de la socialité (*versus* politique et social) fait par contre ressortir que le problème essentiel du donné social est le relationisme, ce qui peut se traduire d'une manière plus triviale par le coude à coude d'individus et de groupes. Etant bien entendu que c'est la *reliance* elle-même qui est plus importante que les éléments qui sont reliés. C'est moins l'objectif à atteindre que le fait d'être ensemble qui va prévaloir. Dans une optique simmelienne : le *für — mit — gegeneinander*. D'où la nécessité de ce que j'ai appelé la sociologie formiste, c'est-à-dire d'une pensée qui dresse le constat des formes, de configurations existantes sans vouloir les critiquer ou les juger. Une telle phénoménologie est l'attitude esthétique répondant à une esthétisation de la vie courante. Cela induit une démarche stochastique qui, utilisant des exemples tirés de domaines et de lieux variés, n'est qu'une variation musicale autour du thème du *Zusammeinsein*[31]. Mais il ne faut pas avoir peur de ressasser, de revenir à la charge de divers côtés, car il est bien difficile d'appréhender un phénomène groupal avec des instruments d'analyse qui ont été avant tout élaborés dans une perspective politique. Ce qui d'ailleurs fait commettre actuellement une bévue fort courante : analyser le retrait du politique ou la perte du sens social en termes de resurgissement de l'individualisme. Continuons donc notre dérive en particulier en faisant ressortir l'aspect affectif ou « affectuel » (M. Weber) des regroupements.

Ser. D

OPERA MEDICEA LAURENZIANA

F I R E N Z E

BIGLIETTO PER LA VISITA DELLE SAGRESTIE DELLE CAPPELLE CON I RELIQUIARI DI CLEMENTE VII E IL PASTORALE E LA MITRA DI LEONE X.

P R E Z Z O L. 1000

IL BIGLIETTO È VALIDO PER UNA SOLA VOLTA E PER IL GIORNO IN CUI È STATO ACQUISTATO

Il est frappant d'observer que la socialité en son moment fondateur est particulièrement intimiste. Il en est de même lorsqu'on veut resserrer des liens ou rappeler ce qui est commun à tous. A cet égard le repas est un vrai sacrement, « ce qui rend visible une grâce invisible » nous dit le catéchisme. Technique symbolique par excellence, dirons-nous d'une manière plus moderne. Et de l'eucharistie aux banquets politiques en passant par les petites « bouffes » amicales, la liste est longue de ces procédures d'anamnèse qui scellent les alliances, effacent les oppositions ou restaurent les amitiés ébranlées. Le repas est ici métaphore des lieux qui se créent à l'intérieur des petits cénacles lors des périodes d'effervescence. De la multiplication des cultes privés à l'étroit tissu de petites cellules qui offrent l'hospitalité aux leaders de la nouvelle religion chrétienne ou aux révolutionnaires des temps modernes[32], les nouvelles agrégations sociales, la naissance des valeurs alternatives passe par ce que l'on peut appeler la logique du réseau. C'est-à-dire quelque chose qui met en avant la chaleur affective, ou tout au moins qui montre que celle-ci a une place de choix dans la structuration ou l'objectif social.

L'existence d'une telle pulsion affective est indéniable dans le jeu politique, on l'a maintes fois souligné. Il peut être intéressant de signaler en passant qu'elle ne manque pas d'agir dans l'ordre économique. C'est ce qu'analyse Célestin Bouglé dans son essai sur les castes. Dans une perspective proche de ce que l'on a dit pour les corporations de métier, ou le compagnonnage, il montre que la caste n'est que la forme paroxystique, « pétrifiée » de la guilde médiévale. On sait le rôle que jouent l'une et l'autre dans la structuration de l'industrie et de l'économie occidentales ou hindoues. Et bien ce rôle ne peut exister que parce qu'existent des pratiques de convivialité, de solidarité, d'entraide juridique, et toutes autres formes d'expression culturelles ou cultuelles[33]. Ainsi l'ordre économique est sustenté par tout ce que l'on range habituellement dans l'ordre du symbolique. Cet exemple montre bien que la société mondaine est un tout qu'il est vain de vouloir découper en rondelles, et dans ce tout l'être-ensemble convivial, festif ou banal, a une place non négligeable.

Il n'est jusqu'au sage Durkheim qui reconnaisse le rôle de l'affect. Je l'ai déjà montré (cf. *L'Ombre de Dionysos*) pour son analyse des fêtes corrobori, dans les *Formes élémentaires de la vie religieuse*. Il est plus surprenant de noter la place qu'il lui attribue dans la *Division du travail social*. Ainsi d'une manière quelque peu vitaliste, il attribue au groupe une « source de vie *sui generis*. De lui se dégage une chaleur qui échauffe ou ranime les cœurs, qui les ouvre à la sympathie... ». Voilà qui est on ne peut plus précis ; et il pronostique que les « effusions du sentiment » auront également leur place dans les « corporations de l'avenir ». On pourrait presque y lire une analyse des réseaux contemporains. Ce qui est certain, c'est que la fameuse théorie des corps intermédiaires, qui est peut être l'apport le plus important de Durkheim, est totalement incompréhensible si l'on n'intègre pas cette dimension affective. De plus il est évident que l'accentuation du groupe est une déconstruction de l'individualisme qui semble prévaloir chez ceux qui se réclament du positivisme durkheimien. Cet individualisme existe, c'est indéniable, il permet à la sociologie naissante d'expliquer la dynamique propre de la Modernité, mais en même temps, il est contrebalancé par son contraire, ou plus exactement par la rémanence d'éléments alternatifs. C'est cette tension paradoxale qui est d'ailleurs le garant de la tonicité d'une société donnée.

C'est ainsi qu'il faut comprendre le vitalisme que l'on trouve régulièrement dans l'œuvre de Durkheim. Nostalgie de la communauté ? Peut-être. En tout cas il souligne qu'à l'image du corps individuel, le corps social est un organisme complexe où le fonctionnement et le dysfonctionnement s'ajustent au mieux. Ainsi sa comparaison entre la division du travail social et la division du travail physiologique : elles n'apparaissent « qu'au sein de masses polycellulaires qui sont déjà douées d'une certaine cohésion ». Conception organique s'il en est qui n'hésite pas à s'appuyer sur « l'affinité du sang » et « l'attachement à un même sol »[34] ; l'appel à la spontanéité, aux forces impulsives dépassant la simple rationalité contractuelle met ainsi l'accent sur le relationisme, sur la liaison de séries d'attractions et de répulsions comme éléments de base de tout ensemble social. On le sait, on a pu analyser les constructions érotiques du divin marquis de Sade comme autant de combinaisons chimiques prévalant sur chacun de leurs éléments. Cette métaphore paroxystique peut être utile pour notre propos : l'éros ou la passion favorisent des regroupements d'éléments, et ce en fonction de la « valence » propre de ces derniers. Il peut y avoir saturation et on assiste alors à la naissance d'une autre combinaison. Ainsi dans l'orbe du vitalisme spontané, peut-on voir à l'œuvre la conjonction et / ou la tension paradoxale du statique : la communauté, l'espace, et du dynamique : naissance et mort des groupes formant la communauté et vivant dans cet espace. Au vieux débat sur la structure et l'Histoire, se substitue alors celui du hasard et de la nécessité des histoires quotidiennes.

La société ainsi comprise ne se résume pas dans une quelconque mécanicité rationnelle, elle vit et s'organise, dans le sens fort du terme, au travers des rencontres, des situations, des expériences au sein des divers groupes auxquels chaque individu appartient. Ces groupes s'entrecroisent les uns les autres et constituent à la fois une masse indifférenciée et des polarités très diversifiées. Pour rester dans le schéma vitaliste on pourrait parler de réalité protoplasmique issue de l'étroite conjonction entre la substance nourricière et le noyau cellulaire. Ces images ont l'avantage de souligner à la fois l'importance de l'affect (attraction — répulsion) dans la vie sociale, et de montrer que celui-ci est « non-conscient » ou, pour parler comme Pareto, « non-logique ». Il est nécessaire d'insister sur une telle organicité, car c'est elle qui conditionne de multiples attitudes qualifiées d'irrationnelles, observables de nos jours. Et sans qu'il soit possible d'en donner une définition exacte (d'où l'emploi de métaphores), c'est à partir d'une telle nébuleuse que l'on peut comprendre ce que je propose d'appeler depuis quelques années la *socialité.*

Tout comme j'ai parlé d'une telle rémanence chez Durkheim, on peut dire qu'il existe dans le romantisme hégélien une constante théorique reposant sur la nostalgie de la communauté.

Au-delà de l'égalitarisme et du contrat social, il a une perspective « concentrique » de la société ; c'est-à-dire que les différents cercles qui la composent s'ajustent les uns les autres, et ne valent que pour autant qu'ils sont liés. Ainsi l'Etat pour Hegel est une sorte de *communitas communitatum ;* ce ne sont pas les individus qui sont premiers, mais bien leurs relations[35]. Cette idée d'interconnexion est remarquable car elle privilégie le rôle de ciment que peut jouer l'affectif, le coude à coude. En ce sens, à l'encontre de la lecture traditionnelle qui en est faite, l'Etat hégélien pourrait n'être qu'un ensemble vide, une idée théorique dont la seule fonction serait de faire ressortir l'agencement spontané des divers éléments qui de proche en proche constituent le tout. Bien sûr cet agencement est loin d'être uniforme, il est cahotique par bien des aspects, il rend cependant bien compte d'une société, certes pas idéale, mais qui *tant bien que mal* existe. On peut dire en effet que la logique du réseau, et l'affect qui lui sert de vecteur, sont essentiellement relativistes. Faut-il dire, comme il est convenu de le faire, que les groupes constituant les masses contemporaines n'ont pas d'idéal ? Peut-être faudrait-il mieux remarquer qu'ils n'ont pas une vision de ce que doit être dans l'absolu une société. Chaque groupe est pour soi-même son propre absolu. C'est cela le relativisme affectif qui se traduit notamment par la conformité des styles de vie.

Mais cela suppose qu'il y ait une multiplicité de styles de vie, un multiculturalisme en quelque sorte. D'une manière conflictuelle et harmonieuse à la fois ces styles de vie se posent et s'opposent les uns aux autres. C'est cette autosuffisance groupale qui peut donner l'impression d'enclosure. Ce qui est certain c'est que la saturation d'une attitude projective, d'une intentionalité tournée vers l'avenir, « ex-tensive », est compensée par une augmentation de la qualité de relations qui sont plus « in-tensives » et vécues au présent. La Modernité en multipliant la possibilité des relations sociales les avait pour partie vidées de tout contenu réel. Ce fut en particulier une caractéristique des métropoles modernes ; et l'on sait que ce processus ne fut pas pour rien dans la grégaire solitude sur laquelle l'on a tant glosé. La post-modernité, quant à elle, tend à favoriser dans les mégapoles contemporaines à la fois le rétrécissement sur le groupe et un approfondissement des relations à l'intérieur de ces groupes. Etant bien entendu que cet approfondissement n'est nullement synonyme d'unanimisme, tant il est vrai que le conflit y a sa part. Là d'ailleurs n'est pas la question, il suffit de retenir que l'attraction et la répulsion sont causes et effet du *relationisme.* C'est ce dernier qui sert de vecteur à la « masse polycellulaire » (Durkheim) ou « concentrique » (Hegel) dont il a été question. Naturellement cette structuration en réseaux affinitaires n'a plus rien à voir avec le présupposé volontaire que l'on trouve en général à la base de l'association économico-politique.

En effet ce dont il faut se rendre compte, c'est que la nébuleuse « affective » (« affectuelle ») que l'on décrit n'implique pas un préjugé humaniste ou même anthropomorphique. C'est on le sait mon *delenda carthago est :* l'individu et ses diverses théorisations n'ont rien à voir à l'affaire ; pas plus d'ailleurs que l'action de cet individu sur l'Histoire en marche. Dans le cadre de la thématique du dionysiaque, dont le paroxysme est la confusion, les masses effervescentes (promiscuités sexuelles, festives, sportives) ou les masses courantes (foules, banales, consommatrices, suivistes...) outrepassent les caractéristiques du principe d'individuation. Certes il n'est pas faux de dire que les intentionnalités particulières jouent un certain rôle dans le processus d'interaction, mais cela ne doit pas nous empêcher de voir qu'en tant que « forme » sociale, ce processus est constitué par une « multitude de minuscules canaux dont l'existence échappe à la conscience individuelle ». G. Simmel appelle cela un « effet de composition » *(Zusammenschluss)*[36]. En effet, sans qu'il soit possible de déterminer ce qui est premier, il est certain que la prééminence du groupe et la prégnance de l'affect permettent de faire ressortir que la densité de la vie quotidienne est avant tout le fait de forces impersonnelles. C'est d'ailleurs cela qui explique la dénégation dont elle a été l'objet de la part des intellectuels qui depuis le XVIIIe siècle réfléchissent sur l'existence sociale.

Et pourtant cette vie quotidienne, dans sa frivolité et sa superficialité, est bien la condition de possibilité de quelque forme d'agrégation que ce soit. Je l'ai déjà dit, l'*Exis* ou l'*Habitus* si bien décrit par M. Mauss déterminent les us et coutumes qui nous constituent, déterminent le milieu dans lequel nous baignons comme dans un plasma nourricier. Or ces derniers sont rien moins que conscients. *Ils sont là ;* impératifs et contraignants dans leur massivité. Nous les vivons sans les verbaliser. Peut-être, ne faudrait-il pas avoir peur de dire, d'une vie quelque peu animale. Voilà ce que nous rappelle la logique des réseaux à l'œuvre dans les masses contemporaines. L'impersonnalisation, il vaudrait mieux dire la désindividualisation que cela induit est d'ailleurs perceptible dans le fait que de plus en plus de situations sont analysées à partir de la notion d'atmosphère. C'est moins l'identité, la précision du trait qui prévalent que le flou, l'ambiguïté, la qualification en termes de « méta... » ou de « trans... » ; et ce dans nombres de domaines : modes, idéologies, sexualité etc.

La multiplication des recherches scientifiques ou des articles journalistiques faisant référence à « l'ambiance » *(feeling, Stimmung)* est à cet égard instructive. Cela n'est pas sans conséquences quant à nos méthodes d'analyses, en particulier concernant la modestie théorique qui tend de plus en plus à les caractériser. Il n'y a pas lieu de développer ici ce problème, il suffit d'indiquer qu'il est consécutif au fait qu'à un ensemble civilisationnel ayant confiance en (et conscience de) lui-même, à un ensemble de représentations dominées par la clarté du concept et la sûreté de la raison, est en train de succéder ce que je propose d'appeler *le clair-obscur des modes d'organisation et des manières de penser le monde.* Comme tout clair obscur, celui-ci a son charme, il a ses lois aussi, que l'on ne peut ignorer si l'on veut pouvoir s'y reconnaître.

### 5. *La loi du secret*

Une des caractéristiques, et non des moindres, de la masse moderne est certainement la loi du secret. En écrivant une petite sottie sociologique (*Cahiers Internationaux de Sociologie*, 1982, vol. LXXIII, p. 363), j'avais essayé de montrer que la maffia pouvait être considérée comme la métaphore de la socialité. Il s'agissait plus qu'un simple *private joke* à l'usage de quelques uns. En particulier en insistant d'une part sur le mécanisme de protection vis-à-vis de l'extérieur, *i.e.* vis-à-vis des formes surplombante de pouvoir, en faisant ressortir d'autre part comment le secret que cela induisait était une manière de conforter le groupe. En transportant l'image sur un terrain à peine moins immoral (à tout le moins tirant peu de bénéfice de son immoralité) on pourrait dire que les petites tribus que nous connaissons, éléments structurants des masses contemporaines, présentent des caractéristiques semblables. A mon avis la thématique du secret est certainement une manière privilégiée pour comprendre le jeu social qui se donne à voir sous yeux. Cela peut paraître paradoxal quand on sait l'importance de l'apparence ou de la théâtralité sur la scène quotidienne. La bigarrure de nos rues ne doit pas nous faire oublier qu'il peut y avoir une subtile dialectique entre le montrer et le cacher ; et que telle *La Lettre volée* de Poe, une ostentation manifeste peut être le plus sûr moyen de n'être point découvert. A cet égard on peut dire que la multitude et l'agressivité des *look* citadins, à l'image du borsalino des maffiosi, est l'indice le plus net de la vie secrète et dense de micro groupes contemporains.

Dans son article sur « La société secrète » G. Simmel insiste d'ailleurs sur le rôle du masque, dont on sait qu'il a entre autres fonctions celle d'intégrer la *persona* dans une architectonique d'ensemble. Le masque peut être une chevelure extravagante ou colorée, un tatouage original, la réutilisation de vêtements rétro ou encore le conformisme d'un style « bon chic on genre ». Dans tous les cas il subordonne la personne à cette société secrète qu'est le groupe affinitaire que l'on a choisi. Il y a bien là « désindividualisation », participation, dans le sens mystique du terme, à un ensemble plus vaste[37]. On le verra plus loin le masque fait de moi un conspirateur contre les pouvoirs établis, mais dès à présent on peut dire que cette conspiration m'unit à d'autres, et ce d'une manière non pas accidentelle, mais structurellement opérante.

On ne soulignera jamais assez la fonction unifiante du silence, qui a pu être compris par les grands mystiques comme la forme par excellence de la communication. Et quoique leur rapprochement étymologique prête à controverse, on peut rappeler qu'il existe un lien entre le mystère, le mystique et le muet; ce lien est celui de l'initiation qui permet de partager un secret. Que ce dernier soit anodin ou même objectivement inexistant, là n'est pas l'essentiel. Il suffit que même fantasmatiquement les initiés puissent partager quelque chose. C'est ce qui leur donne force et dynamise leur action. E. Renan a bien montré le rôle du secret dans la constitution du réseau chrétien à sa naissance : ce qui ne fut pas sans inquiéter, mais en même temps attire et n'est pas pour rien dans le succès que l'on sait[38]. Chaque fois que l'on veut instaurer, restaurer, corriger un ordre des choses, une communauté, on fait fond sur le secret qui fortifie et conforte la solidarité de base. C'est peut être le seul point sur lequel ceux qui parlent de « rétrécissement » sur la vie quotidienne ont vu juste. Mais leur interprétation est erronée : le recentrement sur ce qui est proche, le partage initiatique que cela induit ne sont nullement un signe de faiblesse, c'est au contraire l'indice le plus sûr d'un acte de fondation. Le silence concernant le politique en appelle au resurgissement de la socialité.

Dans les anciennes sodalités, le repas pris en commun impliquait que l'on sache garder le secret vis-à-vis de l'extérieur. Des « affaires de famille », que ce soit celles de la famille *stricto sensu*, celles de la famille élargie, ou celles de la maffia, des affaires de famille donc on ne parle pas. Ce secret les policiers, les éducateurs ou les journalistes y sont très souvent confrontés dans leur travail. Et il est certain que les méfaits enfantins, les crimes villageois ou les multiples faits divers ne sont jamais d'accès facile. Il en est de même pour l'enquête sociologique. Ne serait-ce que d'une manière allusive, il faut signaler qu'il existe toujours une réticence à se livrer aux regards étrangers ; il s'agit là d'un paramètre qu'il est important d'intégrer dans nos analyses. Ainsi je retorquerai à ceux qui invalident, (ne serait-ce que sémantiquement) le « retrécissement » sur le quotidien, que l'on est en présence d'une « collective privacy », d'une loi non écrite, d'un code d'honneur, d'une morale clanique qui d'une manière quasi-intentionnelle se protège contre ce qui est extérieur ou surplombant[39]. Il s'agit là d'une attitude qui ne manque pas d'être pertinente pour notre propos.

En effet le propre de cette attitude est de favoriser la conservation de soi; un « égoïsme de groupe » qui fait que celui-ci peut se développer d'une manière quasiment autonome au sein d'une entité plus vaste. Cette autonomie, à l'encontre de la logique politique, ne se fait pas « pro » ou « contra », elle se situe délibérément *à côté*. Cela s'exprime par une répugnance à l'affrontement, par une saturation de l'activisme, par une distance vis-à-vis du militantisme ; toutes choses que l'on peut observer dans l'attitude générale des jeunes générations vis-à-vis du politique, et que l'on retrouve au sein même de ces derniers nés de la thématique de la libération que sont les mouvements féministes, homosexuels ou écologiques. Nombreuses sont les belles âmes qui qualifient cela de compromission, de dégénerescence ou d'hypocrisie. Comme toujours le jugement normatif est de peu d'intérêt ; en la matière il ne permet pas de saisir la vitalité qui est à l'œuvre dans ces modes de vie *« par évitement »*. En fait cet évitement, ce relativisme peuvent être des tactiques qui assurent la seule chose dont la masse se sente responsable : la perdurance des groupes qui la constituent.

En fait le secret est la forme paroxystique du *quant à soi* populaire dont j'ai déjà montré la continuité socio-anthropologique[40]. En tant que « forme » sociale (je ne parle pas de ses actualisations particulières qui peuvent en être l'exact opposé), la société secrète permet la résistance. Alors que le pouvoir tend à la centralisation, à la spécialisation, à la constitution d'une société et d'un savoir universels, la société secrète se situe toujours à la marge, est résolument laïque, décentralisée et ne peut avoir un corps de doctrines dogmatiques et intangibles. C'est sur cette base que la résistance issue du quant-à-soi populaire peut se poursuivre, d'une manière invariante, au travers des siècles. Des exemples historiques précis, ainsi le taoïsme[41], montrent bien la liaison de ces trois termes : secret, populaire, résistance. Qui plus est, il se trouve que la forme organisationnelle de cette conjonction est le réseau, cause et effet d'une économie, d'une société, voire même d'une administration parallèles. Il y a donc là une fécondité propre qui mérite attention, même si elle ne s'exprime pas au travers des catégories auxquelles nous avait habitué la politologie moderne.

Il s'agit là d'une piste de recherche qui peut être riche d'enseignement, même si (et parce que) elle est rarement envisagée. Je propose d'appeler cela *l'hypothèse de la centralité souterraine* :

> Parfois le secret peut être le moyen d'établir le contact avec l'altérité dans le cadre d'un groupe restreint ; dans le même temps il conditionne l'attitude de ce dernier vis-à-vis de l'extérieur quel qu'il soit.

Cette hypothèse est celle de la socialité, ses expressions peuvent être certes très différenciées, mais sa logique est constante : le fait de partager une habitude, une idéologie, un idéal détermine l'être-ensemble, et permet que celui-ci soit une protection contre l'imposition de quelqu'endroit qu'elle vienne. A l'encontre d'une morale imposée et extérieure, l'éthique du secret est à la fois fédérative et égalisatrice. Le rude chancelier Bismark, parlant d'une société d'homosexuels à Berlin, ne manque pas de noter cet « effet *égalisateur* de la pratique collective de l'interdit »[42]. L'homosexualité n'était pas alors de mode, ni l'égalité d'ailleurs ; et quand on connaît le sens des distances sociales qui était celui des junkers prussiens on peut mieux apprécier, dans le sens que je viens d'indiquer, la nature et la fonction du secret dans cette société d'homosexuels.

La confiance qui s'établit entre les membres du groupe s'exprime par des rituels, des signes de reconnaissance spécifiques, qui n'ont d'autre but que de fortifier le petit groupe contre le grand groupe. Toujours ce double mouvement formulé plus haut ; de la cryptolalie savante au « verlan » (langage à « l'envers ») de nos loubards le mécanisme est identique : le partage secret de l'affect, tout en confortant les liens proches, permet de résister aux tentatives d'uniformisation. La référence au rituel souligne que la qualité essentielle de la résistance des groupes et de la masse est d'être plus rusée qu'offensive. Dès lors elle peut s'exprimer au travers de pratiques réputées aliénées ou aliénantes. Eternelle ambiguïté de la faiblesse qui peut être le masque d'une force indéniable. Ainsi la femme soumise qui n'a que faire des signes extérieurs du pouvoir, assurée qu'elle est d'être un vrai tyran domestique. Ou encore ainsi que l'analyse E. Canetti à propos de Kafka : comment une humiliation apparente assure en retour une force réelle à celui qui s'y soumet. Dans son combat contre les conceptions conjugales de Felice, Kafka pratique une obéissance à contretemps. Son mutisme, son goût du secret « sont à considérer comme des exercices nécessaires dans son obstination »[43]. Il s'agit là d'une procédure que l'on retrouve dans la pratique groupale. La ruse, le silence, l'abstention, le « ventre mou » du social sont des armes redoutables dont il y a lieu de se méfier. Il en est de même de l'ironie et du rire qui ont déstabilisé, à moyen ou à long terme, les oppressions les plus solides.

La résistance adopte un profil bas par rapport aux exigences d'une bataille frontale, mais elle a l'avantage de favoriser la complicité entre ceux qui la pratiquent, et c'est là l'essentiel. Le combat a toujours un au-delà de lui-même, un au-delà de ceux qui le font ; il a toujours un objectif à atteindre. Par contre les *pratiques du silence* sont avant tout organiques, c'est-à-dire que l'ennemi a moins d'importance que le liant social qu'elles sécrètent. Dans le premier cas de figure, on est en présence d'une histoire que l'on fait, seul ou associé contractuellement, dans le second on a affaire à un destin que l'on affronte collectivement ; ne serait-ce que par la force des choses. Dans ce dernier cas la solidarité n'est pas une abstraction, ou le fruit d'un calcul rationnel, c'est une impérieuse nécessité qui fait agir passionnellement. Travail de longue haleine qui suscite l'obstination et la ruse dont il a été question ; car n'ayant pas d'objectif particulier le peuple n'en a qu'un, essentiel, celui d'assurer sur le très long terme la survie de l'espèce. Bien sûr cet instinct de conservation n'est pas quelque chose de conscient, il n'implique donc pas une action ou une détermination rationnelles. Mais pour pouvoir être le plus efficace, cet instinct doit s'exercer au plus proche. C'est cela même qui justifie la liaison que je postule entre les petits groupes et la masse. C'est ce qui fait également que ce que l'on appelle les « modes de vie », qui sont de l'ordre de la proxémie, ont l'actualité que l'on sait.

Il faudra y revenir d'une manière plus précise, mais on peut déjà souligner que la conjonction « conservation du groupe — solidarité — proximité », trouve une expression privilégiée dans la notion de famille ; qu'il faut naturellement comprendre dans le sens de famille élargie. A cet égard il est frappant d'observer que cette constante anthropologique ne manque pas d'être efficace, même si les historiens ou les analystes sociaux oublient trop souvent de le signaler. Or des villes de l'antiquité jusqu'à nos modernes cités, la « famille » ainsi comprise a pour fonction de protéger, de limiter les empiètements du pouvoir surplombant, de servir de remparts contre l'extérieur. Toute la thématique des *padroni*, du clientélisme et des diverses formes de maffia trouve là son origine. Pour revenir à la période de l'Antiquité tardive, si pertinente pour notre propos, on peut souligner que saint Augustin conçoit son rôle d'évêque en ce sens là : la communauté chrétienne est la *familia Dei*. Pour partie l'extension de l'Eglise, en son début, tient à la qualité de ses patrons et de ses réseaux de solidarité qui surent protéger contre les exactions de l'Etat[44].

Mais si cette structuration sociale est particulièrement bien représentée dans le pourtour méditerranéen, si elle y prend des formes paroxystiques, elle n'y est nullement limitée. Il faut affirmer avec force que même si elles sont tempérées par le souci d'objectivité, les structurations sociales dont les histoires nous parlent, jusque et y compris aux plus contemporaines ou aux plus rationnelles, sont toutes traversées par les mécanismes affinitaires dont on vient de parler. Le familialisme et le népotisme, au sens strict ou métaphorique, y ont leur place ; ils n'ont de cesse, au travers des « corps », des écoles, des goûts sexuels et des idéologies, de recréer des niches protectrices, des territoires particuliers au sein des grands ensembles politiques, administratifs, économiques ou syndicaux. Eternelle histoire de la communauté ou de la « paroisse » qui n'osent pas s'avouer. Et pour ce faire naturellement on ne lésine pas sur les moyens, fussent-ils les moins honorables. Diverses enquêtes ont mis à jour la procédure informelle du « piston » en faveur de la « famille ». Et des cadres de haut niveau issus des Grandes Ecoles parisiennes aux dockers de Manchester utilisant la filière syndicale, l'entraide est la même et, pour ce qui nous occupe, exprime bien un mécanisme de ruse confortant une socialité spécifique[45]. Il serait intéressant de faire ressortir cet *illégalisme* à l'œuvre au sein des couches sociales s'affirmant les garants de la plus pure moralité : grands commis de l'Etat, haute intelligensia, journalistes d'opinion et autres grandes consciences. Il suffit de signaler qu'il n'y a pas de « justes » aux yeux de l'Universel, autant être là-dessus sans illusion. J'ajouterais que c'est certainement heureux car, après tout, pour peu qu'ils se contrebalancent, ces divers illégalismes, à l'image de la guerre des dieux chère à M. Weber, se relativisent et se neutralisent. Pour reprendre une expression de Montherlant on peut dire qu'il y a toujours « une certaine morale à l'intérieur de l'immoralité... une certaine morale que le clan s'est forgée pour lui seul » et qui a pour corollaire l'indifférence vis-à-vis de la morale en général[46].

La réflexion autour du secret et de ses effets, fussent-ils anomiques, conduit à deux conclusions qui peuvent paraître paradoxales, d'une part nous assistons à la saturation du principe d'individuation, avec les conséquences économico-politiques que cela ne manque pas d'avoir, d'autre part on peut voir se profiler un développement de la communication. C'est ce processus qui peut faire dire que la multiplication des micro-groupes n'est compréhensible que dans un contexte organique. Tribalisme et massification vont de pair.

En même temps dans la sphère de la proximité tribale comme dans celle de la masse organique on a de plus en plus recours au « masque » (dans le sens indiqué plus haut). Plus on avance masqué et plus on conforte le lien communautaire. En effet dans un processus circulaire, pour se reconnaître il faut du symbole, c'est-à-dire de la duplicité, lequel engendre la reconnaissance[47]. C'est ainsi que l'on peut expliquer, à mon avis, le développement du *symbolisme*, sous ses diverses modulations, que l'on peut observer de nos jours.

> Le social repose sur l'association rationnelle d'individus ayant une indentité précise et une existence autonome, la socialité quant à elle fait fond sur l'ambiguïté fondamentale de la structuration symbolique.

En poursuivant l'analyse on peut dire que l'autonomie qui n'est plus du ressort individuel va se déplacer vers la « tribu », le petit groupe communautaire. Nombres d'analystes politiques ne manquent pas d'observer cette autonomisation galopante (pour s'en inquiéter le plus souvent). C'est en ce sens que le secret peut être considéré comme un levier méthodologique pour la compréhension des modes de vie contemporains car pour reprendre une formule lapidaire de Simmel : « l'essence de la société secrète est l'autonomie », autonomie qu'il rapproche de l'anarchie[48]. Il suffit à ce propos de se souvenir que, avant toute chose, l'anarchie est à la recherche d'un « ordre sans l'état ». C'est d'une certaine manière ce qui se dessine dans l'architectonique que l'on voit à l'œuvre à l'intérieur des micro-groupes (tribalisme), et entre les divers groupes qui occupent l'espace urbain de nos mégapoles (Masse).

En conclusion on peut affirmer que le « dérèglement », peut-être vaudrait-il mieux dire la dérèglementation, introduit par le tribalisme et la massification, le secret et le clientélisme induit par ce processus, tout cela ne doit être considéré ni comme étant quelque chose de tout à fait nouveau, ni d'une manière purement négative. D'une part il s'agit d'un phénomène que l'on retrouve fréquemment dans les histoires humaines, en particulier dans les périodes de changement culturel (l'exemple de l'Antiquité tardive est à cet égard instructif), d'autre part en rompant la relation unilatérale au pouvoir central, ou à ses délégués locaux, la masse au travers de ses groupes va jouer de la concurrence et de la réversibilité : concurrence des groupes entre eux, et à l'intérieur de ceux-ci concurrence des divers « patrons »[49]. C'est ce polythéisme qui peut d'ailleurs faire dire que la masse est bien moins involutive que dynamique. En effet le fait de faire « bande à part », ainsi qu'on peut le voir dans les réseaux sociaux, n'implique pas la fin de l'être-ensemble, mais tout simplement que celui-ci s'investit ailleurs que dans les formes reconnues par la légalité institutionnelle. Le seul problème sérieux est celui du seuil à partir duquel l'abstention, le fait de faire « bande à part », provoque l'implosion d'une société donnée. Il s'agit d'un phénomène que l'on a déjà pu observer[50], et qui n'étonnera donc pas le sociologue qui, au-delà de ses préférences, de ses convictions ou même de ses nostalgies, est avant tout attentif à ce qui est en train de naître.

## 6. *Masses et styles de vie*

Que l'on appelle cela les modes de vie, ou encore (sociologie de) la vie quotidienne, il est certain qu'il s'agit là d'une thématique dont on ne peut plus faire l'économie. De même on ne peut plus se contenter d'en faire la critique, que cette « critique » se fasse au nom d'une vie non aliénée ou au nom d'une logique du devoir être. Je considère pour ma part que ce (re)surgissement est bien significatif du changement de paradigme qui s'opère de nos jours.

Plus précisément je poserais comme postulat que le dynamisme sociétal qui, d'une manière plus ou moins souterraine, parcourt le corps social est à mettre en relation avec la capacité qu'ont les micro-groupes à se créer. Il s'agit peut-être là de la *création* par excellence, de la création pure. C'est-à-dire que les « tribus » qui nous occupent peuvent avoir un objectif, une finalité, mais là n'est pas l'essentiel ; ce qui est important c'est l'énergie qui est dépensée pour la constitution du groupe *en tant que tel*. Ainsi, élaborer de nouvelles manières de vivre est une création pure à laquelle nous avons à être attentifs. Il est important d'insister là-dessus, car c'est une « loi » sociologique que de juger toutes choses en fonction de ce qui est institué. Pesanteur qui très souvent nous fait passer à côté de ce qui est en train de naître. Le va-et-vient entre l'anomique et le canonique est un processus dont nous n'avons pas encore découvert toute la richesse. Ainsi pour préciser mon postulat, je dirai que la *constitution en réseau des micro-groupes contemporains est l'expression la plus achevée de la créativité des masses*.

Cela nous renvoie à la vieille notion de communauté. Il semblerait qu'à chaque moment fondateur — ce que j'appellerai le moment culturel par opposition au moment civilisationnel qui le suit — l'énergie vitale se concentre sur la création de nouvelles formes communautaires. J'en appelle aux historiens : est-ce que chaque grande césure dans le devenir humain — révolution, décadence, naissance d'empire — ne voit pas surgir une multiplication de nouveaux styles de vie ? Ceux-ci peuvent être effervescents, ascétiques, tournés vers le passé ou vers l'avenir, ils ont pour caractéristique commune d'une part de trancher avec ce qui est communement admis, d'autre part d'accentuer l'aspect organique, de l'agrégation sociale. C'est en ce sens que le « groupe en fusion » du moment fondateur s'inscrit dans le symbolisme dont il a été question. A l'image de la ville à la campagne du célèbre humoriste A. Allais, on voit se développer ce que l'on pourrait appeler « les villages dans la ville », c'est-à-dire ces relations de face à face caractérisant les cellules de base. Cela peut être le fait des solidarités, de la vie courante, des pratiques cultuelles, ou mêmes des petites associations professionnelles.

Sur ces divers points, les analyses historiques pourraient permettre d'éclairer le devenir des mégapoles et des métropoles contemporaines[51]. En effet ce que l'on appelle « La Crise », n'est peut-être pas autre chose que la fin des grandes structurations économiques, politiques ou idéologiques. Et dans chacun de ces domaines il suffit de se rapporter aux expériences de toutes sortes, aux décentralisations et autres autonomies minuscules, à l'éclatement des savoirs et à la performativité des entités à taille humaine, pour apprécier la pertinence du *paradigme tribal* que je propose. Ce paradigme, il faut bien le souligner, est tout à fait étranger à la logique individualiste. En effet, à l'encontre d'une organisation où l'individu peut (*de jure* sinon *de facto*) se suffire à lui-même, le groupe n'est compréhensible qu'à l'intérieur d'un ensemble. Il s'agit d'une perspective essentiellement *relationiste*. Que la relation soit attractive ou répulsive ne change rien à l'affaire. L'organicité dont il est ici question, est une autre manière de parler de la masse et de son équilibre.

Au-delà d'une dominante qui accentue la perspective macro-politique ou macro-économique, la recherche sur la vie urbaine contemporaine serait bien inspirée de mettre à jour la relation symbolique qui (re)structure nos quartiers. Et ce non pas du bout des lèvres, mais délibérément. La famille nucléaire atomisée, déracinée, l'isolement qui en résulterait, toutes ces analyses faites naturellement au nom des bonnes intentions réformatrices ou révolutionnaires, ne résistent pas à l'observation ou à la dérive urbaine faite sans préjugé. Témoin la « véritable surprise » de Young et Willmott qui, dans leurs recherches sur l'Est londonien, parlent d'un « système de parenté et de communauté quasi-tribal »[52]. Ce « quasi » bien prudent n'est plus de mise; maintenant que les barrières idéologiques tombent, et que le tribalisme se vérifie quotidiennement. Pour le meilleur et pour le pire, il faut bien le dire, car si la tribu est le gage de la solidarité, c'est aussi la possibilité du contrôle ; elle peut aussi être la source du racisme et de l'ostracisme villageois. Etre membre d'une tribu peut amener à se sacrifier pour l'autre, mais aussi à avoir autant d'ouverture d'esprit que le permet le chauvinisme du petit boutiquier. La caricature du « beauf » par Cabu est à cet égard instructive.

Quoi qu'il en soit, hors de toute attitude judicative, le tribalisme sous ses aspects plus ou moins reluisants, est en train d'imprégner de plus en plus les modes de vie. J'aurais tendance à dire qu'il devient une fin en soi; c'est-à-dire que par bandes, clans, gangs interposés il rappelle l'importance de l'affect dans la vie sociale. Ainsi que le remarque avec pertinence une recherche récente sur les « groupes secondaires », les mères célibataires, le mouvement des femmes ou des homosexuels ne cherchent pas un « aménagement ponctuel de situations individuelles », c'est plutôt une « reconsidération d'ensemble des règles de solidarité » qui est en cause[53]. Le bénéfice est second, il n'est même pas certain que le succès soit souhaité, ce qui risquerait de désamorcer l'aspect chaleureux de l'être-ensemble. Ce qui vient d'être dit pour les mouvements organisés en question, est encore plus vrai pour ce qui concerne la multiplicité des groupes éclatés pour lesquels le seul objectif est de se tenir chaud. Il se trouve qu'un tel objectif de proche en proche ne manque pas de rejaillir sur l'ensemble social.

C'est justement ce réseau qui lie ainsi que je l'ai indiqué le groupe et la masse. Cette liaison n'a pas la rigidité des modes d'organisation que nous connaissons, elle renvoie davantage à une ambiance, un état d'esprit, elle s'exprime de préférence au travers des styles de vie qui vont privilégier l'apparence et la « forme »[54]. Il s'agit en quelque sorte d'un *inconscient (ou non-conscient) collectif* qui sert de matrice à la multiplicité des expériences, des situations, des actions ou déambulations groupales. A cet égard il est frappant d'observer que les rites de masse contemporains sont le fait de micro-groupes qui d'une part sont bien distincts, et d'autre part forment un ensemble indistinct et quelque peu confusionnel ; ce à quoi nous renvoie la métaphore orgiastique et l'outrepassement de l'identité individuelle.

Poursuivons le paradoxe : ces rites de masse tribaux (rites de masse *et* rites tribaux) sont perceptibles dans les divers rassemblements sportifs qui, par le biais du processus médiatique, prennent l'importance que l'on sait. On les retrouve dans la furie consommatoire (consumatoire ?) des grands magasins, des hyper-marchés, des centres commerciaux qui bien sûr vendent des produits, mais sécrètent davantage du symbolisme, *i.e* l'impression de participer à une espèce commune. On peut également le remarquer dans ces dérives sans but précis que l'on peut observer dans les avenues de nos grandes villes. Quand on l'observe avec attention, ce coude à coude indistinct, qui ressemble à des pérégrinations animales, est en fait constitué d'une multitude de petites cellules qui entrent en interaction ; il est également ponctué de toute une série de reconnaissance, de gens et de lieux, qui font de ce bouillon de signes de culture un ensemble bien ordonné. Bien sûr, il faut que notre œil sache s'habituer à ce flux incessant, mais si tel une caméra invisible il sait à la fois prendre en compte une globalité et se focaliser sur des détails, il ne manquera pas d'être attentif à la puissante architectonique qui structure ces déambulations. Rappelons d'ailleurs que ces phénomènes ne sont pas nouveaux, l'Agora antique ou plus près de nous la *passegiata* italienne, la promenade vespérale dans le sud de la France présentent les mêmes caractéristiques, et sont des lieux de socialité non négligeables.

Enfin, dans le même ordre d'idée, ces rituels d'évasion que sont les vacances estivales offrent le spectacle de plages encombrées, ce qui n'est pas sans chagriner nombre d'observateurs déplorant la promiscuité et la gêne suscitées par cet entassement. Là encore il faut rappeler que celui-ci d'une part permet de vivre une forme de communion euphémisée, et comme l'indique G. Dorflès, « d'abolir tout intervalle entre soi et les autres, de construire un amalgame unique »[55]. D'autre part un tel entassement est subtilement différencié, et les goûts vestimentaires ou sexuels, les sports, les bandes, les régions même ne manquent pas de se partager le territoire côtier, recréant ainsi un ensemble communautaire aux fonctions diversifiées et complémentaires. Dans un pays comme le Brésil où la plage est une véritable institution publique, des monographies ont fait ressortir qu'à Rio la numérotation des « Blocs » (postes de surveillance s'échelonnant sur toutes les plages) permettaient de reconnaître son territoire (n° X : « sens de gauche », n° Y : homosexuels, n° Z, jeunesse dorée, etc.) ; de même à Bahia les différentes parties des plages sont comme autant de lieux de rencontre suivant le groupe auquel on appartient.

Ce que l'on peut retenir de ces quelques anecdotes, c'est qu'il y a un constant mouvement de va-et-vient entre les tribus et la masse, qui s'inscrit dans un ensemble ayant peur du vide. Cette *horror vacui* qui se manifeste par exemple dans la musique « non stop » sur les plages, dans les magasins, dans nombre de rues piétonnes est une ambiance qui n'est peut-être pas sans rappeler le bruit permanent, l'agitation désordonnée des villes méditerranéennes et orientales. Quoi qu'il en soit, aucun domaine n'est épargné par cette ambiance, et si l'on s'accorde, pour résumer et pour conclure, que le théâtre est un bon miroir pour apprécier l'état d'une société donnée, il suffit de rappeler d'une part ce que l'agitation de nos villes doit aux divers spectacles de rue, et d'autre part le développement du « théâtre barbare », et le (re)surgissement des divers cultes de possession d'origine africaine, brésilienne ou hindoue. Il n'est pas question d'analyser ici ces phénomènes, je veux seulement indiquer qu'ils reposent tous sur une logique tribale, qui elle-même ne peut exister qu'en s'insérant, par la concaténation du réseau, dans la masse[56].

Toutes choses qui contreviennent à l'esprit de sérieux, à l'individualisme, à la « séparation » (dans le sens hégélien du terme) qui caractérisent le productivisme et le bourgeoisisme modernes. Ceux-ci ont tout fait pour contrôler ou pour aseptiser les danses de possession et autres formes d'effervescence populaire. Or, peut-être faut-il y voir la juste vengeance des valeurs du sud sur celles du nord, les « épidémies chorégraphiques » (E. de Martino) ont tendance à se développer. Il faut rappeler qu'elles avaient une fonction agrégative. Le fait de se lamenter et de se réjouir *en groupe* avait pour résultat à la fois de soigner et de réintégrer dans la communauté le membre malade. Ces phénomènes propres au pourtour méditerranéen (ménadisme, tarentisme, bacchanales diverses), à l'Inde (tantrisme) ou à l'espace africain ou latino-africain (Candomblé, Shango), sont du plus haut intérêt pour comprendre les thérapies de groupe, les réseaux de médecines parallèles, les diverses manifestations de ce que Schutz nommait : *making music together*, ou encore le développement sectaire, toutes choses qui sont les modulations contemporaines de « l'épidémie chorégraphique ».

En fait ce ne sont pas tels ou tels styles de vie qui peuvent être considérés comme prophétiques, c'est leur embrouillamini même qui est tel. En effet s'il est impossible de dire ce qui va se dégager pour former une nouvelle culture, on peut par contre affirmer que celle-ci sera structurellement plurielle, contradictorielle. Bouglé voyait dans le système des castes l'union dans le culte de la division. Tension paradoxale qui ne manque de susciter ces sentiments collectifs intenses « qui s'élèvent au-dessus de cette poussière de groupes »[57]. Belle lucidité qui au-delà du jugement moral peut voir la solide organicité d'un ensemble ! On pourrait dire à notre tour que la Modernité a vécu un autre paradoxe : celui d'unir en gommant la différence, et la division que celle-ci induit. Ou tout au moins en essayant d'en atténuer les effets ; ce qui, on en conviendra, ne manque pas de grandeur et de générosité. *Tout l'ordre du politique* est bâti là-dessus. Mais à l'image d'autres époques ou d'autres lieux, on peut imaginer que le ciment d'un ensemble donné soit justement constitué par ce qui divise (cf. la polémologie conjugale). La tension des hétérogénéités les unes sur les autres assurerait la solidité de l'ensemble. Les maîtres d'œuvre du Moyen Age en savaient quelque chose, qui ont construit nos cathédrales sur ce principe. C'est cela *l'ordre de la masse*. Ainsi des modes de vie étranger les uns aux autres peuvent-ils engendrer en pointillé une manière de vivre commune. Et ce en étant curieusement fidèle à ce qui est la spécificité de chacun. C'est ce qui fit, en leur moment fondateur, la fécondité des grands moments culturels.

# 5.

# Le polyculturalisme

## 1. *De la triplicité*

Si la Modernité a pu être obnubilée par la politique, la postmodernité pourrait l'être par le clan. Ce qui n'est pas sans modifier le rapport à l'Altérité et plus précisément à l'Etranger. En effet dans la perspective politique ce qui tend à prédominer c'est une solidarité mécanique des individus rationnels entre eux, et de leurs ensembles à l'Etat. Par contre pour le clan, on sera confronté à une solidarité organique qui va principalement accentuer le tout. En reprenant une formule de G. Simmel, on pourrait dire que dans la perspective individualiste (et politique) le général est « ce à quoi tous sont partie prenante plutôt que ce qui est commun à tous »[1]. Or c'est ce « commun à tous », fut-il partagé par des petits groupes, qui semble pertinent de nos jours. Dès lors, au-delà d'un individualisme ou d'un narcissisme de façade, on sera davantage attentif aux attitudes groupales qui ont tendance à se développer dans nos sociétés. Attitudes qui, à mon avis, s'inscrivent dans la logique dionysiaque de la socialité. Il est bien évident que la multiplication de petits groupes affinitaires dans nos mégapoles modernes pose le problème de leurs rapports plus ou moins conflictuels. En tout cas ce néo-tribalisme nous rappelle que le consensus *(cum-sensualis)* n'est pas uniquement rationnel, ce que nous avons trop souvent tendance à oublier[2]. Il est certain que cette hypothèse du « sentiment partagé » oblige à repenser le rôle du Tiers, c'est-à-dire du pluriel dans la structuration sociétale. Le rapport conjugal Individu-Etat pouvait connaître des coups de tabac, son orbe était cependant bien délimitée. L'intrusion du tiers nous fait pénétrer dans une tempête dont il est difficile de mesurer les conséquences. Il n'est donc pas sans intérêt d'apprécier quelques éléments essentiels de cette effervescence.

On le sait c'est Julien Freund qui, après C. Schmidt et G. Simmel, a souligné à maintes reprises l'importance du chiffre trois dans la vie sociale. La notion de tiers ayant dès lors une dimension épistémologique mettant à mal les simplifications réductrices[3]. Avec le chiffre « 3 » naîtrait la société et donc la sociologie. Il n'est pas question d'aborder de front cette question, disons que des recherches anthropologiques (Lévi-Strauss, Dumézil, Durand) aux expériences psychologiques de l'Ecole de Palo Alto, on retrouve la prégnance du triadisme[4]. Dans le sens fort du terme le dynamisme culturel et individuel repose sur la tension d'éléments hétérogènes. Il s'agit là d'une perspective qui prend de plus en plus d'importance à mesure que resurgit une vision symboliste du monde social[5]. On est loin naturellement de l'Unité qui fut, dès l'orée de la Modernité, l'objectif du rationalisme occidental. La métaphore du triadisme permet de faire ressortir le paradoxe, l'éclatement, la déchirure, le contradictoriel en acte, en un mot la pluralité constitutive de ce néo-tribalisme contemporain.

Ainsi au rêve de l'Unité est en train de succéder une sorte d'*unicité* : l'ajustement d'éléments divers. A l'image de la coenesthésie qui sait intégrer, dans le cadre d'une harmonie conflictuelle, les fonctionnements et les dysfonctionnements corporels, la notion du Tiers accentue l'aspect fondateur de la différence. Et ce non pas dans la perspective unanimiste de la tolérance, mais bien plutôt en référence à ce que l'on peut appeler l'organicité des contraires. La fameuse *coincidentia oppositorum*, d'antique mémoire, qui des alchimistes médiévaux aux taoïstes extrême-orientaux a fécondé maintes organisations et maintes représentations sociales. Pour le taoïsme en particulier, dans la description du « pays intérieur », le champ de cinabre, racine de l'homme se stiue « *à trois* pouces en dessous du nombril pour exprimer la *trinité* du ciel, de la Terre et de l'Homme ». De même, afin de mieux en souligner la richesse, le trois, pour le Tao est ce qui donne naissance « aux Dix mille êtres »[6].

Tout cela a été très souvent analysé, il suffit de l'indiquer, ne fut-ce que d'une manière allusive, pour insister sur le fait que c'est la multiplicité, qui est principe vital. Aux tenants des systèmes monistes ou dualistes, il est bon de rappeler que l'effervescence et l'imperfection du trois, sont toujours à l'origine de la vivacité et du dynamisme prospectifs.

Il est des moments où ce pluralisme est soit nié, soit oublié. On assiste alors à la constitution d'entités typées conçues sur des modèles homogènes : nations unifiées, sujets historiques (prolétariat), progrès linéaire, etc. Mais ces hypostases ne résistent pas à l'usure du temps et à ses dures lois. Que ce soit pour les masses et leurs comportements ou pour les structurations politiques, les réalités différentielles finissent par l'emporter. Et nombreux sont les exemples qui montrent qu'après un processus de centralisation et d'unification on assiste au retour du particularisme et du localisme, et ce dans tous les domaines. A cet égard l'exemple de l'histoire politique française ne manque pas d'être éclairante. Toute entité unifiée est provisoire. Et la prise en compte de la diversité, de la complexité, est une attitude de bon sens que les intellectuels ont souvent tendance à refuser ; au motif que cela contrevient à la simplicité du concept.

Avec le tiers, c'est l'infini qui commence. Avec le pluriel c'est le vivant qui est intégré dans l'analyse sociologique. Bien sûr cela ne nous simplifie pas la tâche, tant il est vrai, pour reprendre une expression de Morin, que le pluralisme à l'œuvre dans le peuple, rend ce dernier « polyphone, voire cacophone »[7]. Mais il faut en accepter le risque car d'une part l'unanimité, l'Unité sont très souvent pernicieuses pour la structuration de la cité (cf. Aristote, *Politique* II, 1261 b-7) ; et d'autre part si l'on est actuellement sensible à l'esprit du temps on ne peut que reconnaître l'irrépressible poussée du *pluriel* sous toutes ses formes dans nos sociétés. Le pluriculturalisme que cela induit n'est certes pas sans risque, mais issu de la conjonction d'un principe logique et d'un principe de réalité, il est pour le moins vain d'en dénier l'importance. D'autant que comme pour toutes les périodes d'effervescence, cette hétérogénéisation en acte est la matrice des valeurs sociales à venir. Ainsi en constatant tout d'abord cette hétérogénéisation, en analysant par la suite ses composants, on pourra être à même de pointer tout ce qui fait l'enjeu social de notre fin de siècle ; et qui s'esquisse peu à peu dans cette nébuleuse que l'on peut appeler *socialité*.

A défaut de direction assurée, indiquons encore une fois l'orientation que peut prendre cette dernière. Elle ne reposerait plus sur la monovalence faustienne du « faire » et sur son pendant l'associationisme contractuel et finalisé ce que je résumerai par la formule : « économie-politique du moi et du monde ». Bien au contraire (d'où la métaphore « orgiastique » que je ne manque pas d'employer[8]) la socialité qui s'esquisse intègre une bonne part de communication, de jouissance au présent, et d'incohérence passionnelles. Toutes choses qui naturellement induisent *à la fois* la rencontre et le rejet. Cette ambivalence a été maintes fois analysée dans une perspective psychologique, il convient d'en apprécier les incidentes sociales, et observer qu'elle s'accommode fort bien du développement technologique. On peut en effet observer que, la micro-informatique aidant, ces formes d'association en voie d'extension que sont les *réseaux* (le néo-tribalisme contemporain) reposent sur l'intégration et le refus affectif. Ce paradoxe, signe patent de vitalité, est en tout cas une clef des plus utiles pour toute démarche compréhensive.

## 2. *Présence et éloignement*

Ainsi en prenant appui sur la classique dichotomie entre culture et civilisation, on peut remarquer que celle-là dans son dynamisme fondateur n'a nullement peur de l'Etranger. Bien au contraire elle sait faire son miel avec tout ce qui lui vient de l'extérieur ; ce qui ne l'empêche pas de rester elle-même.

Il faut, à cet égard, renvoyer à tous ces exemples que nous donnent les histoires humaines : être sûr de soi — ce qui est une forme d'autonomie, donc d'exclusion de l'autre — favorise l'accueil de cet autre. Louis Réau, analysant avec érudition le développement de la langue et de la culture française en Europe, souligne qu'au XVII<sup>e</sup> et au XVIII<sup>e</sup> siècle, les étrangers étaient sûrs de recevoir en France l'accueil « le plus aimable et le plus flatteur. Jamais la xénophilie, je dirais presque la xénomanie n'a été poussée plus loin »[9]. Voilà qui ne manque pas d'être instructif : les « étrangers sont choyés », et en même temps un mode de vie et un mode de penser spécifiquement français ont tendance à devenir hégémoniques. On peut dire qu'il en est ainsi chaque fois que quelque chose d'authentiquement fort vient à naître. La puissance, j'ai eu l'occasion de le montrer[10], n'a rien à voir avec le pouvoir et avec ce qui lui est lié : à savoir la crainte et la peur subies et infligées. C'est la faiblesse qui engendre à la fois repliement sur soi et agressivité. Alors que la civilisation se claquemure dans une peur frileuse, la culture peut se répandre et accepter le tiers. C'est certainement cela qui explique ce que Réau souligne avec étonnement (*ibid.*, p. 314) : aucun effort n'est fait pour répandre l'usage du français au XVIII<sup>e</sup> siècle alors que l'on sait sa formidable expansion à ce moment-là. D'Athènes, dans le monde Antique, à New York de nos jours, en passant par Florence au Quattrocento, on retrouve constamment de tels pôles d'attraction, qui fonctionnent en fait comme des processus de métabolisation d'éléments étrangers.

Ainsi on a pu faire un rapport entre la vitalité d'une région comme l'Alsace et « l'apport constant de sang étranger ». Selon F. Hoffet, c'est ce métissage qui est à l'origine des « œuvres capitales » produites dans ce pays[11]. Il est certain que s'il existe une tragédie de la frontière *(Grenze Tragödie)*, elle ne laisse pas d'être dynamique. Ponts et Portes, pour reprendre une image de G. Simmel ; les pays frontaliers vivent en majeur, les brassages, déséquilibres et inquiétudes consécutifs aux mouvements de populations. Mais en même temps, de par l'exogamie que cela suscite, on voit naître des créations originales exprimant au mieux la synergie des qualités propres à la statique et à la labilité du donné social. Synergie qui se trouve résumée dans l'expression « enracinement dynamique ». Il ne faut pas oublier que c'est cette tension « frontalière » qui permet d'expliquer des pensées telles que celles de Spinoza, Marx, Freud, Kafka... tout un chacun à la fois intégré et distant. La force de leurs pensées vient peut-être de ce qu'elles reposent sur une double polarité[12]. Présence et éloignement. Ces régions déterminées et ces œuvres géniales vivent ou indiquent, d'une manière paroxystique, ce qui par ailleurs constitue, en mineur, la vie courante du peuple. Avant d'être le raciste, le nationaliste ou d'une manière plus triviale le « beauf » que l'on se plaît à décrire, il « sait » de savoir incorporé que, en deçà (ou au-delà) des grands idéaux bien lointains et plus ou moins imposés, sa vie quotidienne est constituée par le mélange, la différence, l'ajustement avec l'autre ; fut-il cet « autre », l'étranger ou l'anomique aux mœurs étranges. *Premièrement,* lions donc la masse et la culture en son moment fondateur. Il ne s'agit pas d'une liaison fortuite ou abstraite : chaque fois qu'une époque commence, qu'une cité s'épanouit ou qu'un pays s'épiphanise, c'est à partir d'une puissance populaire que cela peut se faire. Et ce n'est que par la suite qu'il y a confiscation (de l'époque, de la cité, du pays...) par quelques-uns qui se font gestionnaires, propriétaires ou clercs détenteurs de la légitimité et du savoir. *Deuxièmement,* reconnaissons à cette conjonction à la fois une capacité d'absorption et de diffusion. Les exemples donnés plus haut le prouvent abondamment, une entité sûre d'elle intègre et rayonne. Risquons une image organiciste, un corps en forme sait être flexible. Point de rigidité et de prudence, foin des précautions et des petitesses ! Pour employer un terme bien illustré par G. Bataille, il y a une sorte de souveraineté qui sourd de cette conjonction, une forme d'animalité triomphante qui « sent » comment doser la particularité qui préserve, et le général qui nous intègre au vaste devenir mondain. Il s'agit là de ce va-et-vient entre le nomadisme et la sédentarisation constitutifs de l'aventure humaine, entre le oui et le non à la base de toute représentation.

Parmi la foultitude d'exemples historiques qui viennent à l'esprit, il en est un qui est particulièrement parlant, et qui plus est peut être considéré comme programmatique pour notre temps, c'est celui de la querelle du donatisme qui fut un moment difficile pour le christianisme naissant. A plus d'un titre, il me semble que cette période dite de « l'Antiquité tardive » n'est pas ressemblance avec la nôtre. Pour le dire d'un mot : une civilisation s'achève, une culture est en train de naître. L'historien P. Brown dans son remarquable ouvrage sur saint Augustin analyse avec pertinence ce qui oppose les donatistes à l'évêque d'Hippone[13]. Dans l'optique de ce qui nous occupe ici je ne retiendrai en le simplifiant qu'un élément essentiel de la *disputatio :* pour les premiers, il faut s'isoler, rester une Eglise de purs, se couper du monde avec toutes les conséquences induites par une telle discrimination. Pour Augustin, au contraire, il faut se sentir assez fort pour assimiler « l'autre », être flexible pour gagner le monde. Et ce parce qu'il est certain de la validité, de l'universalité et surtout de l'aspect prospectif du message évangélique. C'est pourquoi notre évêque, qui en ancien manichéen connaît les délices du purisme maximaliste, n'hésite pas à recueillir dans l'héritage littéraire et philosophique du monde païen ce qui peut conforter le message dont il est le héraut. Au moment où un nouveau monde s'inaugure la question est d'importance : à la tranquille assurance de la secte enclose sur elle-même, saint Augustin préfère une *ecclesiam* élargie et ouverte à l'effervescence de courants et d'hommes venus d'horizons multiples. La cité de Dieu qu'il entend construire se mesure à l'aune du vaste monde, il est normal qu'elle en épouse les turbulences. C'est à ce prix qu'elle peut perdurer. Vision de génie d'un fondateur d'une nouvelle culture !

Un mot encore en ce sens, mais sur un autre temps, mythique celui-ci (d'ailleurs l'est-il plus que le précédent ?). Si l'on reprend le thème dionysiaque, pertinent lui aussi pour comprendre notre présent, on peut remarquer que dans la cité de Thèbes policée, rationnellement gérée et quelque peu languide, l'irruption de Dionysos, c'est l'irruption de l'Etranger. Efféminé, parfumé, vêtu différemment, son apparence, les modes de vie et de pensée qu'il propage, sont choquants à plus d'un titre[14]. Or l'irruption de cette étrangeté correspond au passage de l'hellénisme classique à la période hellénistique. Dionysos, dieu (demi-dieu ?) tardif dérange la perfection de celui-là, mais permet de ce fait l'éclosion de celle-ci. Ce qui s'épuise, fût-ce dans la complétude, a besoin d'un dysfonctionnement, fût-il extérieur, qui viennent le redynamiser. La plupart du temps d'ailleurs, l'élément étranger ne fait qu'actualiser une potentialité que l'on avait négligée ou bridée. Dans la logique que j'ai indiquée plus haut, la tension et le paradoxe sont donc nécessaires, un peu comme une greffe qui peut permettre à des arbres épuisés de redonner de beaux fruits.

Cette intrusion de l'étrangeté peut fonctionner comme *anamnèse :* elle rappelle à un corps social qui avait tendance à l'oublier, qu'il est structurellement hétérogène ; même si par facilité il a eu tendance à tout ramener à l'unité. Ce rappel du polythéisme des valeurs est particulièrement flagrant dans les cérémonies dionysiaques. Dionysos, dieu venu « d'ailleurs », se doit d'intégrer ces « autres » que sont dans la cité grecque le métèque et l'esclave. Il semble (cf. M. Bourlet) que le thiase les associe aux citoyens. Ainsi, même si ce n'est que ponctuellement et rituellement, la communauté se rejoue comme fonction de l'ici et de l'ailleurs. On se souvient que le culte d'Aglaure célébrait la cité comme *Unité,* le thiase orgiastique rappelle qu'elle est aussi unicité, *i.e.* conjonction de contraires.

En bref, pour reprendre notre propos initial, « la civilisation languissante a besoin des barbares pour le régénérer »[15]. Est-il paradoxal d'indiquer que l'Etranger permet que s'instaure une nouvelle culture ? Le rôle des romains par rapport à la civilisation grecque, celui des barbares face à l'empire romain finissant, plus près de nous l'appellation de « Huns de l'Occident » *(die Westhunnen)* qui fut donnée aux protagonistes de la Révolution française, ou encore ce cri de ralliement : « Hourra la révolution par les cosaques », qui fut celui de certains anarchistes fatigués de la faiblesse du bourgeoisisme, tout cela souligne l'importance culturelle de l'étrangeté fondatrice. Et le récent film de Mosco *Des terroristes à la retraite* montre à loisir que, durant la résistance contre l'oppression nazie, de nombreux défenseurs de l'idée France, et des plus vigoureux, furent des apatrides de tous pays. Moins assoupis que certains bons français, ils se battirent et offrirent leur vie aux noms des idéaux qui, pour eux, symbolisaient ce pays qu'ils avaient choisi comme terre d'accueil.

Ce qui est certain c'est que tous les grands empires dont nous parlent les histoires humaines sont issus des brassages que l'on sait. Les quelques notations cavalières données ici font référence aux travaux d'historiens qui se sont attaqués à ce problème et que l'on peut résumer par cette citation tirée du remarquable livre de Marie-Françoise Baslez qui, avec nuance et érudition, souligne que « beaucoup de cités ont dû leur fortune à un peuplement hétérogène »[16]. Ce que l'on peut compléter en émettant l'hypothèse que c'est le manque d'ouverture, la crainte frileuse vis-à-vis de l'étranger qui ont conduit de nombreuses cités à leur perte. On le sait « Rome n'est plus dans Rome », mais à partir d'un moment doit se mesurer avec l'altérité, c'est-à-dire son empire hétérogène. J'ai essayé de montrer qu'il s'agissait là d'une structure socio-anthropologique. Inutile de revenir sur l'analyse que G. Simmel consacre à l'Etranger ; elle est bien connue. Par contre fidèle à son esprit (et en la matière à la lettre) il faut que le sociologue sache repenser l'importance d'une telle « forme » sociale. Elle n'est pas du seul domaine du passé, l'Ecole de Chicago, Sorokin, ont montré sa prégnance pour notre modernité. Gilberto Freyre a su également souligner comment, suivant l'exemple du Portugal, le Brésil s'est constitué et s'est dynamisé grâce à la miscibilité et à la mobilité dans tous les sens du terme[17].

A fortiori pour ce qui regarde notre post-modernité, il est temps de tirer les conséquences de l'hétérogénéité constitutive de nos sociétés. Hétérogénéité qui n'en est d'ailleurs qu'à son début. Dans les bouillons de culture que sont les mégapoles contemporaines, il n'est plus possible de nier l'Etranger, ou de dénier son rôle. Et les exemples historiques ou mythiques que j'ai donnés sont comme autant de métaphores qui peuvent nous permettre de penser l'efflorescence des images, l'hédonisme et le vitalisme que l'on peut qualifier de dionysiaques. Toutes choses qui, parce qu'elles sont vécues en petits groupes, d'une manière différenciée, parce qu'elles ne sont pas dépendantes d'un lien particulier, et ne renvoient pas à des représentations unifiées, interdisent une explication unidimensionnelle. Les valeurs de l'*Aufklärung* qui, exportées, se sont constituées en modèle pour le monde entier paraissent saturées. Et à leur place, comme dans d'autres périodes de l'histoire, on voit se substituer une effervescence sociétale, favorisant le brassage, la miscibilité, le mélange de l'Occident et de l'Orient. En un mot le polythéisme des valeurs. Polythéisme bien informe, indéfini, mais auquel il faut être attentif, car il est gros de l'avenir.

Les barbares sont dans nos murs. Mais faut-il s'en inquiéter puisque pour partie nous en sommes ?

### 3. *Le polythéisme populaire, ou la diversité du dieu*

Après avoir indiqué l'importance qu'il faut accorder au « tiers », et après avoir donné quelques aperçus sur son rôle dans l'histoire des sociétés, il peut être intéressant de dégager une de ses caractéristiques essentielles. Caractéristique logique en quelque sorte, et qui peut au mieux être décrite par l'expression wébérienne de « polythéisme des valeurs ». Il est nécessaire d'insister sur cette thématique, car elle reste fort mal comprise ; soucieux que l'on est de la ramener dans l'orbe du politique. Pour être plus précis : le fait qu'une certaine droite utilise, parfois avec conviction et talent, pour son combat culturel et politique, la mythologie polythéiste, ne suffit pas à invalider cette dernière ou à l'annexer à un camp. Il me semble même que le polythéisme outrepasse l'ordre du politique ; structurellement pourrait-on dire, puisque la relativation des valeurs les unes par les autres aboutit à l'*indécidabilité*. Quoi de plus contraire à la logique du politique ? D'ailleurs si on voulait être plus précis, ou plus fidèle à l'esprit qui anime cette réflexion, peut-être faudrait-il parler « d'hénothéisme » ainsi que le fait C. Bouglé pour la religion védique dont « tous les dieux deviennent souverains à leur tour »[18].

C'est avec une telle nuance, et insistons encore une fois d'une manière métaphorique, que l'on convoque les dieux pour nous éclairer sur le social. En effet j'ai proposé de lier le peuple et l'acte fondateur de la culture, il me semble que cette conjonction permet d'accueillir l'étranger tout en restant soi-même (ou mieux encore à féconder ce soi-même par l'étranger). C'est en conséquence de cela que l'on peut présenter le polythéisme comme indice le plus sûr du « non racisme » populaire*.

Pratiquons encore le détour. Ce qui fut la particularité essentielle de la tradition judaïque, puis du christianisme, ce fut son monothéisme intransigeant. Il s'agit là d'une ligne de démarcation essentielle sur quoi il n'y a pas lieu de revenir. Par contre ce que l'on peut rappeler, c'est que une fois posé ce principe il existe, dans la vie chrétienne, mille et un moyens de le transgresser. D'un point de vue anthropologique Gilbert Durand a remarquablement bien analysé, de son observatoire savoyard, la foi et les pratiques populaires qu'il connaît bien. A ma manière, j'ai également montré que le culte des saints pouvait être une percée polythéiste au sein de la rigueur monothéiste. Tant il est vrai que la distinction théologique entre le culte de « latrie », adressé à Dieu seul, et celui de la « dulie », qui revient aux saints, est une casuistique de bien peu d'effet dans la vie quotidienne. Enfin la sociologie religieuse, avec quelque méfiance il est vrai, n'a pas non plus négligé ce problème[19]. Il est moins question de l'aborder de front, que de souligner, pour ce qui nous occupe, qu'il s'agit là d'une actualisation

* C'est à dessein que j'emploie cette expression ; en référence au « non-logique » de Pareto. Il peut y avoir de l'illogique dans le « non-logique », mais ce n'est pas, au sens fort du terme, sa *qualité* essentielle. On pourrait faire des développements analogues pour le « non-racisme ».

de la traditionnelle *coincidentia oppositorum,* qui tel un fil rouge parcourt la vie religieuse et donc sociale.

La mystique, la théosophie chrétienne, J. Böhme et Eckartshausen en sont par exemple les témoins, ont toujours su garder ce souci bien vivant. La récente thèse de Mme M.E. Coughtrie, « Rhythmomachia, a propaedeutic game of the middle Ages », a bien montré que l'on trouve dans la tradition monastique des jeux qui expriment ce pluralisme irréductible. Tel le Rhythmomachia reposant sur une haute formalisation mathématique. Ainsi dans les pratiques populaires (pèlerinages, cultes des saints), dans l'expression mystique ou dans la sophistication logique, l'altérité, l'étrange ou l'étranger ont eu de nombreux conservatoires qui permirent de résister à la simplification et à la réduction unitaire[20]. L'extase comme la fusion des fêtes votives permettent d'exprimer à la fois l'identique et le différent. La « communion des saints » qui est une base de la prière monastique, et l'effervescence populaire renvoient d'une manière euphémisée ou actualisée à un être-ensemble qui est par construction divers et polyphonique.

Cette perspective ne s'est jamais perdue dans ce qui se présente comme le monothéisme chrétien. Ainsi Emile Poulat, avec la minutie que l'on sait, dans son analyse du catholicisme du XIX^e^ et du XX^e^ siècle s'interroge sur ce qui permet au « disparate de coexister sans conflit ». Quel est donc le « patrimoine héréditaire de cet étrange *phylum,* capable d'aboutir à des formes aussi peu compatibles que la contre-révolution catholique, la démocratie chrétienne, les révolutionnaires chrétiens ? »[21] C'est certainement l'idée du Peuple de Dieu, *analogon* s'il en est de la *coïncidentia oppositorum* de la divinité. « Catholicisme populaire, catholicisme interclassiste » dit encore Poulat, et il est certain qu'au-delà de ses diverses expressions politistes, cette base populaire tient fermement à la pluralité des modes de pensée et des modes d'être. C'est en ce sens que c'est un *phylum,* un soubassement infrangible et permanent. Assurance que la vie perdure grâce à la multiplicité de ses expressions, alors qu'une valeur hégémonique, fut-elle parfaite, tend à la tarir. On peut rattacher cette *coexistence* structurelle à la pensée contradictorielle (Lupasco, Beigbeder) forme logique du polythéisme. L'institution du *simultaneum* qui permet, dans certains petits villages alsaciens, que catholiques et protestants prient, à tour de rôle, dans la même église, peut être une bonne métaphore, au-delà de toutes les raisons contingentes que l'on sait, de ce contradictoriel en acte. Ainsi le polythéisme *stricto sensu,* le christianisme pluriel nous indiquent qu'il convient de trouver, toujours à nouveau, un modus vivendi pour intégrer « l'autre ». La communauté, la communion des saints, le corps mystique sont à ce prix. Et la guerre que se font les dieux divers, ou les conflits, parfois sanglants, qui résultent des différentes interprétations du même Dieu, tout cela conduit en fin de compte à l'affermissement du corps social. Ici la mythologie rejoint les résultats des recherches de pointe en logique ou en cybernétique : le dysfonctionnement, le contradictoriel ont leur place, qui n'est pas négligeable dans la structuration du réel et de la représentation qui en rend compte. Elle rejoint également certaines analyses wébériennes, ainsi cette constatation bien connue qui mérite d'être citée à nouveau. « La sagesse populaire nous enseigne qu'une chose peut être vraie bien qu'elle ne soit et alors qu'elle n'est ni belle, ni sainte, ni bonne. Mais ce ne sont pas là que les cas les plus élémentaires de la lutte qui oppose les dieux des différents ordres et des différentes valeurs[22]. » Dans ce texte, M. Weber, qui y fait explicitement référence, lie étroitement le polythéisme et le populaire. Peut-être faudrait-il dire qu'il est des périodes où la masse saturée des explications et des procédures rationnelles, finalisées, productivistes, économistes se retourne vers le substrat naturel, je dirai « écologique » de toute vie sociale, et c'est alors qu'elle retrouve le va-et-vient qui s'établit entre la variété de la nature et la multiplicité du divin. Ce qui ne va pas sans quelques cruautés, car qui dit polythéisme, dit antagonisme. Qui renvoie à la nature, renvoie aussi à ses dures lois, dont la violence et la mort. Mais la lutte des dieux ou encore la lutte des groupes les uns contre les autres est tout de même mieux que la dénégation de l'Etranger. Dans la guerre celui-ci prend visage humain. Il existe. Et même si ses coutumes contreviennent aux miennes, même si je les considère comme ni « belles », ni « saintes », ni « bonnes », même si je les combats, je ne peux pas leur refuser d'être. C'est cette reconnaissance qui permet d'établir une analogie entre les catégories religieuses et les relations sociales.

Dans la même sensibilité théorique que Weber, le sociologue G. Simmel nous y invite, pour qui Dieu se caractérise « comme *coincidentia oppositorum*, centre où se fondent les antinomies de la vie ». Dans le même texte il fait référence à la tribu (« la communauté religieuse originelle était la tribu »), et à la dépendance de l'individu à cette dernière. La dépendance au dieu étant en fait une « stylisation » (c'est-à-dire à la fois l'aspect pointu et euphémisé) de la première[23]. Les tribus et leurs luttes, la forte interdépendance qui constitue ces tribus, et en même temps la nécessité d'un Dieu qui unit les contraires, voilà le cadre épistémologico-mythique dans lequel s'insère la dialectique de « l'amour et (de) l'éloignement » qui semble être à la base de toute structuration sociale. Que la religion *(re-ligare)* soit l'expression d'une socialité plurielle, dans le sens que je viens de dire, n'est nullement étonnant. En effet souvenons-nous qu'avant de devenir institution, avec la rigidification que l'on sait, les rassemblements religieux servent avant tout à se tenir chaud, à se serrer les coudes face à la dureté de « l'ordre des choses » social ou naturel.

Il n'en reste pas moins que ces rassemblements et l'interdépendance qu'ils induisent, sont un mixte étroit de communication et de conflit. Pour citer encore G. Simmel, le « côte à côte », le vivre-ensemble, de « l'un pour l'autre » peuvent très bien aller de pair avec le « l'un contre l'autre » (Simmel, *ibid.*, p. 17). Nous y reviendrons plus loin, mais l'harmonie ou l'équilibre peuvent être conflictuels. Dans cette perspective les éléments divers du tout social (comme du tout naturel) entrent dans un rapport mutuel, étroit, dynamique, en bref désignent cette labilité synonyme du vivant. La complexité dont nous parle E. Morin possède les mêmes caractéristiques, et en ce sens le détour que nous proposons n'est peut être pas aussi inutile qu'il pourrait paraître au premier abord. D'autant qu'en même temps que la peur ou la réalité du racisme, ce sont la multiplication des groupes religieux, le pluriculturalisme, les réseaux affectifs qui prennent de plus en plus de place dans la complexité des mégapoles contemporaines. Obnubilés par le modèle individualiste et économiste, qui fut dominant durant la modernité, nous avons oublié que les agrégations sociales reposent également sur l'attraction et le rejet affectif. La passion sociale, quoi qu'en pensent certains, est une réalité incontournable. Et à défaut de l'engrammer dans nos analyses nous nous interdirons de comprendre de multiples situations qui ne peuvent plus être laissées pour compte dans la rubrique « faits divers » de nos journaux. Et ce d'autant que comme dans tout moment de fondation « culturelle » l'événement multiracial fait irruption. Sans chercher à s'abriter derrière un père fondateur, on pourrait lire une partie de *La Division du Travail Social* de Durkheim dans cette perspective. N'en déplaise aux épigones qui se réclament de lui et se posent en gardiens du Temple, l'amitié, la sympathie et naturellement leurs contraires entrent, d'une manière non négligeable, dans l'analyse de la solidarité. Témoins des phrases de ce genre : « Tout le monde sait que nous aimons qui nous ressemble, quiconque pense et sent comme nous. Mais le phénomène contraire ne se rencontre pas moins fréquemment. Il arrive très souvent que nous nous sentons portés vers des personnes qui ne nous ressemblent pas, précisément parce qu'elles ne nous ressemblent pas » (p. 17). Ou encore « Héraclite prétend qu'on n'ajuste que ce qui s'oppose, que la plus belle harmonie naît des différences, que la discorde est la loi de tout devenir. La dissemblance, comme la ressemblance, peut être une cause d'attrait mutuel » (p. 18). Il appelle cela « *l'une et l'autre* amitié » qui seraient de nature[24]. Poser en préliminaire de son travail ce que j'appellerais une amitié contradictorielle expliquerait cette solidarité permettant de comprendre de manière logique que ce qui diffère se complète.

Bien sûr il y a du fonctionnalisme dans cette perspective, mais peu importe dans la mesure où elle n'élimine pas la contradiction d'une manière abstraite, et où elle nous permet de penser l'Altérité et sa dynamique spécifique. Jusqu'alors on avait laissé à l'anthropologie ou à l'ethnologie le monopole de la recherche sur l'autre. Tout comme la théologie devait s'intéresser à l'Autre absolu. Il est difficile de maintenir de telles séparations maintenant. La sociologie du quotidien en particulier a su attirer l'attention sur la duplicité, l'aspect double et duple de toute situation sociale, sur le « quant-à-soi » et la pluralité intrinsèque de ce qui paraissait homogène. Nous n'y reviendrons pas[25]. Par contre à partir de là, on peut orienter résolument notre réflexion sur l'architectonique fabuleuse qui se construit à partir de ces duplicités et de leurs synergies. Tout cela est plein de vitalité. Vitalité désordonnée, cacophonique, comme il a été dit plus haut, effervescente aussi, mais qu'il est bien difficile de nier.

J'ai déjà fait référence à l'Antiquité tardive et à son analyse comme paradigmes pour nous aider à penser notre temps. Ce fut un temps rempli de « dieux parleurs » comme les nomme P. Brown ; et, ajoute-t-il, quand les dieux parlent « nous pouvons être sûrs que nous avons à faire à des groupes qui peuvent encore trouver une expression collective »[26]. En l'appliquant à notre propos, on peut dire que la polyphonie contemporaine rend bien compte d'une pluralité de dieux à l'œuvre dans la construction en cours d'une nouvelle « culture ». J'ai dit paradigme pour bien insister sur l'efficace de cette référence historique, car nous qui réalisons la conquête de l'espace oublions trop souvent qu'il est également possible de réduire l'éloignement du temps. « Temps einsteinisé », qui du coup nous permet de lire le présent en « transportant des images » (méta-phores) du passé. Ainsi en insistant sur la vitalité des dieux, sur leur diversité, on ne fait que styliser l'effervescence de nos cités. Mais laissons ici parler le poète :

> « Il m'apparaît que l'homme est plein de dieux comme une éponge immergée en plein ciel. Ces dieux vivent, atteignent à l'apogée de leur force, puis meurent, laissant à d'autres dieux leurs autels parfumés. Ils sont les principes même de toute

transformation de tout. Ils sont la nécessité du mouvement. Je me promenai donc avec ivresse au milieu de mille concrétions divines. »

(ARAGON, *Le Paysan de Paris.*)

C'est ce mouvement qui va de la culture à la civilisation, puis encore à la création de culture, qui se donne à lire dans le polythéisme (antagonisme) des valeurs que nous vivons aujourd'hui. Décadence diront certains ; pourquoi pas, si on entend par décadence que ce qui meurt est lourd de ce qui va naître. Les fleurs qui s'achèvent, épuisées par leur perfection, sont la promesse de beaux fruits.

### 4. *L'équilibre organique*

Les cultures s'épuisent, les civilisations meurent, tout rentre dans le mécanisme de la saturation bien décrit par le sociologue P. Sorokin. Cela on le sait. Il est une question plus intéressante : qu'est-ce qui fait que la vie perdure ? Le début de la réponse pourrait justement se trouver dans la perspective héraclitéenne ou nietzschéenne : la destruction est en même temps construction. Si la tradition d'homogénéisation politique se sature, d'elle-même, par indifférence ou sous les coups de l'intrusion de l'étranger, c'est parce que ses effets utiles ont fait leurs temps. Dès lors l'équilibre qu'elle avait su mettre en place cesse. Cet équilibre s'était fait au détriment de ce que l'on peut résumer par le mot *différence*. Il faut maintenant voir comment ce « tiers », structure anthropologique, que nous avons suivi pas à pas, peut s'intégrer dans un nouvel équilibre. En effet dans la logique de notre argumentation, et en référence à de nombreuses situations historiques, on peut postuler un équilibre qui puisse reposer sur l'hétérogène. Pour reprendre un balancement que j'ai déjà utilisé : à l'Unité du bourgeoigisme peut succéder l'unicité populaire. Le peuple non pas comme sujet historique, ainsi que le furent la bourgeoisie ou le prolétariat, mais comme entité contradictorielle; ou encore comme pratique quotidienne où le « mal », l'étranger, l'autre, ne soient plus exorcisés, mais intégrés selon des mesures et des normes variables, fussent-elles homéopathiques.

Précisons encore que dans la perspective de la passion sociale indiquée plus haut, et dont on ne peut pas faire l'économie, le problème qui se pose à nos sociétés sera d'équilibrer ces passions qui s'opposent et dont l'antagonisme s'accentue dès le moment où l'on reconnaît une pluralité de nature, une pluralité des natures[27]. C'est en ce sens que je parle d'harmonie conflictuelle car l'équilibre est plus délicat à atteindre lorsque la passion prévaut sur la raison ; ce qui actuellement ne manque pas d'être observable dans la vie de tous les jours comme dans la vie publique.

Commençons par une notion qui est difficilement recevable de nos jours et que l'on ne se donne d'ailleurs pas la peine d'envisager sérieusement : c'est celle de hiérarchie. Bouglé fait remarquer que le panthéisme si accueillant en Inde, son polythéisme effectif sont liés étroitement au système des castes[28]. Le caractère accueillant et le non dogmatisme doctrinal de la religion des Hindous repose en fait sur leur sens aigu de la hiérarchie. Il s'agit d'une situation paroxystique qui en tant que telle ne peut être exportable ou même servir de modèle, mais qui montre bien comment une société a pu échafauder son équilibre sur la coexistence des différences, les codifier avec la rigueur que l'on sait, et de ce fait construire une architechonique qui ne manque pas de solidarité. De son côté L. Dumont dans son Homo Hiérarchicus a su montrer l'interdépendance réelle, l'ajustement des communautés que ce système avait produit. Il ne laisse pas de place c'est vrai à l'individualisme, mais introduit, d'une manière étonnante, à une compréhension holistique de la société. Ces travaux sont maintenant bien connus, ils n'ont pas à être commentés, il suffit de s'en servir comme appui pour nous aider à comprendre que l'ajustement de petits groupes, différents quant aux modes de vie et idéologiquement opposés, est une forme sociale qui peut être équilibrée.

Ce que le système des castes propose d'une manière paroxystique, peut se retrouver, d'une manière adoucie, dans la théorie des « états » du Moyen Age. La théorisation doctrinale en plus, puisque cela est conforté par le thomisme catholique par exemple. Ce dernier élabore à partir de l'existence de ces « états » une pensée de la démocratie qui, ainsi que le remarque E. Poulat, a un sens sensiblement différent de celui que nous donnons à ce mot. Ainsi cette « démocratie n'oppose pas plus les classes inférieures aux autres qu'elle ne prône leur nivellement, mais elle s'oppose à toutes les forces sociales qui compromettent leur harmonie... elle défend *l'égalité proportionnelle dans l'ordre hiérarchique*, tout en se référant, historiquement, à la tradition médiévale de la commune »[29]. Je dirais pour ma part qu'il s'agit là d'une forme sociale que l'on retrouve, outre les exemples cités, dans le populisme, dans les constructions utopiques (telle celle de Ch. Fourier), dans le solidarisme et dans leurs réalisations concrètes, qui d'une manière plus ou moins sophistiquée parsèment nos sociétés depuis le XIXe siècle.

Il va sans dire que, quelque précaution que l'on prenne (« égalité proportionnelle » par exemple), nous sommes loin de l'égalitarisme, au moins verbal, qui caractérise la modernité depuis que la Révolution française en a fait un idéal universel. Il n'en reste pas moins que l'on trouve dans cette travée culturelle à la fois une réelle solidarité, même si elle est limitée au groupe ou à tout le moins à ce qui est proxémique, et une manière de vivre l'antagonisme. Fourier, on s'en souvient, proposait dans ses phalanstères la « guerre des petits pâtés », forme de compétition culinaire qui symbolisait bien l'attraction/répulsion de toute socialité. Ce qui n'est pas sans rappeler la *philotimia* antique, l'aspect frivole en moins. En effet cette dernière permettait aux puissants de ce monde, aux enrichis ou aux chanceux de réinjecter dans la communauté une partie de ce qu'ils avaient gagné. Et ce par des constructions publiques, des édifications de lieux de culte ou de bâtiments pour les nécessiteux. Egalement la *philotimia* avait une dimension compétitive, puisque ces favorisés par le destin, et donc leur affidés, se lançaient des défis, qu'il était difficile de ne pas relever. Ainsi l'ordre hiérarchique n'en permettait pas moins une sorte *d'équilibre organique*, qui d'une manière coenesthésique répondait aux besoins de la communauté. Jeu de la différence ritualisé en quelque sorte. Point d'égalité proclamée et programmée, mais un ajustement, une compensation réels ; et qui plus est une *libido dominandi* (la violence légitime) qui trouve à s'exprimer à moindre frais pour l'ensemble du corps social. P. Brown parle à ce propos de « modèle de parité »[30].

Cette perspective a l'avantage de prendre en compte les deux éléments de toute vie mondaine : le conflit et la communication, qui plus est elle offre un modèle de « rentabilisation » de leur existence *conjointe*. C'est en ce sens qu'elle n'est pas anachronique. En l'appliquant au cas particulier qu'est la formation du Brésil, Gilberto Freyre parle même de « processus d'équilibration »[31]. Il y a toujours le danger d'euphémisation du modèle, ou encore de justification des oppressions, et seule l'analyse concrète permet de se faire une opinion, mais en tant que logique il n'y a pas lieu de l'invalider dès l'abord. En tout cas, dans la réflexion qui est la nôtre, elle permet de comprendre comment la négociation des antagonismes peut servir à l'équilibre de l'ensemble. Et, qui plus est, comment l'Etranger dans son affrontement au citoyen, l'errant dans son contact au sédentaire, le puissant et le client rentrent dans une vaste intercommunication nécessaire à chacun d'eux.

Cela, en outre, a l'avantage de prendre acte de ce qui existe. Car qu'elle soit codifiée dans le système des castes, qu'elle soit théologisée comme étant conforme au dessein divin, ou qu'elle soit plus sournoisement masquée par des rationalisations égalitaristes, la hiérarchie est un constat que tout un chacun peut faire. Il faut mieux en prendre acte pour en corriger les effets les plus nocifs. Cette correction est peut-être plus efficace dans les structurations sociales qui pensent en terme de proxémie, c'est-à-dire qui laissent aux groupes concernés le soin de trouver les formes d'équilibre.

Car dans ce cas, de par l'interdépendance de toute vie sociale, chacun sait avoir besoin de l'autre à un moment ou à un autre. Il y a réversibilité : je ne vais pas contester un privilège, dont je pourrais être le bénéficiaire demain ou sous une autre forme. La nécessité du privilège qui en France joue un grand rôle (nombre d'articles journalistiques ou livres à grand succès l'ont récemment révélé), se trouve ainsi justifiée. Incompréhensible dans une perspective mécaniste, il trouve sa place dans une vision organique, où toutes les choses se tiennent. Mais cela veut dire que l'individu n'est pas le début et la fin du tout social, mais que c'est le groupe, la communauté, le collectif en sa totalité qui prévaut. Pour employer un concept de la philosophie allemande, la prise en compte de la hiérarchie, de la différence, et les modèles de parité, de réversibilité que cela induit, renverraient à une *« régulation spontanée » (Naturwüchsig)*. On retrouve ici le vitalisme dont il a été fait état plus haut. A l'encontre de périodes qui vont accentuer l'activité rationnelle, cette régulation serait le fait de celles qui ont plus confiance dans la souveraineté intrinsèque de chaque groupe. Ces groupes, à la suite d'essais-erreurs et de démarches cahotiques, savent trouver un ajustement entre leurs objectifs et leurs manières d'être différenciés. Ainsi paradoxalement le « tiers » peut trouver plus facilement sa place dans un type de société qui ne dénie pas a priori la dimension hiérarchique de l'existence sociale. A côté d'exemples historiques bien typés, cela peut également s'observer dans nombres de situations sociales déterminées et observables de nos jours. Ainsi le carnaval. De nombreuses et pertinentes analyses en ont été faites. D'un point de vue socio-anthropologique, je retiendrai celle, remarquable, de Roberto Da Matta. Il n'est pas question de recommencer son analyse, mais juste de souligner quelques points forts qui s'articulent bien à notre propos. Et tout d'abord l'inclusion de l'activité festive dans les sociétés holistes et hiérarchiques. Pour ce qui concerne le « triangle rituel brésilien », il montre qu'à côté du jour de la Patrie qui représente l'Etat national et l'armée, à côté de la Semaine Sainte dont le protagoniste essentiel est l'Eglise, le Carnaval concerne essentiellement le peuple, la masse[32]. Cette tripartition est à plus d'un titre intéressante, elle rend bien compte d'une coexistence qui se partage le temps. Partage différencié, certes, mais qui dans le cadre d'une théâtralisation généralisée attribue à chaque groupe un rôle à jouer. Je dis bien *rôle* par opposition à la *fonction* qui elle renvoie à un fonctionnement social mécanique, rationnel, orienté vers une fin. Le rôle et la théâtralité par contre prennent place dans un temps cyclique dont on se partage les moments. Ce devenir cyclique donne à chaque groupe l'assurance qu'il pourra bénéficier à nouveau d'un moment du temps qui lui est réservé. Il suffit à cet égard de savoir que le carnaval est préparé longtemps à l'avance par tout un chacun. Cette assurance est d'importance quand on sait que la gestion du temps qui passe est un élément primordial dans ce que j'ai appelé « l'affrontement au destin ». Pour un temps déterminé et en liaison avec d'autres moments le peuple sait qu'il pourra exercer sa souveraineté.

Ensuite ce moment de souveraineté populaire va permettre d'intégrer l'anomique, l'Etranger. Da Matta parle à ce propos de « périphérie », de « lisière » (p. 65). En référence à ce que j'ai dit plus haut il s'agit bien d'anamnèse. Le bandit, la prostituée et même la mort (forme de l'Autre absolu) peuvent s'exprimer comme figures emblématiques. Le corps social se souvient qu'il est un mixte inextricable d'éléments contradictoriels ; et la multiplicité des déguisements et des situations induites par ceux-ci est à cet égard éclairante. De même il est courant qu'un même individu change chaque jour de costume. Multiplicité extérieure et multiplicité intérieure pourrait-on dire. De cette manière les antagonistes sont joués d'une manière ludique ou s'épuisent dans la compétition que se livrent les écoles de Samba et les individus pour ce qui concerne en particulier le coût des vêtements. Personne n'échappe à cette compétition, et nombres d'anecdotes ou d'observations directes ne manquent pas d'étonner les esprits calculateurs. La *philotimia,* dont il a été question plus haut, pourrait ici être appliquée à la masse : la dépense, même de la part de gens qui n'ont rien, est une manière de remettre dans le circuit collectif ce qui avait été privatisé : argent et sexe. Tout comme le puissant antique se rachetait en construisant des temples, on se fait pardonner ici son individualité du temps normal, en construisant des cathédrales de lumière en ce temps festif.

De plus, à côté des antagonismes joués collectivement, à côté de la pluralité des caractères s'exprimant dans le costume, on trouve l'acceptation de l'Etranger. Le fait qu'il soit emblématisé est une manière de reconnaissance. Ainsi même si le racisme n'est peut-être pas absent dans la vie quotidienne au Brésil, l'effervescence et la théâtralisation du Carnaval sont une manière de le relativiser, de le tempérer en quelque sorte. Au travers de ces quelques éléments caractéristiques du Carnaval, c'est une forme d'organicité qui est vécue. Tout le carnaval s'inscrit dans l'organicité de la tripartition festive, à l'intérieur de celui-ci on retrouve une organicité spécifique qui laisse une place réelle à la multiplicité des fonctions et des caractères. Et que cette multiplicité ne soit « que » jouée, ne change rien à l'affaire. L'Imaginaire, on l'accorde de plus en plus, joue aussi son rôle comme structurant social.

C'est cette effervescence rituelle et ce contradictoriel en acte revenant cycliquement qui permettent de conforter, dans la vie courante, le sentiment de participer à un corps collectif. Tout comme au carnaval on joue tel général, ou tel comte, tel grand de ce monde, on peut par après se glorifier d'être le chauffeur de ce général. Ou encore, ainsi que le rapporte Da Matta, voir toute une domesticité se réjouir du titre de Baron que vient d'obtenir le patron[33]. Il s'agit presque d'une « participation » dans le sens mystique du terme. Elle souligne les retombées secondaires concrètes (financiers, privilèges, passe-droits), mais aussi symboliques. En faisant corps avec une entité supérieure, je me conforte dans mon existence propre. Cela nous incite à attribuer à la solidarité un spectre élargi, et à ne pas le limiter à sa seule dimension égalitaire et/ou économique.

La différence vécue dans la hiérarchie peut être vecteur de cet équilibre social qui nous préoccupe tant. Un autre exemple quotidien peut être la socialité de base ; la vie de quartier, la vie sans qualité de tous les jours tenue pour quantité négligeable dans une perspective macroscopique, mais qui retrouve son importance avec l'accentuation de la proxémie. On peut y observer le même mécanisme de participation dont on vient de parler. Participation à un quartier, à un groupe, à un animal emblématique, à un gourou, à une équipe de foot-ball, ou à un petit chef local. Il s'agit là d'une forme de clientélisme où se rejoue la hiérarchie. « On est » d'un lieu, d'une bande, ou d'un personnage local qui devient ainsi héros éponyme. Des études sur la haute fonction publique, sur l'Université, sur les cadres d'entreprises font bien ressortir ce processus. Le microcosme intellectuel, formé pourtant « d'esprits libres » s'il en est, n'y échappe pas ; on ne lit pas les productions des concurrents qui ont été anathématisés par le maître, les commissions diverses sont les lieux où tous les coups bas sont permis, etc. Ce que l'on peut retenir c'est que l'on *participe* à la gloire, aux courroux du maître. « Je suis son homme » ne se dit plus trop en français, même si la réalité existe, par contre en Italie on entend encore fréquemment : *« Io sono di l'uno, io sono d'ell'altro. »* Je suis de son clan, de son groupe[34]. Faut-il le regretter, faut-il le combattre ? Il est de toute façon nécessaire d'en reconnaître les effets. Dans la mesure où dans un domaine donné, les groupes peuvent se *relativiser* les uns les autres, cette procédure du clan peut permettre le jeu de la différence, l'expression de tous et donc une forme d'équilibre. C'est la maffia dont j'ai dit qu'elle pouvait être la « métaphore de la société »[35]. Lorsque les règles de bonne conduite sont respectées, il y a régulation et ordre organique. Ce qui ne manque pas d'être bénéfique pour tous.

Tous les acteurs sont parties prenantes de la même scène alors que leurs rôles sont différents, hiérarchisés, parfois conflictuels. La régulation réciproque est à coup sûr une constante humaine, une structure anthropologique que l'on retrouve dans tous les grands groupes socio-culturels. C'est ce qu'a bien fait ressortir G. Dumézil, c'est ce que la physique moderne a redécouvert à sa façon : la Relativité générale de Einstein en est le témoin. En chacun de ces grands groupes on retrouve un polythéisme certain, qu'il soit affirmé ou plus ou moins caché. Même quand il y a monovalence apparente d'une valeur (d'un dieu), on trouve toujours une valeur ou plusieurs valeurs alternatives, en *mezza voce,* qui ne manquent pas d'agir dans la structuration sociale et dans son équilibre : ainsi ce seront par exemple la multitude des mouvements hérésiarques au sein de la rigide Chrétienté médiévale, ou même le hassidisme populaire qui taraudera l'intransigeant monothéisme mosaïque[36].

A l'image de la chimie, on peut dire que tout est affaire de combinaison : par association différenciée des éléments on obtient tel ou tel corps spécifique, mais, à partir d'un changement minime ou en fonction du déplacement d'un élément, l'ensemble peut changer de forme. C'est ainsi, en fin de compte, que s'opère le passage d'un équilibre social à un autre. C'est dans le cadre d'une telle combinatoire que l'on a essayé d'apprécier le rôle du tiers, ce chiffre « trois » constituant des sociétés, mais par trop souvent oublié. Références historiques théoriques ou anecdotiques, entendaient souligner que sa prise en compte correspond toujours à un moment fondateur, un moment de *culture.* Par contre l'affaiblissement de la culture en civilisation, tend à favoriser le rétrécissement sur l'unité, à susciter la peur de l'Etranger. Une autre idée force est de postuler que l'effervescence induite par le tiers est corrélative d'une accentuation du peuple qui se conforte du jeu de la différence qu'il sait bénéfique à tout un chacun. Les images religieuses, mystiques, sont à cet égard éclairantes, car elles rappellent, et incarnent tant bien que mal au quotidien, cette utopie collective, cet imaginaire d'une communauté céleste où « nous serons tous identiques et différents. Comme sont identiques et différents tous les points d'une circonférence par rapport à son centre »[37].

On le voit, cette réflexion allusive et métaphorique n'est pas sans rapport avec la réalité contemporaine ; je l'ai indiqué à chaque tournant de l'analyse. La socialité qui s'esquisse sous nos yeux se fonde, avec plus ou moins de force suivant les situations, sur l'antique antagonisme de l'errant et du sédentaire. Comme dans tout passage d'une combinatoire à une autre, cela ne va pas sans crainte et tremblement, même de la part des observations qui restent également protagonistes sociaux. Mais si nous savons faire œuvre de lucidité ce qui, hors de toute attitude judicative, est notre seule exigence, nous saurons reconnaître pour paraphraser Walter Benjamin qu'il « n'est aucun document de culture qui ne soit aussi document de barbarie ».

# 6.

# De la proxémie

## 1. *La communauté de destin*

Obnubilés que nous sommes par ces grandes entités qui se sont imposées à partir du XVIIIe siècle : l'Histoire, la Politique, l'Economie, l'Individu, nous avons quelques difficultés à focaliser notre regard sur ce « concret le plus extrême » (W. Benjamin) qu'est la vie du tout venant. Il semblerait pourtant qu'il s'agisse là d'un enjeu non négligeable, en tout cas incontournable, dans les décennies à venir. Celui-ci n'est d'ailleurs pas nouveau, et au terme de cette démarche, fidèle à ma manière, j'essaierai de montrer à la fois son enracinement anthropologique et les modulations spécifiques qui peuvent être les siennes aujourd'hui.

Il est des moments où c'est moins l'individu qui compte que la communauté dans laquelle il s'inscrit. De même importe peu la grande histoire événementielle, mais les histoires vécues au jour le jour, les situations imperceptibles qui constituent justement la trame communautaire. Ce sont ces deux aspects qui me paraissent caractéristiques de ce qui peut être rendu par le terme « proxémie ». Cela nécessite naturellement que l'on soit attentif à la composante relationnelle de la vie sociale. L'homme en relation. Pas seulement la relation interindividuelle, mais également ce qui me lie à un territoire, à une cité, à un environnement naturel que je partage avec d'autres. C'est cela les petites histoires au jour le jour : *du temps qui se cristallise en espace.* Dès lors l'histoire d'un lieu devient histoire personnelle. Par sédimentation tout l'anodin — fait de rituels, d'odeurs, de bruits, d'images, de constructions architecturales — devient ce que Nietzsche appelait un « journal figuratif ». Journal où l'on apprend ce qu'il faut dire , faire, penser, aimer. Journal qui nous apprend « qu'ici on pourrait vivre puisqu'on y vit ». Ainsi se forme un « nous » qui permet à chacun de regarder « au-delà de l'éphémère et extravagante vie individuelle », qui permet de se sentir « comme l'esprit de la maison, de la lignée, de la cité ». On ne peut mieux dire le changement d'optique qu'il me paraît important d'effectuer. Focalisation différente. L'accent sera mis sur ce qui est commun à tous, sur ce qui est fait par tous, fût-ce d'une manière microscopique. « L'histoire venant du bas[1]. »

Il se trouve que régulièrement une telle accentuation ne manque pas de s'exprimer. Et l'on peut se demander s'il ne s'agit pas là de ces moments de fermentation où, certains grands idéaux s'étant saturés, s'élaborent par une mystérieuse alchimie les manières d'être qui vont régir nos destinées. C'est bien de transmutation dont il est question car rien n'est créé ; tel élément minorisé, mais toujours et à nouveau existant, revient sur le devant de la scène, prend une signification particulière et devient déterminant.

Ainsi en est-il des diverses formes de rassemblements primaires qui sont les éléments de base de toutes structurations sociales. Analysant la civilisation hellénistique, F. Chamoux observe que ce que l'on qualifie volontiers de période de décadence a pu être considéré comme « l'âge d'or de la cité grecque ». Celle-ci ne détermine peut-être plus une Histoire en marche, mais son intense activité quotidienne témoigne d'une vitalité propre, d'une force spécifique qui s'investissent dans l'affermissement de ce qui est la « cellule communautaire sur laquelle repose toute civilisation »[2]. En effet, les grandes puissances peuvent s'affronter pour régenter le monde en son entier ou faire l'Histoire ; la cité, elle, se contente d'assurer sa perdurance, de protéger son territoire, d'organiser sa vie autour de mythes communs. Mythe *versus* histoire. Pour reprendre une image spatiale, à l'extension *(ex-tendere)* de l'histoire s'oppose l'« in-tension » *(in-tendere)* du mythe qui va privilégier ce qui se partage avec le mécanisme d'attraction répulsion qui lui est inhérent.

C'est d'ailleurs cela qui est un des facteurs du polyculturalisme que l'on a déjà abordé (Ch. V). En effet, le couple *territoire-mythe* qui est le principe organisateur de la cité est cause et effet de la diffraction d'une telle structure. C'est-à-dire que telle une poupée gigogne, la cité recèle d'autres entités du même genre : quartiers, groupes ethniques, corporations, tribus diverses, qui vont s'organiser autour de territoires (réels ou symboliques) et de mythes communs. Ces cités hellénistiques reposent essentiellement sur la double polarité du cosmopolitisme et de l'enracinement (ce qui n'est pas sans produire la civilisation spécifique que l'on sait[3]). Qu'est-ce à dire sinon que la multiplicité des groupes, fortement unis par des sentiments communs, va structurer une mémoire collective qui dans sa diversité même est fondatrice. Ces groupes peuvent être de divers ordres (ethniques, sociaux), structurellement c'est leur diversité qui assure *l'unicité* de la cité. A l'image de ce que S. Lupasco dit du « contradictoriel » physique ou logique, c'est la *tension* des divers groupes les uns sur les autres qui assure la pérennité de l'ensemble.

La ville de Florence est à cet égard un exemple éclairant. Ainsi lorsque Savonarole voudra décrire l'idéal type d'une république, ce sera la structure florentine qui lui servira de modèle. Quel est-il ? Fort simple en vérité et bien différent de la connotation péjorative que l'on attribue en général au qualificatif « florentin ». Ainsi dans son *De Politia*, il fait reposer l'architectonique de la cité sur l'idée de proximité. La *civitas* est la combinaison naturelle d'associations plus réduites *(vici)*. C'est le jeu de ces éléments les uns sur les autres qui assure le meilleur système politique. D'une manière presque durkheimienne, il fait reposer la solidité du système sur ces « zones intermédiaires » qui échappent aussi bien à l'extrême richesse qu'à la trop grande pauvreté[4].

Ainsi l'expérience du vécu commun est cela même qui fonde la grandeur d'une cité. Il est vrai que Florence n'a pas manqué d'éclat. Et nombre d'observateurs soulignent ce que celui-ci doit à une antique « tradition civique populaire ». L'humanisme classique qui produisit les œuvres que l'on sait a pu ainsi être fécondé par la culture *volgare*[5]. Il est bon de rappeler ce fait, car si la politique extérieure de la ville ne fut pas des plus remarquables, sa vitalité intérieure, et ce dans tous les domaines, a laissé un impact qui fut longtemps prégnant. Or cette vitalité repose avant tout sur ce que l'on pourrait appeler un micro-localisme générateur de culture.

J'ai dit, il y a un instant « combinaison naturelle », ce naturel bien sûr est passablement culturel, *i.e.* issu d'une expérience commune, d'une suite d'ajustements qui tant bien que mal a su constituer une espèce d'équilibre à partir d'éléments fondamentalement hétérogènes. Harmonie conflictuelle en quelque sorte. Cela avait frappé M. Weber qui dans son essai sur la ville fait état du va-et-vient qui s'établit entre le peuple *(popolo)* et la structure politique. Bien sûr il ne s'agit que d'une tendance, mais elle ne laisse pas d'être instructive et rend bien compte de l'ajustement de la *civitas* et du *vicus* dont il a été question il y a instant. On y retrouve quelque chose de la dialectique cosmospolitisme/enracinement des cités hellénistiques, mais ici les deux pôles en seront la famille patricienne et le peuple. Celles-là tout d'abord se neutralisent en quelque sorte. Les « chefs des familles militairement et économiquement les plus puissantes se partageaient (les) places et les charges officielles assurant la gestion de la cité[6] ». Expression politique du polythéisme des valeurs, ce partage des honneurs est une manière, tout en le distribuant, de tempérer le pouvoir. En même temps grâce à cette structure quasiment étatique, la cité avait son autonomie propre (économique, militaire, financière) et pouvait de ce fait négocier avec les cités également autonomes.

Cependant cette autonomie était relativisée au sein de la cité même, par l'organisation du *popolo*. Ce dernier, faisant contrepoint aux patriciens, représentait « la fraternisation des associations professionnelles (*arti* ou *paratici*) ». Ce qui ne l'empêchait pas de recruter une milice et de rémunérer des salariés (le *Capitanus popoli* et son équipe d'officiers[7]). On peut dire que ces fraternisations issues de la proximité : quartiers, corporations, représentaient la « puissance », la sociabilité de base des cités concernées. C'est en ce sens que, quoiqu'il puisse y paraître, le proche, le quotidien est ce qui assure la souveraineté sur l'existence. Ponctuellement une telle constatation s'impose, et quelques exemples historiques ne manquent pas alors de l'illustrer, mais comme toujours ce qui se donne à voir dans ces moments paroxystiques ne fait que traduire une structure profonde qui assure en temps ordinaire la pérennité d'un ensemble social quel qu'il soit. Sans attacher à ce terme une connotation politique très précise, on peut dire que la constante « peuple », dans ses diverses manifestations est l'expression la plus simple de la reconnaissance du local comme communauté de destin.

Le noble, par opportunisme et/ou alliances politiques peut varier, changer d'appartenance territoriale, le marchand, de par les exigences mêmes de sa profession, ne manque pas de circuler, le peuple quant à lui assure la maintenance. Comme l'indique G. Freyre à propos du Portugal, c'est lui qui est « le dépositaire du sentiment national et non la classe dominatrice »[8]. Il faut bien sûr nuancer ce propos, mais il est sûr que face à une compromission fréquente dans les classes dirigeantes, l'on retrouve un certain « intransigeantisme » dans les couches populaires. Elles se sentent davantage responsables de la « patrie » ; en prenant ce terme dans son sens le plus simple : le territoire des pères. Cela se comprend, peu mobile le peuple est *stricto sensu* le « génie du lieu ». Sa vie au jour le jour assure la liaison entre le temps et l'espace. Il est le gardien « non-conscient » de la socialité.

C'est en ce sens qu'il faut comprendre la mémoire collective, la mémoire de la quotidienneté. Cet amour du proche et du présent est d'ailleurs indépendant des groupes qui le suscitent. Pour s'exprimer à la manière de W. Benjamin, c'est une *aura*, une valeur englobante ; ce que j'ai déjà proposé d'appeler une « transcendance immanente ». C'est une éthique qui sert de ciment aux divers groupes qui participent à cet espace-temps. Ainsi l'étranger et le sédentaire, le patricien et l'homme du peuple sont, *volens nolens*, partie prenante d'une force qui les dépasse et qui assure la stabilité de l'ensemble. Chacun de ces éléments est pour un temps prisonnier de cette *glutinum mundi* qui selon les alchimistes du Moyen Age assurait l'harmonie du total et du particulier.

Ainsi que je l'ai dit plus haut, il y a un lien étroit entre l'espace et le quotidien. Celui-là est certainement le conservatoire d'une socialité que l'on ne peut plus négliger. C'est ce que font ressortir de nombreuses recherches sur la ville. C'est ce que traduit l'interrogation, bien prudente encore, de H. Raymond en préface au livre de Young et Willmott : « Faut-il penser que, dans certains cas, morphologie urbaine et mode de vie ouvrier arrivent à former un tout harmonieux[9] ? » Bien sûr qu'une telle harmonie existe. C'est même le résultat de ce que je propose d'appeler la « communauté de destin ». Et pour qui connaît de l'intérieur les « courées » du Nord ou les « bâtisses » des villages miniers du Sud ou du Centre de la France, il ne fait pas de doute que c'est cette « morphologie » qui sert de creuset à l'ajustement des divers groupes entre eux. Naturellement, et l'on n'insistera jamais assez sur ce point, toute harmonie intègre une dose de conflit. La communauté de destin est une accommodation à l'environnement naturel et social, et comme telle doit se confronter à l'hétérogénéité sous ses diverses formes.

Cette hétérogénéité, ce contradictoire ne sont plus ceux de l'histoire sur laquelle on peut agir — en particulier par le moyen de l'action politique — mais ce avec quoi il faut négocier, ce avec quoi il faut composer tant bien que mal. Et cela on ne peut pas le juger à partir d'une vie qui ne serait pas aliénée, à partir d'une logique du « devoir-être ». En référence à la métaphore simmelienne du « pont et de la porte », ce qui relie et ce qui sépare, l'accentuation du spatial, du territoire, fait de l'homme relationnel un mixte d'ouverture et de réserve. Et l'on sait qu'une certaine affabilité est très souvent l'indice d'un puissant « quant-à-soi ». Tout cela pour bien indiquer que la proxémie ne signifie nullement unanimisme, elle ne postule pas, comme l'histoire, le dépassement du contradictoire, de ce (ou de ceux) qui gêne(nt). Selon l'expression triviale : « il faut faire avec ». D'où une *appropriation*, fût-elle relative, de l'existence. En effet ne misant pas sur une possible vie parfaite, sur un paradis céleste ou terrestre, l'on s'accommode de ce que l'on a. Et il est vrai, qu'au-delà des diverses et souvent bien pauvres déclarations d'intention, les protagonistes de la vie courante sont, d'une manière concrète, d'une très grande tolérance d'esprit envers l'autre, les autres, ce qui arrive. C'est ce qui fait que, d'une manière paradoxale, de la misère économique peut jaillir une indéniable richesse existentielle et relationnelle. En ce sens, la prise en compte de la proxémie peut être le bon moyen de dépasser notre habituelle attitude du soupçon, pour apprécier les intenses investissements personnels et interpersonnels qui s'expriment dans le tragique quotidien.

C'est à dessein que l'on emploie ici cette expression car les relations fondées sur la proximité sont loin d'être reposantes. Pour reprendre une expression connue, les « villages urbains » peuvent avoir des relations à la fois denses et cruelles. En effet le fait sans connaître l'autre avec exactitude, de savoir toujours quelque chose sur lui ne manque pas d'avoir des conséquences remarquables pour les modes de vie quotidiens. A l'opposé d'une conception de la ville formée d'individus libres ayant essentiellement des relations rationnelles — il suffit à cet égard de se souvenir de l'adage connu qui veut que l'esprit de la ville rende libre : *Stadtluft macht frei* — il semblerait que les mégalopoles contemporaines suscitent une multiplicité de petites enclaves fondées sur l'interdépendance absolue. A l'autonomie (individualisme) du bourgeoisisme est en train de succéder l'hétéronomie du tribalisme. De quelque nom que cela puisse s'appeler : quartiers, voisinages, groupes d'intérêts divers, réseaux, on assiste au retour d'un investissement affectif, passionnel dont on sait l'aspect structurellement ambigu et ambivalent.

Ainsi que je l'ai déjà dit, je décris ici une « forme » matricielle. En effet cette tendance affectuelle est une *aura* dans laquelle on baigne, mais qui peut s'exprimer d'une manière ponctuelle et éphémère. C'est cela aussi son aspect cruel. Et il n'est pas contradictoire, comme le dit Hannerz, d'y voir s'effectuer « des contacts brefs et rapides »[10]. Suivant les intérêts du moment, suivant les goûts et les occurrences l'investissement passionnel va conduire vers tel ou tel groupe, telle ou telle activité. J'ai appelé cela « unicité » de la communauté, ou union en pointillé. Ce qui naturellement induit l'adhésion et l'écart, l'attraction et la répulsion. Ce qui ne va pas sans déchirements et conflits de tous ordres. On est bien ici, et cela est une caractéristique des villes contemporaines, en présence de la dialectique masses-tribus. La masse étant le pôle englobant, la tribu celui de la cristallisation particulière. Toute la vie sociale s'organise autour de ces deux pôles dans un mouvement sans fin ; mouvement plus ou moins rapide, plus ou moins intense, plus ou moins « stressant » suivant les lieux et les gens. D'une certaine manière l'éthique de l'instant induite par ce mouvement sans fin permet de réconcilier la statique (espaces, structures) et la dynamique (histoires, discontinuités) que l'on pose en général comme étant antinomiques. A côté d'ensembles civilisationnels, qui vont être plutôt « réactionnaires », *i.e.* privilégiant le passé, la tradition, l'inscription spatiale, à côté d'autres ensembles « progressistes », qui vont plutôt mettre l'accent sur le futur, le progrès et la course vers l'avenir, on peut imager des agrégations sociales qui allient « contradictoriellement » ces deux perspectives, et vont faire de la « conquête du Présent » leur valeur essentielle. La dialectique masse-tribu peut alors servir à exprimer cette concurrence *(cum-currire)*[11].

Pour reprendre une thématique qui depuis G. Durand et E. Morin ne laisse plus les intellectuels indifférents, il faudrait reconnaître qu'il y a un processus sans fin qui va de la culturalisation de la nature à la naturalisation de la culture. Ce qui amène à comprendre le sujet dans son milieu à la fois naturel et social. Il convient à cet égard d'être attentif aux changements qui sont en train de s'opérer dans nos sociétés. Le modèle purement rationnel et progressiste de l'Occident, qui connut la mondialisation que l'on sait, est en voie de saturation, et l'on assiste à des interpénétrations de cultures qui ne sont pas sans rappeler le troisième terme (contradictoriel) dont il vient d'être question. A côté d'une occidentalisation qui, depuis la fin du siècle dernier fut galopante, on peut observer de nombreux indices qui renvoient à ce que l'on pourrait appeler une « orientalisation » du monde. Celle-ci s'exprime dans des modes de vie spécifiques, des nouvelles habitudes vestimentaires, sans oublier de nouvelles attitudes quant à l'occupation de l'espace et au corps. Sur ce dernier point en particulier, on peut rendre attentif au développement et à la multiplicité des « médecines parallèles » et diverses thérapies de groupe. Des recherches en cours font d'ailleurs ressortir que loin d'être marginales ces pratiques, sous des formes diverses, se capillarisent dans l'ensemble du corps social. Naturellement cela va de pair avec l'introduction d'idéologies syncrétistes qui, atténuant la classique dychotomie corps/âme, élaborent subrepticement un nouvel Esprit du temps auquel le sociologue ne peut pas être indifférent. Ponctuellement, on retrouve cette intrusion de « l'étrangeté », c'est ce qu'a bien montré Baltrusaïtis pour l'égyptomanie, mais il semblerait que le processus qu'il amorce ne soit plus réservé à une élite, et surtout sécrète ces petites tribus qui par concaténations et entrecroisements divers font effet de culture[12].

Or la caractéristique essentielle des indices que l'on vient d'indiquer est bien une nouvelle donne dans le rapport espace-temps. Pour reprendre les notions proposées depuis le début l'accent est mis sur le proche et sur l'affectuel : ce qui unit à un lieu, lieu qui est vécu avec d'autres. A titre d'illustration heuristique, je ferai ici référence à A. Berque qui déclare « qu'il n'est pas impossible que certains aspects actuels de la culture occidentale recoupent certains aspects traditionnels de la culture japonaise »[13]. Or si l'on suit avec attention son analyse sur ce point, on remarque que les points forts de ce recoupement ont trait à l'accentuation du global, de la nature, du rapport à l'environnement, toutes choses qui induisent un comportement de type communautaire : « Le rapport nature/culture, et le rapport sujet/autrui, sont liés indissolublement à la perception de l'espace » (p. 35). S'abstraire le moins possible de son milieu, qu'il faut ici comprendre dans son sens le plus large, renvoie, *strictissimo sensu*, à une vision symbolique de l'existence. Existence où seront privilégiées les « perceptions immédiates et les références prochaines » (p. 37). La liaison du spatial, du global et de l'« intuitivo-émotionnel » (p. 32) s'inscrit tout à fait dans la tradition oubliée, déniée, décriée, du holisme sociologique. Celle d'une solidarité organique, celle de l'être-ensemble fondateur, qui peut ne pas avoir existé mais qui n'en reste pas moins le fondement nostalgique, directement ou *a contrario*, de nombre de nos analyses. La thématique de l'*Einfühlung* (empathie), qui nous vient du romantisme allemand est ce qui exprime le mieux cette piste de recherche[14].

Aussi paradoxal que cela puisse paraître, l'exemple japonais pourrait être une expression spécifique de ce holisme, de cette correspondance mystique qui conforte le social comme *muthos*. En effet que ce soit dans l'entreprise, dans la vie quotidienne, dans les loisirs, peu de choses semblent lui échapper. Il se trouve que le mixte contradictoriel que cela induit n'est pas sans conséquence aujourd'hui et ce à quelque niveau que ce soit : politique, économique, industriel ; ce qui ne manque pas non plus d'exercer une fascination certaine sur nos contemporains. Faut-il parler comme le fait Berque d'un « paradigme nippon » (p. 201) ? C'est possible. Surtout si le terme paradigme, à l'opposé du modèle, fait état d'une structure souple et perfectible. Ce qui est certain, c'est que ce paradigme rend bien compte de la dialectique masse-tribu qui m'occupe principalement ici, de ce mouvement sans fin et quelque peu indéfini, de cette « forme » sans centre ni périphérie toutes choses composées d'éléments qui, suivant les situations et les expériences en cours, s'ajustent en des figures changeantes suivant quelques archétypes préétablis. Ce grouillement, ce bouillon de culture a de quoi faire vaciller nos raisons individualistes et individualisantes. Mais après tout, est-ce que cela est bien nouveau ?

D'autres civilisations se sont fondées sur les jeux rituels de *persona* désindividualisées, sur les rôles vécus collectivement, ce qui n'a pas manqué de produire des architectoniques sociales solides et « relevantes ». Ne l'oublions pas la confusion affectuelle du mythe dionysiaque a produit des faits civilisationnels d'importance ; il est possible que nos mégapoles servent de cadre à leur renaissance.

## 2. *Genius loci*

A de multiples reprises j'ai essayé d'indiquer que l'accentuation du quotidien n'était pas un rétrécissement narcissique, une frilosité individualiste, mais bien un recentrement sur quelque chose de proche, une manière de vivre au présent et collectivement l'angoisse du temps qui passe. D'où l'ambiance tragique (*versus* le dramatique qui, lui, est progressiste) qui caractérise ces époques. Il est aussi intéressant de noter que celles-ci privilégient le spatial et ses diverses modulations territoriales. Sous forme lapidaire on peut donc dire que l'espace est du temps concentré. L'histoire se raccourcit en histoires vécues au jour le jour.

Un historien de la médecine fait à cet égard un remarquable parallèle entre le « chaud inné hippocratique » et le feu de l'autel domestique indo-européen. Tous deux sont ressentis, dit-il, « comme sources de chaleur d'un genre particulier. Tous deux sont situés en des points centraux et dissimulés : l'autel antique dédié au culte familial au milieu de la maison et invisible de l'extérieur, le chaud inné procédant de la région du cœur, cachée au plus profond du corps humain. Et tous deux symbolisent la force protectrice... »[15]. Cela rejoint mon hypothèse de la centralité souterraine qui caractériserait la socialité. D'où l'importance du « génie du lieu » ; ce sentiment collectif qui façonne un espace, lequel rétroagit sur le sentiment en question. Celui-ci nous rend attentif au fait que toute forme sociale s'inscrit dans un sillon tracé par les siècles, qu'elle en est tributaire, et que les manières d'être qui la constituent ne peuvent être saisies qu'en fonction de ce substrat. En résumé toute la thématique de l'*habitus* thomiste ou de l'*exis* aristotélicien.

Il s'agit là d'un fil rouge d'antique mémoire. Le culte d'Aglaure, symbolisant la cité d'Athènes, ou encore les dieux Lares des familles romaines en témoignent. E. Renan ironise sur ce qu'il appelle des « enfantillages municipaux » qui ne permettraient pas d'accéder à la religion universelle[16]. Ironie bien facile car culturelle, cette « municipalisation » avait bien en effet une fonction de « reliance », qui fait d'un ensemble indéfini un système harmonique, où tous les éléments, d'une manière contradictorielle, s'ajustent et confortent le tout. C'est ainsi qu'en élevant des autels à la gloire d'Auguste les romains intégraient les cités conquises à cette nébuleuse à la fois solide et souple qu'était l'empire romain. En ce sens la religion civile a, *stricto sensu*, une fonction symbolique. Elle exprime au mieux une transcendance immanente qui tout en dépassant l'atomisation individuelle ne doit son caractère général qu'aux éléments qui la composent. Ainsi « l'autel domestique » que ce soit celui de la famille ou, par contamination, celui de la cité, est le symbole du ciment sociétal. Foyer où l'espace et le temps d'une communauté se donnent à lire ; foyer qui légitimise, toujours et à nouveau, le fait d'être ensemble. Chaque moment fondateur a besoin d'un tel lieu : que ce soit sous forme d'anamnèse tels les divers moments festifs, que ce soit par scissiparité lorsque le colon ou l'aventurier emporte un peu de terre natale pour servir de fondement à ce qui va être une nouvelle cité.

On le sait, le christianisme à sa naissance réinvestit ce localisme. C'est même autour de tels lieux collectifs qu'il s'affermit. Il suffit à ce propos de se reporter aux travaux de P. Brown pour s'en convaincre. Celui-ci parle même de « culte des saints municipaux ». C'est autour d'un *topos*, lieu où enseigne et où est enterré un saint homme, qu'une église se fonde, se construit et diffuse. Puis, peu à peu, ces *topoï* se lient les uns aux autres par les liens souples dont il a été question. Avant d'être l'organisation surplombante que l'on sait, l'Eglise est en son début l'alliance volontaire, on pourrait dire fédérative, d'entités autonomes qui ont leurs traditions, leurs manières d'être religieuses, et parfois même leurs idéologies (théologies) spécifiques. « Les associations locales restaient très fortes » ou encore, tel ou tel *topos* suscitait un « patriotisme local intense » ; c'est en ces termes que Brown décrit l'essor du christianisme autour du pourtour méditerranéen[17]. Pour lui c'est parce qu'il y avait ces *topoï* où s'investissaient les sentiments collectifs, c'est parce que chaque communauté avait « son » saint, que l'Eglise a pu s'implanter et fonder civilisation. Cette tradition localiste aura un solide et durable développement, et ne pourra jamais complètement être annihilé par la tendance centralisatrice de l'Eglise institutionnelle.

Pour ne donner que quelques exemples, on peut rappeler qu'ultérieurement ce sont les monastères, qui vont jouer ce rôle de point de référence. Et ce principalement parce qu'ils étaient des conservatoires de reliques. Duby dit à ce propos, que le saint « y tenait résidence corporellement par les vestiges de son existence terrestre »[18]. C'est principalement grâce à cela que les monastères vont devenir des havres de paix, qu'ils vont d'une part étendre cette fonction de conservation aux arts libéraux, à l'agriculture, à la technique et d'autre part qu'ils vont essaimer et constituer un réseau serré de maisons, qui seront comme autant de foyers de rayonnement pour ce qui va devenir l'Occident chrétien. Il y aurait lieu de réfléchir sur ce qui est plus qu'une métaphore : conservation du saint/conservation de la vie ; l'enracinement (plus ou moins mythique d'ailleurs) d'un saint devenant foyer, dans le sens fort du terme, d'une histoire en devenir. Pour jouer sur les mots, on peut dire que le *lieu devient lien.* Cela nous rappelle que nous sommes peut-être en présence d'une structure anthropologique qui fait que l'agrégation autour d'un espace est une donnée de base de toute forme de socialité. Espace et Socialité.

En tous cas, dans le cadre des hypothèses réflexives que je propose ici, ce rapport est la caractéristique essentielle de la religion populaire. Terme qui fait frémir plus d'un, tant il est vrai que le clerc, celui qui sait, a toujours du mal à ne pas prendre une vue surplombante, à ne pas s'abstraire de cela même qu'il veut décrire. Et pourtant ce terme de religion populaire est adéquat, d'ailleurs c'est presque une tautologie connotant en la matière ce qui est de l'ordre de la proxémie. Avant d'être une théologie, ou même une morale précise, la religion est avant tout un lieu. « On a une religion comme on a un nom, une paroisse, une famille »[19]. Cela est une *réalité* ; tout comme ce qui me fait élément d'une nature dont je me sens partie prenante. On retrouve ici la notion de holisme : la religion qui se définit à partir d'un espace est un ciment qui agrège dans un ensemble ordonné, à la fois social et naturel. Il s'agit là d'une constante remarquable qui est structurellement signifiante. En effet le culte des saints dans la religion populaire, peut être utile pour apprécier contemporainement l'efficace social de tel gourou, de tel joueur de football, de telle vedette locale, ou même de tel notable charismatique. La liste en la matière étant loin d'être close. Or, si l'on en croit les spécialistes, ce qui va caractériser les pratiques religieuses populaires : piété, pèlerinages, cultes des saints, c'est le caractère local, l'enracinement quotidien et l'expression du sentiment collectif. Toutes choses qui sont de l'ordre de la proximité. L'institution peut récupérer, réguler et gérer le culte local de tel ou tel saint, et ce avec plus ou moins de bonheur, il n'en reste pas moins qu'il y a d'abord de la spontanéité ; qu'il faut comprendre comme ce qui surgit, ce qui exprime un vitalisme propre.

Cette religion vivante, naturelle, on peut la résumer avec D. Hervieu-Léger qui y voit l'expression de relations « chaudes, fondées sur la proximité, le contact, la solidarité d'une communauté locale »[20]. On ne peut mieux dire ce qui lie religion et espace comme double polarité fondatrice d'un ensemble donné. La proximité physique, la réalité quotidienne ont autant d'importance que le dogme que la religion est censée véhiculer. En fait, c'est le contenant qui ici prévaut sur le contenu. Cette « Religion du sol », est des plus pertinentes pour apprécier la multiplication des « villages urbains », les relations de voisinage, la réactualisation du quartier, toutes choses qui mettent l'accent sur l'intersubjectivité, l'affinité, le sentiment partagé. A ce propos j'ai parlé plus haut d'une transcendance immanente, on pourrait maintenant dire que la religion populaire rattache « le divin à l'horizon mental quotidien de l'homme »[21] ; ce que ne manque pas d'ouvrir de vastes pistes de recherche. Mais plus que toute autre chose, ces remarques mettent l'accent sur la constante territoriale de la dimension religieuse. Le sol est ce qui donne naissance, ce qui permet la croissance, ce où meurent toutes les agrégations sociales et leurs sublimations symboliques.

Voilà qui peut sembler bien mystique. Mais il s'agit comme l'a fort bien montré Ernst Bloch d'une spiritualité matérialiste, j'ajouterai bien enracinée ; ou mieux, du mélange inextricable d'un imaginaire collectif et de son support spatial. Pas de prééminence donc, mais une réversibilité constante, un jeu d'actions-rétroactions entre les deux polarités de l'existence. Pour faire image, disons que la vie sociale est le courant qui, dans un processus sans fin, passe entre ces deux bornes indiquées. En la matière qu'est-ce à dire, sinon que la liaison du sentiment collectif et de l'espace est l'expression d'une architectonique harmonieuse où pour reprendre l'image du psalmiste « tout ensemble fait corps ».

Sans pouvoir, faute de compétence, s'y étendre, on peut renvoyer au candomblé brésilien[22]. Moins pour ses représentations syncrétistes que pour son organisation territoriale. En effet, l'harmonie symbolique est frappante à l'intérieur d'un *terreiro*. L'ordonnancement des maisons, lieux de culte et d'éducation, le rôle que joue la nature, que ce soit en majuscule, comme c'est le cas dans les grands *terreiros*, ou en modèle réduit ainsi qu'on peut le voir en une seule pièce, tout cela montre bien le mixte étroit, le holisme des divers éléments sociaux. D'autant que pour ceux qui y vivent bien sûr, mais également pour ceux qui n'y viennent qu'occasionnellement, le *terreiros* est le lieu de référence. On « est » de tel ou tel *terreiro*. Il est intéressant de remarquer que la symbolique induite par ce modèle se diffracte ensuite en mineur dans l'ensemble de la vie sociale. Le paroxysme cultuel, sous ses diverses expressions, même lorsqu'il n'est pas revendiqué en tant que tel, ne manque pas d'informer une multiplicité de pratiques et de croyances quotidiennes, et ce transversalement : dans toutes les villes et bourgades du pays. Ce processus mérite attention, car dans un pays dont les potentialités technologiques et industrielles sont maintenant reconnues par tous, cette perspective « holistique » due au candomblé est loin de s'affaiblir. Ou alors pour parler comme Pareto il représente un « résidu » essentiel (quintessentiel) à toute compréhension sociale. En tous cas il s'agit là d'une modulation spécifique du rapport espace-socialité, enracinement traditionnel — perspective post-moderne, en bref d'une logique contradictorielle de la statique et de la dynamique, qui en la matière arrive à s'articuler harmonieusement.

Or, pour revenir à la spiritualité matérialiste dont j'ai parlé, que nous apprend cette logique ? Principalement que l'espace assure à la socialité une sécurisation nécessaire. On le sait la borne enclot, mais donne la vie. Toute la sociologie « formiste » peut se résumer dans cette proposition[23]. Tout comme les rituels d'anamnèse ou la poignée de terre dont j'ai parlé, tout comme le concentré cosmique que sont le *terreiro*, l'autel domestique romain ou japonais, la stabilité de l'espace est un point de référence, un point d'ancrage pour le groupe. Elle permet une certaine perdurance dans le grouillement et l'effervescence d'une vie en perpétuel recommencement. Ce que Halbwachs dit du logement familial : « image apaisante de sa continuité », on pourrait l'appliquer à nos tribus contemporaines. En adhérant à sa place, un groupe transforme (dynamique) et s'adapte (statique). C'est en ce sens que l'espace est un donné social qui me fait et qui est fait. Tous les rituels individuels ou collectifs, dont on recommence à reconnaître l'importance, sont cause ou effet d'une telle permanence. Il s'agit là véritablement d'une « société silencieuse » d'une « puissance du milieu matériel » (Halbwachs)[24] qui est nécessaire à l'équilibre existentiel de tout un chacun comme du groupe en son entier. Que ce soit le mobilier familial ou le « mobilier » urbain, que ce soit ce qui borne mon intimité ou l'architecture qui lui sert de cadre (murs, maisons, rues, connus et familiers), tout cela fait partie d'une proxémie fondatrice qui accentue la prégnance du cadre spatial. Tout cela à la fois sécurise et permet la résistance ; dans le sens simple du terme, ce qui permet de perdurer, ce qui permet que l'on ne cède pas aux diverses impositions naturelles et sociales. C'est cela la communauté de destin. En ce sens le « génie du lieu » n'est pas une entité abstraite, c'est aussi un malin génie qui travaille continuement le corps social et permet la stabilité de l'ensemble *au-delà et au travers* de la multiplicité des variations de détails.

Il y a là une dialectique à laquelle on a été curieusement bien peu attentif. Soucieux que l'on était de souligner, d'accentuer l'aspect *évolutif* de l'humanité. Mais pour appliquer ici une distinction développée par M. Worringer, s'il est des moments où la production sociale, *i.e* l'accomodation au monde, est essentiellement « abstractive » (mécanique, rationnelle, instrumentale), il en est d'autres où elle renvoie à l'*Einfühlung* (organique, imaginaire, affectuelle). Ainsi que je l'ai indiqué, il est des époques où, selon des pondérations différenciées, on retrouve ces deux perspectives conjointement. Ainsi l'architecture des villes, que l'on doit comprendre ici dans le sens simple du terme : ajustement à un espace donné, cette architecture donc peut être à la fois l'application d'un développement technologique précis, et dans le même mouvement l'expression d'un être-ensemble sensible. Celle-là renvoyant à la dynamique, celle-ci privilégiant la statique sociale. C'est cette dernière qui nous intéresse ici. Ce que l'on a appelé le souci de sécurisation en est issu. Dans une recherche inaugurant sa réflexion sur la (les) ville(s), A. Médam parle même à ce propos « des besoins ancestraux de protection », qu'il relie d'ailleurs à l'imaginaire collectif et à la vie quotidienne[25]. L'abri, le refuge comme réalité souterraine, mais non moins souveraine, de toute vie en société. La *puissance* de la socialité répondant, sans forcément s'opposer, au *pouvoir* de la structure économico-sociale. En négligeant cette tension paradoxale au risque d'oublier qu'à côté de l'abstraite responsabilité politique, qui a prévalu théoriquement et pratiquement depuis le XIX^e siècle, il existe une responsabilité bien plus concrète qui est celle de l'espace vécu, du territoire commun. Bien sûr, alors que celle-là est par nature macroscopique, celle-ci est le fait du petit nombre puisqu'elle est issue d'une expérience partagée. Ce que je propose d'appeler une *esthétique* existentielle.

Une telle perspective se prête mal aux idéologies individualistes ou à la thématique de la libération issues de la philosophie des Lumières. Pour reprendre une analyse de C. Bouglé le « sentiment des communes responsabilités » vis-à-vis du sol, et la solidarité que celui-ci induit ne s'accordent pas aux « initiatives indépendantes des individus ». Il s'agit d'une réflexion sur le régime des castes, mais cette valorisation de la proxémie dans les « joint-villages » peut être éclairante pour le resurgissement tribal. Il en est de même pour ce qui concerne la fameuse *obscina* du pré-socialisme russe. Tout comme pour ce qui concerne les castes et leur interdépendance, cette commune paysanne était liée à une structure féodale, et comme telle dans le cadre de la rationalisation du monde, méritait d'être détruite, mais « du point de vue de paysans » elle était grosse d'idéaux de solidarité qui méritaient attention. Ce que les populistes ou les anarchistes ne manquèrent pas de faire[26].

Dans l'un et dans l'autre cas la servitude ou une structure sociale aliénante est affrontée collectivement. Et cette communauté de destin se fonde sur la responsabilité commune, fût-elle symbolique, d'un territoire. On peut émettre l'hypothèse que la dépendance et la servilité peuvent être tout à fait secondaires, dès lors qu'elles sont relativisées, partagées dans le cadre d'une liaison affectuelle. J'entends d'ici les cris d'orfraie des « belles âmes »; dénonçant au mieux l'anachronisme, au pire, l'aspect réactionnaire d'une telle hypothèse. Qu'importe, car pour peu que l'on apprécie d'une manière sereine et désillusionnée nombre de structurations sociales, on se rend compte qu'au-delà des prétentions à une autonomie abstraite, elles comportent toutes une forte charge d'hétéronomie avec laquelle il faut négocier. Cette négociation peut aboutir à l'affrontement politique (dominante historique), elle peut parfois s'investir dans l'élaboration de refuges collectifs (dominante spatiale). Il ne nous appartient pas de décider ce qui est le mieux, mais bien de constater que cette seconde attitude ne manque pas d'avoir son efficace propre.

A ce propos, il est un paradoxe qui mérite attention. Tout en pouvant repérer, ici ou là, un rapport entre le peuple juif et l'agriculture, on peut s'accorder sur le fait que ce ne fut pas une caractéristique dominante dans son histoire. Etant bien entendu que cela résulte d'un pluricausalisme qui échappe à toute réduction simplificatrice. Il n'en reste pas moins comme le dit avec pertinence F. Raphaël que « le rapport des juifs à la terre est à la fois plus complexe et plus ambigu »[27]. En effet, ceux-ci semblent être les protagonistes par excellence d'une vision dynamique (historique) du monde. Ce qui est pour partie vrai. Mais *en même temps*, la diaspora, l'extranéité juive n'a de sens que par rapport au pays de Canaan. Il existe une Terre qui est, au sens simple du terme, « mythique ». Elle fonde l'union, elle conforte la communauté. Celle-ci peut être dispersée, elle n'en reste pas moins organiquement solidaire et ce à partir d'un processus de constante anamnèse territoriale. Cet attachement à un lieu fut, *stricto sensu*, un éthos qui assura la perdurance de la communauté au travers des multiples vicissitudes, et non des moindres, que l'on sait. Voilà le paradoxe : ponctuant un long développement historique, la terre « mythique » va se diffracter en une diversité de territoires qui pourront être éphémères, fragiles, toujours menacés, mais qui n'en constitueront pas moins des refuges, toujours et à nouveau renaissants où les différentes communautés juives vont se conforter.

A cet égard, le ghetto est quasiment un archétype de ce que l'on essaie de décrire. Louis Wirth, dans son livre maintenant classique, montre bien comment, tant en Europe qu'aux Etats-Unis, le ghetto offrait cet espace de sécurité, ce « bercail familial » qui tout en rappelant les origines avait une fonction de recréation. Ainsi à l'opposé du formalisme qui régit ses rapports avec le monde des Gentils, le juif trouve dans le ghetto, une langue, des rituels quotidiens, des cercles d'amitié, en bref la familiarité qui rend la vie tolérable. L'analyse insiste bien sur la structure des « petits groupes » qui prévaut à l'intérieur du ghetto, et sur l'ambiance « émotionnelle » qui en résulte[28]. Pour reprendre l'image de la poupée gigogne, le ghetto s'insère dans le grand ensemble ville, et il sert lui-même d'englobant à une multiplicité de sous-groupes qui se rassemblent en fonction de leurs lieux d'origine, de leurs préférences doctrinales et cultuelles comme autant de tribus se partageant un territoire commun.

Ce que l'on peut retenir de cet exemple, c'est bien la jonction entre d'une part l'inscription spatiale et d'autre part le ciment émotionnel. C'est en ce sens que le ghetto peut permettre d'éclairer nombre de regroupements contemporains qui à la fois se définissent à partir d'un territoire et à partir d'un partage affectuel. Quel que soit en la matière le territoire en question ou le contenu de l'affection : intérêts culturels, goûts sexuels, soucis vestimentaires, représentations religieuses, motivations intellectuelles, engagements politiques. On peut multiplier à loisir les facteurs d'agrégation, ils peuvent par contre être circonscrits à partir de ces deux pôles que sont l'espace et le symbole (partage, forme spécifique de solidarité, etc.). C'est cela qui caractérise au mieux l'intense activité communicationnelle qui de multiples manières sert de terreau à ce que j'appelle ici le néo-tribalisme. Précisons que ce fait n'avait pas échappé à Durkheim qui réfléchissant sur les « groupes secondaires » avait bien remarqué à la fois la « base territoriale » et le « voisinage matériel »[29]. Cette attention à la proxémie au moment où la « Division du travail social » était à son apogée mérite d'être notée. Elle montre bien que toute société repose sur une espèce de contrat entre les vivants, les morts et ceux qui sont à venir. Je veux dire par là que l'existence sociale n'est possible en quelque lieu que ce soit parce qu'il y a une *aura* spécifique à laquelle, *volens nolens,* nous participons. Le territoire étant la cristallisation spécifique d'une telle *aura.* La vie de quartier, avec ses petits rituels, peut s'analyser à partir de cet étrange *phylum*. C'est ce qu'en termes à peine moins métaphoriques Durkheim appelle le holisme.

Toute la force du quotidien, même lorsqu'elle passe inaperçue, repose sur ce *phylum*. La socialité ou la proxémie est ainsi constituée d'une constante sédimentation qui fait trace, qui fait « territoire ». L'étranger, l'errant s'intègre ou refuse cette sédimentation, il peut même en créer une autre (cf. le polyculturalisme), mais il est obliger de se déterminer par rapport à elle. Pour faire image j'emprunterai un aphorisme à Ebner-Eschenbach : « L'ambroisie des siècles passés est le pain quotidien des temps à venir *(Die Ambrosie der früheren Jahrhunderte ist das tägliche Brot der späteren)*. » La triade temporelle est ici résumée, et l'aphorisme rend bien compte de la spiritualité matérialiste qui d'une manière non-consciente, ou sans être spectaculaire, informe en profondeur la vie courante et les expériences collectives. Comme je l'ai indiqué à plusieurs reprises cela traduit contradictoriellement l'enracinement dynamique caractéristique de toute société.

L'inscription spatiale et sa connotation symbolique ou mystique que je viens de dégager, rejoint tout à fait la tradition orgiastico-dionysiaque qui selon certains sociologues (M. Weber, K. Mannheim, M. Scheler) est une constante sociale (ne l'oublions pas Dionysos est une divinité « arbustive », enracinée). Or le propre de cette tradition est de reposer sur « l'ex-tase », la sortie de soi. M. Scheler fait un parallèle entre ce processus et celui de l'identification. Je m'identifie à tel lieu, tel totem, telle pierre parce qu'ils m'intègrent dans la lignée des ancêtres. Il parle même à ce propos de « pierres humaines ». Bien sûr cette identification est émotionnelle et collective, elle induit une « fusion affective symbolique »[30]. Il s'agit là d'une thématique maintenant bien connue, et le terme même de « dionysiaque » (re)commence, au grand dam des pisse-vinaigre de la théorie, à faire partie de nombre d'analyses sociologiques. Ce par contre qu'il importe d'accentuer, c'est son aspect chtonien, ce sont ses expressions qui renvoient à ce qui est territorialisé, matérialisé ou incarné ; et ce dans le sens fort du terme. Il faudrait même voir si la thématique de la réincarnation, de la résurrection, de la métempsychose, en postulant la perdurance, en assurant la stabilité d'un *phylum*, n'est pas à rapprocher des procédures d'identification à fortes consonances spatiales. En tout cas de telles mises en perspective mythico-anthropologiques ne devraient pas manquer d'éclairer les multiples formes d'effervescences extatiques contemporaines (musicales, sexuelles, consommatoires, sportives etc.) qui d'une manière plus ou moins durable « font corps », délimitent un territoire, en bref réinvestissent ces valeurs archaïques, primitives de proxémie que le rationalisme, trop facilement, avait cru annihiler.

En résumant les exemples et notations donnés, on peut dire qu'il y a une étroite relation entre le territoire et la mémoire collective. Ce qui a pu faire dire à M. Halbwachs que pour ce qui concerne leurs villes, maisons ou appartements, les groupes « dessinent en quelque sorte leur forme sur le sol et retrouvent leurs souvenirs collectifs dans le cadre spatial ainsi défini »[31]. Il s'agit là d'une forte expression qui fait voler en éclat la trop stricte barrière établie entre l'histoire sociale et son inscription en un lieu déterminé. De plus cela ne manque pas d'illustrer ce que j'entends faire ressortir ici : la revalorisation de l'espace est corrélative de celle d'ensembles plus restreints (groupes, « tribus »). La proxémie symbolique et spatiale privilégie le souci de laisser sa trace, c'est-à-dire de témoigner de sa pérennité. C'est cela la vrai dimension esthétique de telle ou telle inscription spatiale : servir de mémoire collective, servir à la mémoire de la collectivité qui l'a élaborée. Par après bien sûr ces inscriptions peuvent être passibles d'analyses esthétiques *stricto sensu,* et deviennent en ce sens œuvres de la culture, mais il ne faut pas oublier qu'elles dépassent, et de beaucoup, ce qui n'est trop souvent qu'une réduction abstraite et intellectuelle. Dans cette perspective la cathédrale ne vaut pas plus que la décoration kitch d'un lotissement de jardins ouvriers, les graffiti ou pochoirs urbains peuvent être comparés aux peintures des grottes préhistoriques[32]. Dans chacun de ces cas un groupe se dit, délimite son territoire et ainsi conforte son existence.

Enfin, quoiqu'il ne soit pas possible de le développer avec précision, il faut établir un parallèle entre la proxémie et l'importance que (re)prend l'imaginaire dans la vie sociale. Il faudrait presque en la matière établir une « loi » sociologique : chaque fois, que la méfiance vis-à-vis de l'image tend à prévaloir (iconoclasme, monovalence rationaliste) s'élaborent des représentations théoriques et des modes d'organisation sociale qui ont le « lointain » comme dénominateur commun ; on assiste alors à la domination de la politique, du linéarisme historique, toutes choses qui sont essentiellement prospectives. Par contre quand l'image sous ses diverses modulations revient sur le devant de la scène, c'est alors le localisme qui devient une réalité incontournable.

Pour ne prendre qu'un exemple historique qui peut servir de tremplin à notre analyse, on peut rappeler qu'au moment où se constitue la civilisation chrétienne, l'iconoclasme est la bannière idéologique sous laquelle se rangent les tenants du centralisme, alors que l'iconodulisme est le fait de ceux qui privilégient l'expression des sentiments locaux. Bien sûr, il y a une rationalisation théorique, théologique en la matière, qui est donnée à ce conflit, mais l'essentiel est de savoir quelle forme prendra l'organisation de la société. Et Peter Brown qui analyse ce conflit parle même de *« jacobinisme iconoclaste »*. Tous les moyens sont bons pour extirper les cultes locaux, tout simplement parce qu'ils gênent l'activité d'un gouvernement central. Ces cultes locaux s'organisent autour d'un saint homme et d'une icône spécifique ; or « l'un et l'autre recevaient leur consécration *d'en bas* ». A partir de là s'échafaudait tout un système complexe d'interelations entre les divers *topoï* qui constituaient une véritable société parallèle échappant à l'organisation centralisée qui se mettait en place[33]. On peut retenir de ce processus le rôle de l'icône qui légitimait le contre-pouvoir du saint homme et servait de cristallisation à l'expression des sentiments des groupes locaux.

En bref dans la solitude inhérente à tout milieu urbain, l'icône, familière et proche, est un point de repère qui s'inscrit dans le quotidien. Elle est le centre d'un ordre symbolique complexe et concret où chacun a un rôle à jouer dans le cadre d'une théâtralité globale. Elle permet ainsi la reconnaissance de soi par soi, la reconnaissance de soi par les autres, et enfin la reconnaissance des autres. C'est cela la force empathique de l'image qui régulièrement resurgit pour pallier les effets mortifères de l'uniformisation et de la commutativité qu'elle induit. Il convient naturellement d'apprécier quelles peuvent être les modulations contemporaines de ce que l'on vient d'appeler icône. Celles-ci sont diverses, et chacune d'entre elles nécessiterait une analyse spécifique et approfondie. Je me suis contenté ici d'en dégager la logique ou encore la « forme ». Mais celle-ci devrait permettre de faire ressortir la fonction « imaginale » d'une multiplicité d'emblèmes locaux. Ainsi que je l'ai déjà signalé, ceux-ci peuvent être aussi bien des notabilités de quelque ordre que ce soit, des animaux auxquels le groupe s'identifie, des lieux spécifiques ou des produits du terroir. Chacun étant bien sûr éponymique.

On peut rajouter que la prégnance de l'image emblématique est accrue par le développement technologique. En effet, alors qu'en son début l'image publicitaire ou télévisuelle était globalement suspectée, en particulier comme étant porteuse d'un message idéologique unique et aliénant, l'on se rend compte pour ce qui concerne la publicité d'une part qu'elle prend sa source dans quelques figures archétypales, et d'autre part, qu'en fonction de cela, elle s'adresse à des publics « ciblés », ce que j'appelle ici des tribus, qui suscitent et se reconnaissent dans telle ou telle manière de représenter, d'imaginer, les produits, les biens, les services, les manières d'être, qui les constituent en tant que groupes. Quant à la télévision, de par son éclatement, elle n'est plus porteuse d'un seul et unique message valable pour tous. En effet, même si ce que l'on avance ici n'est qu'une tendance, il faut reconnaître qu'elle s'adresse de plus en plus à des ensembles particuliers : que ce soit celui des groupes d'âges, celui des régions, des villes, voire de quartier. Des exemples tels ceux des immeubles « cablés » ne peuvent que renforcer ce processus. Qu'est-ce à dire, sinon que l'image n'est plus lointaine, surplombante, totalement abstraite, mais qu'elle s'inscrit dans la proximité. Pour le meilleur ou pour le pire, là n'est pas la question, elle va jouer le rôle de l'icône familière. Un immeuble ou un quartier va se donner en spectacle à lui-même. Dans le cadre de la mégalopole, l'image télévisuelle va s'inscrire dans un rapport tactile, émotionnel, affectuel ; et de ce fait va conforter la tribu en tant que telle, tout en créant pour elle un espace de sécurisation. On le voit l'enjeu théorique est d'importance, d'autant que si on y est attentif, c'est bien « d'en-bas » que surgissent ces nouvelles manifestations de l'être-ensemble.

Ce qui est certain, c'est que tout cela renvoie à l'espace. Il y a dans les divers exemples que l'on a donnés, une connotation territoriale. S'appuyant sur des recherches linguistiques, A. Berque fait une distinction entre langues « égocentriques » et langues « lococentriques »[35]. Il est certainement possible d'extrapoler son analyse et de reconnaître qu'il existe des cultures à dominante « égocentrique », et d'autres qui seraient « lococentriques ». Les premières privilégiant l'individu, ses actions concertées, les secondes mettant davantage l'accent sur l'environnement que celui-ci soit naturel ou social. On peut également envisager qu'au sein d'une même culture on trouve des séquences différentielles. L'accent étant mis parfois sur ce qui individualise, parfois au contraire sur l'aspect collectif, désindividualisant. C'est en tout cas mon hypothèse pour ce qui concerne notre culture. En ce sens, la valorisation de l'espace, par le biais de l'image, du corps, du territoire, serait tout simplement la cause et l'effet de l'outrepassement de l'individu dans un ensemble plus vaste. Une société fondée sur une telle dynamique risque de voir ses valeurs essentielles s'inverser, c'est peut-être le défi contemporain lancé par toutes les expériences et toutes les situations sociales qui se fondent sur la proxémie.

### 3. *Tribus et Réseaux*

En effet l'accentuation spatiale n'est pas une fin en soi, si l'on redonne sens au quartier, aux pratiques de voisinage et à l'affectuel que tout cela ne manque pas de dégager, c'est avant tout parce que cela permet des réseaux de relations. La proxémie renvoie essentiellement à la fondation d'une succession de « nous » qui constituent la substance même de toute socialité. Dans la suite de ce qui a déjà été dit, j'aimerais faire ressortir que la constitution des micro-groupes, des tribus qui ponctuent la spatialité se fait à partir du sentiment *d'appartenance*, en fonction d'une *éthique* spécifique et dans le cadre d'un *réseau* de communication. Tels pourraient être les maîtres mots de notre analyse.

Bien que ce ne soit qu'une métaphore, on peut résumer ces trois notions en parlant d'une « multitude de villages » qui s'entrecroisent, s'opposent, s'entraident, tout en restant chacun soi-même. Nous disposons maintenant de quelques analyses spéculatives ou de quelques recherches de terrain qui ne manquent pas de conforter ce point de vue[36] ; l'objet ville est une succession de territoires où les gens d'une manière plus ou moins éphémère, s'enracinent, se replient, cherchent abri et sécurité. En employant le terme « village », j'ai précisé qu'il s'agissait d'une métaphore. En effet ce qu'il délimite peut bien sûr être un espace concret, mais cela peut également être une *cosa mentale*, ce peut être un territoire symbolique, de quelqu'ordre que ce soit, qui n'en est pas moins réel. Il suffit à cet égard de faire référence à ces « champs » que les intellectuels découpent pour en faire des chasses gardées, pour comprendre que la métaphore de la tribu ou du village n'est pas sans intérêt heuristique. Dans tous les domaines donc, intellectuel, culturel, cultuel, commercial, politique, on observe l'existence de ces enracinements qui permettent à un « corps » social d'exister en tant que tel.

Il se trouve de plus que le sentiment d'appartenance tribal peut être conforté par le développement technologique. Parlant de la « galaxie électronique » A. Moles, avec quelques réticences il est vrai, suggère ce que pourrait être le « modèle d'un nouveau village global »[37]. Et ce principalement grâce à l'interactivité sécrétée par ce modèle. En effet, potentiellement, le « cable », les messageries informatiques (ludiques, érotiques, fonctionnelles, etc.) créent une matrice communicationnelle où apparaissent, se fortifient et meurent des groupes, aux configurations et aux objectifs divers ; groupes qui ne sont pas sans rappeler les archaïques structures des tribus ou des clans villageois. La seule différence notable caractéristique de la galaxie électronique, est certainement la temporalité propre à ces tribus. En effet, à l'opposé de ce qu'induit généralement cette notion, le tribalisme dont il est ici question peut être parfaitement éphémère, il s'organise suivant les occasions qui se présentent. Pour reprendre une vieille terminologie philosophique, il s'épuise dans l'acte. Ainsi qu'il ressort de diverses enquêtes statistiques, de plus en plus de personnes vivent en « célibataires » ; mais le fait d'être *solitaire* ne signifie pas vivre *isolé*. Et suivant les occasions qui se présentent — en particulier grâce aux annonces informatiques proposées par le minitel — le « célibataire » s'agrège à tel ou tel groupe, telle ou telle activité. Ainsi par de multiples biais (le minitel en est un parmi d'autres) se constituent des « tribus » sportives, amicales, sexuelles, religieuses ou autres ; chacune d'entre elle ayant des durées de vie variables suivant le degré d'investissement de ses protagonistes.

En effet, tout comme il existe des vérités successives dans les relations amoureuses, la science se construit à partir d'approximations séquentielles ; on peut imaginer une participation à ces diverses « formes » de socialité qui soit elle-même différenciée et ouverte. Cela est rendu possible par la rapidité du circuit offre-demande inhérente à la procédure informatique.

Il n'en reste pas moins que même si elles sont marquées par le sceau de l'opportunité, avec la dimension tragique qu'elle ne manque pas de donner, ces tribus privilégient le mécanisme d'appartenance. Quel que soit le domaine, il faut plus ou moins participer à l'esprit collectif. La question d'ailleurs ne se pose pas, et l'intégration ou le rejet dépend du degré du *feeling* ressenti soit du côté des membres du groupe, soit du côté de l'impétrant. Par la suite, ce sentiment sera conforté ou infirmé par l'acceptation ou le rejet de divers rituels initiatiques. Quelle que soit la durée de la tribu, ces rituels sont nécessaires. On peut d'ailleurs observer qu'ils prennent une place de plus en plus importante dans la vie quotidienne. Il y a des rituels plus ou moins imperceptibles qui permettent de se sentir à l'aise, « d'être un habitué » dans tel bar ou telle boîte de nuit ; de même on ne saurait les transgresser pour prendre son bulletin du tiercé ou du loto ; il en est de même pour être bien servi par les commerçants du quartier, ou pour se promener dans telle ou telle rue spécifique et bien typée. Les rituels d'appartenance se retrouvent bien sûr dans les bureaux et les ateliers, et la socio-anthropologie du travail y est de plus en plus attentive. Enfin, on peut rappeler que le loisir ou le tourisme de masse reposent essentiellement là-dessus[38].

On pourrait multiplier les exemples en ce sens, ce qu'il suffit d'indiquer c'est qu'à côté du resurgissement de l'image et du mythe (histoire que chaque groupe se raconte) dans le monde contemporain, le rite est une technique efficace qui constitue au mieux la religiosité *(religare)* ambiante de nos mégalopoles. On peut même dire que l'aspect éphémère de ces tribus et le tragique qui leur est propre accentuent délibérément l'exercice des rituels ; en effet ceux-ci de par leur aspect répétitif et de par leur attention au minuscule, atténuent l'angoisse propre au « présentéisme ». En même temps comme le projet, le futur, l'idéal ne servent plus de ciment à la société, le rituel en confortant le sentiment d'appartenance peut jouer ce rôle et permettre ainsi aux groupes d'exister.

Il faut cependant signaler que dans le même moment où il favorise l'attraction, fût-elle plurielle, le sentiment d'appartenance procède sinon par exclusion, du moins par exclusive. En effet, le propre de la tribu c'est qu'en accentuant ce qui est proche (personnes et lieux), elle a tendance à se refermer sur soi. On retrouve ici la métaphore de la porte *(Tür)* chère à G. Simmel. L'universel abstrait laisse la place à la concrétude du particulier. D'où l'existence de ces « localismes » qui ont surpris plus d'un chercheur. Ainsi à l'intérieur même du quartier on trouve l'existence d'une série de clubs ; les regroupements amicaux se font dans un périmètre bien précis. La pérégrination elle-même sera circonscrite à un nombre limité de rues. Ce phénomène est bien connu dans les villes du sud de l'Europe, mais la recherche de Young et Willmott le fait également ressortir pour la ville de Londres[39]. Le localisme favorise ce que l'on peut appeler « l'esprit maffia » : dans la recherche des logements, pour l'obtention d'un travail et en ce qui concerne les menus privilèges quotidiens, la priorité sera donnée à ceux qui appartiennent à la tribu ou à ceux qui gravitent dans ses cercles d'influence. En général, on analyse ce processus dans le cadre de la famille, mais il est certainement possible de l'étendre à la famille élargie, c'est-à-dire à un ensemble qui repose sur la parenté, mais également sur de multiples relations d'amitié, de clientélisme, ou de services réciproques.

Le terme de « lien » (familial, amical, etc.) doit être compris dans son acception la plus forte : celui de la nécessité, ce que le compagnonnage médiéval rangeait sous la rubrique de « l'obligation ». L'entraide sous ses diverses formes est un *devoir*, pierre de touche du code d'honneur, souvent non dit, régissant le tribalisme. C'est cela qui induit cet exclusivisme qui, par bien des aspects, se méfie de tout ce qui n'est pas familier. Dans leur recherche sur les « villages du quotidien », Young et Willmott font état d'une remarque qui souligne bien ce phénomène : « Ce sont des nouveaux : ils sont ici seulement depuis 18 ans. » Le paradoxe n'est qu'apparent, cela signifie que ces « nouveaux venus » ont créé d'autres liens, d'autres réseaux d'entraide, participent à d'autres regroupements. Ils fonctionnent selon leur propre proxémie. Il s'agit là d'une réalité qui est particulièrement évidente dans les grandes villes mais qui, comme toute évidence, mérite d'être rappelée. Le groupe pour sa sécurité façonne son environnement naturel et social, et dans le même temps force, *de facto*, d'autres groupes à se constituer en tant que tels. En ce sens la délimitation territoriale (je le rappelle : territoire physique et territoire symbolique) est structurellement fondatrice de multiples socialités. A côté de la reproduction directe, il existe une reproduction indirecte qui ne dépend pas de la volonté des protagonistes sociaux, mais de cet effet de structure qui est le couple « attraction-répulsion » : l'existence d'un groupe fondé sur un fort sentiment d'appartenance nécessite que, pour la survivance de tout un chacun, d'autres groupes se créent à partir d'une exigence de même nature.

Les manifestations de ce processus sont, somme toute, bien banales. Il suffit d'observer la fréquentation de certains cafés, la spécificité de certains quartiers ou même la clientèle de telle ou telle école, de tel lieu de spectacle ou de tel espace public pour se rendre compte de la prégnance d'une telle structure. A l'intérieur même de ces divers lieux, on peut remarquer d'autres regroupements également exclusifs, reposant sur la conscience, subtile mais enracinée, du sentiment d'appartenance et/ou du sentiment de différence. Peut-être faut-il y voir, comme le propose C. Bouglé, « les traces de l'esprit de caste »[40]. Ce qui est certain, c'est qu'à côté d'un égalitarisme de façade, a toujours existé une architectonique sociale fort complexe dont les divers éléments étaient à la fois tout à fait opposés et nécessaires les uns aux autres.

On peut considérer qu'il existe, *de facto*, une reconnaissance de ces groupes les uns par les autres. Comme je l'ai indiqué l'exclusive ne signifie pas l'exclusion, ainsi une telle reconnaissance entraîne un mode d'ajustement spécifique. Il peut y avoir conflit, mais celui-ci s'exprime en fonction de certaines règles, il peut être parfaitement ritualisé. Rappelons-nous la métaphore paroxystique de la maffia : le partage des territoires est en général respecté, et la guerre des clans ou des « familles » n'intervient que lorsque pour une raison ou une autre l'équilibre de « l'honorable société » est rompu. Si l'on applique ce modèle aux tribus citadines, on observe qu'il existe des mécanismes de régulation très sophistiqués. Le rôle du « tiers » fort bien décrit par la sociologie politique (Freund, Schmitt) trouve ici son application. En la matière, un système d'alliances différenciées fait qu'une de ces tribus se trouve toujours en position de médiateur. L'aspect ponctuel de ces alliances rend le système toujours mouvant tout en étant parfaitement stable. Le rôle du tiers n'est pas en effet le fait d'une seule personne, il peut être tenu par un groupe entier, qui fait contrepoids, qui joue l'intermédiaire, qui tout simplement « fait nombre », et ainsi conforte l'équilibre d'un ensemble donné.

On peut rapprocher cela de la fonction de « proxémie » existant dans la cité antique. C'est une fonction d'intermédiaire ; il s'agit de faire le lien entre les divers groupes ethniques et nationaux qui composent la ville. En jouant sur les mots on peut dire que le proxène (le proche) rend proche. C'est cette perdurance qui permet que tout en restant tel, l'étranger fasse partie prenante de la cité. Il a sa place dans l'architectonique sociale. Est-ce d'ailleurs fortuit si, comme le rapporte M.F. Baslez, c'est le poète Pindare qui joue le rôle de proxène et est en même temps celui qui compose le dithyrambe en l'honneur de la cité ? On peut en effet imaginer que la célébration de la cité en tant que cité renvoie à la faculté qu'a celle-ci d'apprivoiser et d'intégrer l'étranger[41].

Ainsi, la reconnaissance de la diversité et la ritualisation de la gêne que cela suscite, aboutissent à un ajustement spécifique qui en quelque sorte utilise le désagrément et la tension comme autant de facteurs d'équilibre utiles à la cité. On retrouve ici la logique contradictorielle maintes fois analysée (Lupasco, Beigbeder, Durand), et qui refuse les structures binaires ou la procédure dialectique par trop mécaniques ou réductrices. Les diverses tribus urbaines « font ville » parce qu'elles sont différentes et parfois même opposées. Toute effervescence est structurellement fondatrice. Il s'agit là d'une règle sociologique de base qui n'avait bien sûr pas échappé à Durkheim; le tout est de savoir comment utiliser cette effervescence, comment la ritualiser. Un bon moyen, dans la logique de ce qui vient d'être exposé, est de laisser chaque tribu être soi-même, l'ajustement qui en résulte étant plus naturel. Je l'ai déjà expliqué ailleurs, la coenesthésie du corps social est à comparer à celle du corps humain : en général le fonctionnement et le dysfonctionnement se complètent et se contrebalancent. Il s'agit de faire servir le « mal » particulier au « bien » global. Ch. Fourier avait posé cette procédure homéopathique à la base de son phalanstère. Ainsi se proposait-il d'utiliser ce qu'il appelait les « petites hordes » ou les « petites bandes » au mieux de leurs compétences, celles-ci fussent-elles anomiques : « Ma théorie se borne à utiliser les passions (réprouvées) telles que la nature les donne, et sans rien changer. C'est là tout le grimoire, tout le secret du calcul de l'Attraction passionnée[42]. »

Il est possible que son calcul minutieux et quelque peu utopique en son temps soit en passe de se réaliser de nos jours. L'hétérogénéisation étant de règle, le pluriculturalisme et le polyethnisme caractérisant au mieux les grandes villes contemporaines, on peut penser que le *consensus soit davantage le fait d'un ajustement « affectuel » a posteriori que d'une régulation rationnelle a priori*. En ce sens une grande attention à ce que, d'une manière trop commode, nous appelons la marginalité est nécessaire. Celle-ci est certainement le laboratoire des modes de vie à venir, mais le (re)nouveau des rites d'initiation des groupes dont il a été question, ne fait que prendre la place des anciens rites (que l'on n'osait plus appeler ainsi) vides de sens à force d'être uniformisés. La condamnation hâtive ne suffit pas, la condescendance non plus. Il faut comprendre que ces rites mériteraient une analyse spécifique. Leur vivacité traduit bien le fait qu'une nouvelle forme d'agrégation sociale est en train d'émerger ; il est peut-être difficile de la conceptualiser, mais avec l'aide d'anciennes figures, il est certainement possible d'en dessiner les contours. D'où les métaphores de tribus et de tribalisme proposées ici.

Il se trouve que cette métaphore traduit bien l'aspect émotionnel, le sentiment d'appartenance et l'ambiance conflictuelle induite par ce sentiment. En même temps elle permet de faire ressortir, au-delà de ce conflit structurel, la recherche d'une vie quotidienne plus hédoniste, *i.e.* moins finalisée, moins déterminée par le « devoir-être » et le travail. Toutes choses que les ethnographes de l'Ecole de Chicago avaient bien repéré il y a quelques décennies, mais qui maintenant prend une ampleur des plus instables. Cette « Conquête du Présent » se manifeste d'une manière informelle dans ces petits groupes qui passent « le plus clair de leur temps à errer et à explorer leur monde »[43]. Ce qui naturellement les amène à expérimenter des nouvelles manières d'être où la « virée », le cinéma, le sport, la « petite bouffe » commune tiennent une place de choix. Il est d'ailleurs intéressant de noter que l'âge et le temps aidant, ces petites bandes se stabilisent ; ce seront les clubs (sportif, culturel), ou encore la « société secrète » à forte composante émotionnelle. C'est ce passage d'une forme à l'autre qui plaide en faveur de l'aspect prospectif des tribus. Bien sûr tous ces groupes ne survivent pas, mais le fait que certains assument les diverses étapes de la socialisation, en fait une « forme » sociale d'organisation souple, quelque peu cahotante, mais qui répond bien, *concreto modo*, aux diverses contraintes de l'environnement social et de cet environnement naturel spécifique qu'est la ville contemporaine. De ce point de vue, la tribu peut nous amener à poser une nouvelle *logique* sociale qui risque de bousculer nombre de nos sécurisantes analyses sociologiques. Ainsi ce qui semblait « marginal » il y a peu, ne peut plus être qualifié comme tel. Avant l'Ecole de Chicago, M. Weber avait remarqué l'existence de ce que j'appellerai ici un « romantisme tribal » valorisant la vie affectuelle et l'expérience vécue. Avec nuance d'ailleurs il s'emploie à séparer le bon grain de l'ivraie. Cependant à l'encontre de certains commentateurs, il me semble que son analyse des petits groupes mystiques contient, *in nuce*, nombre d'éléments pour pouvoir apprécier ce que nous observons de nos jours. A cet égard, la prudence de Jean Séguy ne me paraît plus de mise, car, au-delà de réserves propres à son temps, la description de ce qui échappe à la rationalisation du monde est en parfaite congruance avec le *non-rationnel* qui meut en profondeur les tribus urbaines[44]. Il faut insister sur ce terme : le non-rationnel n'est pas de l'irrationnel, il ne se situe pas par rapport au rationnel ; il met en œuvre une autre logique que celle qui a prévalu depuis les Lumières. Il est maintenant de plus en plus admis que la rationalité du XVIII^e^ siècle et du XIX^e^ siècle n'est qu'un des modèles possibles de la raison à l'œuvre dans la vie sociale. Des paramètres tel que l'affectuel ou le symbolique peuvent avoir leur rationalité propre. De même que le non-logique n'est pas de l'illogique, on peut s'accorder sur le fait que la recherche d'expérience partagées, le rassemblement autour de héros éponymes, la communication non-verbale, le gestuel corporel reposent sur une rationalité qui ne laisse pas d'être efficace, et qui par bien des aspects est plus large et, dans le sens simple du terme, plus généreuse. Ce qui en appelle à la générosité d'esprit de l'observateur social. Celle-ci ne peut que nous rendre attentif à la multiplication des tribus qui ne se situent pas en marge, mais qui sont comme autant d'inscriptions ponctuelles d'une nébuleuse qui n'a plus de centre précis.

Prenons acte du fait qu'il existe une multiplicité de *loci* sécrétant leurs valeurs propres, et faisant fonction de ciment pour ceux qui *font et appartiennent* à ces valeurs. La rationalité du XIX^e^ siècle se référait à l'histoire, à ce que j'ai appelé l'attitude extensive (extension), la rationalité qui s'annonce est principalement proxémique, intensive (in-tension), elle s'organise autour d'un pivot (gourou, action, plaisir, espace) qui à la fois lie les personnes et les laisse libres. Elle est centripète *et* centrifuge. D'où l'instabilité apparente des tribus : le coefficient d'appartenance n'est pas absolu, et chacun peut participer d'une multiplicité de groupes, tout en investissant dans chacun une part non négligeable de soi. Ce papillonnage est certainement une des caractéristiques essentielles de l'organisation sociale qui est en train de se dessiner. C'est lui qui permet de postuler, d'une manière paradoxale, d'une part, l'existence de ces deux pôles que sont la masse et la tribu, et d'autre part, leur réversibilité constante. Va-et-vient entre le statique et le dynamique. Faut-il rapprocher cela du « hasard objectif » cher aux Surréalistes ? Il est certain que de plus en plus chaque personne est enclose dans le cercle fermé des relations, et en même temps elle peut toujours être frappée par le choc de l'inédit, de l'événement, de l'aventure. Hannerz qualifie ainsi l'essence de la ville : « le fait de découvrir quelque chose par hasard alors qu'on en cherchait une autre »[45]. Cela peut également s'appliquer à notre propos, déterminé par son territoire, sa tribu, son idéologie, chacun peut également, et dans un laps de temps très court faire irruption dans un autre territoire, une autre tribu, une autre idéologie.

C'est cela qui m'amène à considérer comme caducs l'individualisme et ses diverses théorisations. Chaque acteur social est moins agissant qu'agi. Chaque personne se diffracte à l'infini, suivant le *kairos*, les occasions et les situations qui se présentent. La vie sociale étant alors comme une scène où, pour un moment, des cristallisations s'opèrent. La pièce alors peut avoir lieu. Mais une fois jouée, l'ensemble se dilue jusqu'à ce qu'une autre nodosité surgisse. Une telle métaphore n'est pas extravagante, dans la mesure où elle peut permettre de comprendre la succession de « présents » *(no future)* qui, d'une manière générale, caractérise au mieux l'ambiance du moment.

### 4. *Le Réseau des réseaux*

Même si l'organisation sociale induite par ce paradigme peut choquer nos représentations par trop mécanistes, elle n'en est pas moins opératoire. Elle fait structure. Elle est bien, dans le sens que j'ai indiqué, en m'inspirant de G. Simmel, une *forme* où les divers éléments du donné social tiennent ensemble, où ils font corps. C'est ce qui m'a amené à parler d'organicité, à repenser la notion de solidarité organique. Même si cela peut paraître paradoxal : à l'issu de cette réflexion, nous sommes au début de notre quête. Quel est ce *glutinum mundi* qui s'élabore sous nos yeux ?

On peut signaler qu'il existe déjà de solides recherches qui ont abordé le problème des réseaux : ainsi la micro-psychologie ou la formalisation mathématique[46]. Il est d'ailleurs possible que les mathématiques contemporaines perfectionnent, d'une manière sophistiquée, leur modèle d'interprétation, je n'ai ni compétence ni appétence pour utiliser leurs analyses. Il suffit ici d'indiquer que si les méthodes sont divergentes, l'objectif est identique : rendre compte d'une nébuleuse qui a une logique propre. C'est en effet ainsi que je formulerai le problème : *les jeux de la proxémie s'organisent en nébuleuses polycentrées.* Celles-ci permettent à la fois l'expression de la ségrégation et celle de la tolérance. En effet, autour des valeurs qui leur sont propres, les groupes sociaux façonnent leurs territoires et leurs idéologies et ensuite, de par la force des choses, sont bien obligés de s'ajuster entre eux. Ce modèle macro-social se diffracte à son tour, et suscite la myriade de tribus obéissant aux mêmes règles de ségrégation et de tolérance, de répulsion et d'attraction. D'où, pour reprendre encore une expression de U. Hannerz, cette « mosaïque urbaine » dont l'analyse est loin d'être achevée : « il n'y a pas en ville de groupe dont les allégeances ne soient pas multiples »[47].

Pour bien comprendre le grouillement qui caractérise cette nébuleuse, prenons l'exemple du ragot, forme euphémisée de la ségrégation et du désir de mort. Il sert de ciment à un groupe et permet de dénier l'honorabilité, la pertinence, voire l'existence de l'autre. Dans un premier temps la pratique de l'assassinat anonyme qui lui est propre s'emploie à conforter le groupe dans le bien fondé de ce qu'il est ou de son action. Il a la vérité, théorique, existentielle, idéologique, « ailleurs » est l'erreur. Mais il est frappant d'observer que le ragot se diffuse très vite. Chaque petit milieu a ses mécanismes de rumeur. Sans étudier ceux-ci en tant que tels, on peut dire qu'ils expriment bien le fait qu'au sein d'un groupe particulier nombre de ses membres participent d'une multiplicité de tribus. C'est ainsi qu'un ragot devient rumeur.Cette interpénétration peut également valoir pour des groupes différents entre eux. Ainsi, à titre d'illustration, on peut signaler que tel jugement péremptoire, définitif, plus ou moins fondé, bien sûr négatif, sur une personnalité de la tribu scientifique va d'universités en laboratoires, de comités en commissions, de colloques en congrès, de revues en rapports, faire le tour du monde académique. Les moyens seront modulables : cela ira de la diatribe des conversations privées au silence ou à la censure dans les écrits publiés. Mais rapidement c'est l'ensemble de ce corps social qui est concerné. Ensuite de cocktails en réunions de travail, le ragot touche la tribu des éditeurs qui à son tour le répand dans celle des journalistes. Parfois même la contamination n'épargne pas telle ou telle autre tribu comme celles des hauts-fonctionnaires ou des travailleurs sociaux consommateurs, à l'occasion, des productions théoriques. Ainsi l'on peut suivre, par concaténations successives, l'efficace des appartenances et des allégeances multiples. En ce sens le commérage est un bon révélateur de la structure en réseau. Et il est bien difficile de trouver un milieu qui en soi exempt[48].

En fait l'entrelacement (ce que les théoriciens anglo-saxons des réseaux appellent *connectedness*) est une *caractéristique morphologique* de l'agrégation sociale qui nous occupe ici. On se souvient à ce propos des expériences de Milgram, qui ont montré que par l'intermédiaire de 5 à 6 relais on pouvait établir des contacts entre deux personnes vivants dans deux régions totalement opposées des USA[49]. Mais en s'appuyant sur les recherches mêmes de Milgram, on peut faire remarquer que la chaîne liant les personnes en question est composée moins d'individus que de « micro-milieux ». Dans l'exemple donné plus haut comme dans les expériences de Milgram, l'information circule parce qu'elle se transmet de petit nodule en petit nodule, parfois dans la chaîne il y a une nodosité plus importante. Suivant les cas, ce peut être un bar, un salon, un laboratoire universitaire coté, une église, peu importe en la matière, cette nodosité structure l'information reçue, corrige, élague, invente une petite bassesse supplémentaire, puis renvoie l'information au nodule suivant. A la limite, l'individu concerné par l'information importe peu, a fortiori celui qui la transmet ; et l'un et l'autre ne sont que des pions interchangeables d'un « effet de structure » spécifique. D'où le fait que personne n'est responsable (ne répond) de l'information ou du ragot, ils se diffusent selon l'air du temps, faisant et défaisant des renommées on ne peut plus fragiles. *Sic transit...*

Ce qu'accentuent les exemples donnés, qui ne sont bien sûr que des indices, c'est l'aspect non-volontaire, non-actif de la structure en réseaux. On pourrait presque dire que celle-ci est contrainte, ou au moins pré-contrainte. Dès lors ses protagonistes peuvent être qualifiés de même : ils produisent moins qu'ils ne sont agis par l'information. Si on oublie un instant notre esprit judicatif, et si on ne lui attribue pas de suite une connotation péjorative, cela renvoie à la métaphore dionysiaque de la confusion : les choses, les gens, les représentations se répondent par un mécanisme de proximité. Ainsi, c'est par contaminations successives que se crée ce que l'on appelle la réalité sociale. Par une suite de chevauchements et d'entrecroisements multiples, un réseau des réseaux se constitue ; les divers éléments se tiennent entre eux, formant ainsi une structure complexe, et pourtant l'opportunité, le hasard, le présent, y ont une part non négligeable. Ce qui donne à notre temps l'aspect incertain et stochastique que l'on sait. Ce qui n'empêche, pour peu que l'on sache la voir, qu'il y ait à l'œuvre une solide organicité qui serve de base aux nouvelles formes de solidarité et de socialité.

Il est certain que celles-ci ne doivent rien à une idéologie du développement fondée sur un individu maître de lui et sur un progrès en marche continue; toutes choses qui s'inscrivent dans une perspective linéaire ou dans une physique constituée de la juxtaposition d'atomes isolés. Comme dans d'autres domaines, il faut de temps à autre opérer une véritable révolution copernicienne. Il serait judicieux en effet d'écrire un nouveau *De revolutionibus orbium*... qui ne s'applique plus à l'espace céleste, mais qui montre bien les évolutions et révolutions spécifiques d'un monde social éclaté. Ainsi le réseau des réseaux ne renverrait plus à un espace où les divers éléments s'additionnent, se juxtaposent, où les activités sociales s'ordonnent selon une logique de la séparation, mais bien plutôt à un espace où tout cela se conjugue, se multiplie et se démultiplie formant des figures kaléidoscopiques aux contours changeants et diversifiés.

Peut-être peut-on comparer cela à ce que A. Berque appelle « l'espace aréolaire ». Espace qui a rapport aux aires, et qui s'oppose à un espace linéaire uniquement défini par une succession de points : « l'espace linéaire serait plutôt extrinsèque, l'espace aréolaire plutôt intrinsèque »[50]. J'aimerais extrapoler les notations sur ce sujet que l'auteur applique au Japon. On peut en effet imaginer que l'accentuation du contexte, corrélatif de cette « aréologie », nous aide à mieux définir l'efficace du local ou de la proxémie. Ainsi que je l'ai formulé plus haut, l'ex-tension laisse la place à « l'in-tension ». Dès lors au lieu d'interpréter la logique des réseaux à partir d'un mécanisme quelque peu causaliste, à partir d'une addition de séquences, on pourra l'apprécier, d'une manière holistique, comme la correspondance d'aires différenciées. Dans le cadre d'une société complexe, chacun vivant une série d'expérience qui ne prennent sens que dans le contexte global. Participant à une multiplicité de tribus, qui elles-mêmes se situent les unes par rapport aux autres, chaque personne pourra vivre sa pluralité intrinsèque. Ses différents « masques » s'ordonnant d'une manière plus ou moins conflictuelle et s'ajustant avec les autres « masques » qui l'environnent. Voilà en quelque sorte comment l'on peut expliquer la morphologie du réseau. Il s'agit d'une construction qui, comme les peintures « en abymes », met en valeur tous ses éléments, fussent-ils les plus minuscules ou les plus anodins.

Je rappelle ici mon hypothèse centrale : il y a (il y aura) de plus en plus, un va-et-vient constant entre la tribu et la masse. Ou encore : à l'intérieur d'une matrice définie se cristallisent une multitude de pôles d'attraction. Dans l'une ou dans l'autre de ces images, le ciment de l'agrégation — que l'on pourra appeler expérience, vécu, sensible, image — ce ciment donc est composé par la proximité et l'affectuel (ou l'émotionnel) ; ce à quoi nous renvoient l'aire, le minuscule, le quotidien. Ainsi, le réseau des réseaux se présente comme une architectonique qui ne vaut que par les éléments qui la composent. Pour reprendre la typologie du sociologue E. Troeltsch, la socialité induite par le réseau serait de type mystique[51]. Ce terme qualifie bien la dominante de la « reliance » contemporaine. On y retrouve le flou, la mobilité, l'expérience, le vécu émotionnel. Toutes choses qui ainsi que j'ai essayé de le faire ressortir tout au long de mon analyse outrepassent la monade individuelle et confortent le sentiment collectif. Il semblerait ainsi que par un de ces courts-circuits habituels dans les histoires humaines, la socialité post-moderne réinvestisse quelques valeurs pour le moins archaïques. Si on se réfère à la monumentalité bourgeoise, à ses expressions institutionnelles et à son souci pro-jectif, il s'agit là de valeurs « inactuelles ». Et pourtant elles n'en sont pas moins bien réelles et se diffusent peu à peu dans l'ensemble sociétal en son entier.

Le paradigme du réseau peut ainsi être compris comme la réactualisation de l'antique mythe de la communauté. Mythe dans le sens où quelque chose qui n'a peut-être jamais existé agit, avec efficace, dans l'imaginaire du moment. De là l'existence de ces petites tribus, éphémères dans leur actualisation, mais qui n'en créent pas moins un état d'esprit qui, quant à lui, semble appelé à durer. Faut-il voir là le tragique et cyclique retour du même ? C'est possible. En tout cas cela nous force à repenser le mystérieux rapport qui unit le « lieu » et le « nous ». Car quoique cela ne manque pas d'irriter les tenants du savoir institutionnel, la cahotante et imparfaite vie au jour le jour ne manque pas de sécréter une véritable « co-naissance ordinaire » : ce que le subtil Machiavel appelait la « pensée de la place publique ».

Graissessac-Paris
1984-1987

# Annexe

# La pensée de la place publique*

## 1. *Les deux cultures*

L'existence d'une « pensée sauvage » est maintenant chose admise ; forte d'une expérience acquise au contact des sociétés primitives, l'anthropologie est en train de tourner son regard vers le quotidien des sociétés contemporaines, voire vers ce qu'il est convenu d'appeler la « culture d'entreprise », ou autres domaines qui semblaient trop proches pour être passibles de l'effort analytique. Il en est de même pour la culture savante qui commence à admettre l'existence d'une *autre culture* ; celle des sentiments communs. On peut s'accorder sur cette émergence. Nombreuses sont les recherches qui en font foi[1], il n'en reste pas moins qu'il existe entre ces deux cultures un éloignement qui parfois ne manque pas de devenir un fossé infranchissable. Il n'est bien sûr pas question d'envisager le dépassement d'une telle différence, ni même d'en dénier les conséquences réelles, tant dans l'ordre de la connaissance que dans celui de la pratique quotidienne, mais bien plutôt d'en prendre acte, afin de mieux maîtriser ses effets. Il s'agit de vivre la tension paradoxale induite par l'existence de ces deux cultures; tension que l'on peut résumer ainsi : comment intégrer dans une perspective de pensée — perspective générale s'il en est — ce qui est de l'ordre de l'évanescent, du ponctuel et de l'éphémère. Telle est bien la question d'une « connaissance ordinaire » qui sans rien perdre de son souci réflexif, entend rester au plus près de son *fondement naturel, i.e.* la socialité de base.

De tous côtés, d'ailleurs, on voit resurgir de multiples problèmes ayant trait à ce fondement naturel ; c'est ce que l'on pourrait

* En hommage à Franco Ferrarotti.

appeler, à l'image d'un précédent célèbre, la « Question de la Nature ». Cependant à l'encontre de ce qui fut, des grottes de l'Ombrie aux communautés ardéchoises, la thématique « franciscaine », une telle question ne se pose plus en termes tranchés et exclusifs. Il ne peut plus y avoir d'un côté la culture et d'un autre la nature, avec toutes les conséquences qu'implique cette stricte dichotomie. Il faut constater que la conséquence essentielle est la constante relativisation du pôle naturel. Sous ses diverses modulations — populaire, folklore, sens commun, etc. — celui-ci fut la plupart du temps marginalisé. Au mieux, fut-il considéré comme un stade à dépasser ; une enfance de l'humanité, toujours renaissante, qu'il convenait d'éradiquer complètement. Tâche à laquelle devait s'atteler la pensée savante. Aussi avant de montrer, ou à tout le moins de pointer, la synergie qui s'esquisse de nos jours entre le pôle naturel et le pôle culturel, il convient d'analyser, fût-ce brièvement, le mépris constant, ou la négligence, vis-à-vis du penser populaire : que ce soit celui de la mythologie ou celui du quotidien[2]. Il s'agit là d'une procédure dite *a contrario* qui peut être des plus utiles pour notre propos.

Pour reprendre un concept de Gilbert Durand, ce n'est pas d'hier que le « trajet anthropologique » (ce que A. Berque appellerait la « trajectivité »), entre les pôles dont il vient d'être question, fut mis en question. Ainsi dans la tradition kabbalistique, à côté de « l'arbre de la connaissance », il est question d'un « arbre de vie ». C'est la scission entre ces deux arbres qui, selon Scholem, permet au mal de faire irruption dans le monde[3]. D'une manière métaphorique, on peut dire que c'est certainement là que se trouve une des sources de la séparation entre la vie et la philosophie, leur antagonisme profond et la difficulté pour celle-ci d'intégrer la riche expérience de celle-là. Très tôt, l'on voit donc poindre une importante distinction entre une culture « philosophico-rationaliste » et une autre « populo-mythologique », distinction qui tel un fil rouge se retrouve avec régularité dans le long parcours de l'humanité[4]. Il n'est pas question d'en faire l'histoire, qui d'ailleurs mériterait d'être faite, mais de souligner que, selon l'expression connue il existe divers « intérêts de connaissance » (Habermas) qui ne manquent pas de s'affronter. L'on peut en outre insister sur le fait que la sensibilité populaire a toujours suscité le mécontentement des clercs.

Il s'agit là de l'antique paradoxe qui existe entre ce qui veut expliquer (mettre à plat), régir la vie et cette vie même qui toujours échappe à l'explication. La première sensibilité procède par distinction et par analyse subséquente, la deuxième préfère la conjonction et la saisie globale des divers éléments du donné mondain. Historiens et sociologues ont très souvent contesté l'adéquation (idéaltypique) établie par Max Weber entre l'esprit du capitalisme et le protestantisme. En fait celui-ci, dans ce livre, a bien stylisé les caractéristiques essentielles de ce que l'on peut appeler le bourgeoisisme. En particulier quant à son épistémé : maîtriser la nature (sociale et naturelle) par l'application rationnelle et systématique de l'attitude disjonctive. Celle-ci peut d'ailleurs être résumée par ce que le Doyen Mehl dit de la démarche protestante qui, à l'encontre de ce qui semble « parfois caractériser la pensée catholique », procède par « rupture, par (le) refus des conjonctions »[5]. En ce sens le bourgeoisisme, et son idéologie protestante, ou encore les valeurs anglo-saxonnes, dont elles sont les vecteurs, poussent jusqu'à leur plus extrême conséquence la logique de la distinction, de la séparation. Toutes choses qui caractérisaient bien la Modernité pour le meilleur et pour le pire. En ce sens que privilégiant la démonstration d'un ordre « devant-être » rationnel, elle en oublie tout simplement la « monstration » d'un ordre réel qui, lui, est bien plus complexe — chose que la pensée moderne a très souvent été incapable d'appréhender. Témoin cet avertissement d'un historien du populisme russe, concernant les intellectuels qui ne devraient pas « lead the people in the name of abstracts, bookish, imported ideas, but adapt themselves to the people *as it was*... »[6]. Mais ce passage d'une logique du devoir-être à une logique incarnée n'est pas chose aisée quand on connaît le mépris du banal, de l'ordinaire, de la vie quotidienne, sur lequel s'est fondée la culture savante, et qui, toutes tendances politiques confondues, continue d'animer en profondeur nombre d'analyses concernant la réalité sociale.

2. *Au bonheur des peuples*

Nous n'allons pas revenir sur un vieux problème qui a fait depuis plus d'une décennie, maintenant, l'objet de nombreuses analyses. En un temps où cela n'était pas de mode, j'ai moi-même donné ma contribution à ce débat. Rappelons toutefois que c'est toujours *de l'extérieur* qu'il convient d'apporter au peuple sa propre conscience. Le léninisme a bien formulé cette perspective et, on le sait, bien rares parmi les intellectuels furent ceux qui échappèrent à son emprise[7]. Et tous ceux qui, encore de nos jours, se méfient de la sociologie spontanée, celle du tout venant, s'inspirent d'une même philosophie : le mépris vis-à-vis de ce qui ne se règle pas sur l'ordre du concept ; peut-être même vis-à-vis de ce qui est vécu.

On se souvient de l'affirmation hégélienne « le peuple ignore ce qu'il veut, seul le Prince sait ». Peu à peu cet apanage du Prince est passé à ceux qui pensaient la logique du politique, les intellectuels, porteurs de l'universel et fondateurs de la responsabilité collective. Des princes de l'Esprit des siècles passés édictant les Lois ou la marche royale du Concept, à leurs pâles reflets que sont les histrions contemporains, batteurs d'estrade médiatique, le mécanisme est identique : il s'agit en tous lieux et en toutes situations de « répondre de », de « répondre pour ». A cet égard, il est éclairant d'observer que soit dans le traité savant, soit dans la multiplicité d'articles ou d'entretiens journalistiques la préoccupation morale reste le fondement de nombreuses analyses intellectuelles. Quant à ceux qui refusent ce penchant naturel, ils sont répertoriés dans la rubrique infamante des esthètes !

Il serait instructif de faire en ce sens un florilège des expressions de l'attitude méprisante vis-à-vis de l'idiotie, des idiotismes du peuple ; en un mot, vis-à-vis de son attachement aux particularismes. De Gorki observant que Lénine avait le mépris du « barine pour la vie des masses populaires », à ce type du populo qui selon Sartre observe que ce dernier « remarque toujours le mal » alors que l'on pourrait aussi voir le bien de toute chose, la liste pourrait être longue de ceux qui à partir de leurs « a priori » critiques sont incapables de comprendre les valeurs qui font la qualité d'une vie avant tout préoccupée par l'ordre de la « proxémie ». L'on pourrait résumer cette attitude par une boutade de Paul Valéry : « La politique est l'art d'empêcher les sens de se mêler de ce qui les regarde.[8] » En effet l'incompréhension dont il vient d'être question tient à ce qu'il est de la logique du *moral-politique* de s'occuper du lointain, du projet, du parfait, en un mot de ce qui devrait être. Par contre, le propre de ce que, faute de mieux, l'on peut appeler le peuple ou la masse, est de se préoccuper de ce qui est proche, de ce quotidien monstrueux, structurellement hétérogène, en un mot d'être au centre d'une existence qu'il est bien difficile de sommer. D'où son refus, quasi conscient, d'être quoi que ce soit.

Pour rendre compte de cela, j'ai proposé la métaphore de la centralité souterraine, et ce afin de souligner que nombreux étaient les phénomènes sociaux qui tout en n'étant pas finalisés avaient une spécificité propre. Ainsi dans l'hypothèse du néo-tribalisme que je formule actuellement : on peut dire qu'au sein d'une masse multiforme il existe une multiplicité de micro-groupes qui échappent aux diverses prédictions ou injonctions d'identité habituellement formulées par les analystes sociaux. Il n'en reste pas moins que l'existence de ces tribus est flagrante. L'existence de leurs cultures n'en est pas moins réelle. Mais naturellement celles-ci et celles-là ne s'inscrivent nullement dans un ordre politico-moral ; et une analyse se faisant essentiellement à partir de telles catégories est condamnée au silence ou, ce qui est malheureusement plus fréquent, au bavardage. Je l'ai dit, il n'est pas possible de sommer. Encore moins de réduire, ou de ramener la socialité à telle ou telle détermination, fût-elle de dernière instance. Nous vivons un moment des plus intéressants où l'efflorescence du vécu en appelle à une connaissance plurielle, où l'analyse disjonctive, les techniques de la séparation et l'apriorisme conceptuel doivent laisser la place à une phénoménologie complexe qui sache intégrer la participation, la description, les récits de vie et les diverses manifestations des imaginaires collectifs.

Une telle procédure, qui prend en compte la vie, pourra être à même d'exprimer le grouillement contemporain. Ainsi que j'ai eu l'occasion de le dire, on est loin ici d'une abdication de l'esprit, bien au contraire ! En effet il est possible que, ce faisant, on sache trouver un ordre spécifique à l'œuvre de nos jours. Ainsi à la vitalité sociétale correspondrait un vitalisme logique. En d'autres termes une logique des passions (ou de la confusion) succéderait à la logique politico-morale à laquelle nous sommes habitués. On connaît la formule de saint Athanase *« ou kairoi alla kurioi »* (PG 25, 525 C) ; ce qui pourrait se traduire : « non pas ce qui se présente, mais les dieux ». E. Martineau en propose une inversion : *« ou kurioi alla kairoi »*. Ce que l'on peut traduire : « non pas d'autorités surplombantes, mais ce qui est là », les opportunités, les moments vécus en commun[9]. Il s'agit d'une inversion dont on peut tirer profit pour la compréhension de notre temps. Les monovalences religieuses ou profanes ayant fait leur temps, il est possible que les tribus qui nous occupent soient plus attentives au temps qui passe et à sa valeur propre, aux opportunités qui se présentent, qu'aux instances surplombantes de quelque sorte que ce soit. Il n'en est pas moins possible également que ces opportunités définissent un *ordre* qui pour être plus stochastique ou plus latent n'en est pas moins réel. C'est cela l'enjeu proposé par la centralité souterraine : savoir comprendre une architectonique différenciée, reposant sur un ordre ou une puissance intérieure, et qui tout en n'étant pas *finalisée* a une force intrinsèque qu'il convient de prendre en compte.

Il se trouve que le vitalisme induit par l'approche que je viens d'indiquer n'est pas une création *ex nihilo*. Il s'agit d'une perspective qui ne manque pas de resurgir régulièrement, et qui a inspiré des œuvres conséquentes. Pour ne relever que quelques noms significatifs des temps modernes, on peut renvoyer au « vouloir-vivre » de Schopenhauer, à l'Elan vital de Bergson, à la *Lebensoziologie* de Simmel, au Vouloir obscur de Lévi-Strauss. Dans chacun de ces cas l'accent est mis sur le *système des conjonctions*. Ou encore, pour employer un terme à la mode sur la synergie des divers éléments, culturels, sociaux, historiques, économiques, du tout social. Conjonction qui semble être en adéquation avec les grandes caractéristiques sociologiques du moment. L'on peut discriminer, séparer, réduire un monde dominé par l'objet ou par l'objectif, il n'en est pas de même lorsque l'on est confronté à ce que j'appellerais le « retour de la vie ». On retrouve là un thème récurrent chez M. Weber fort bien formalisé dans la notion de *Verstehen*. Et c'est à juste titre que l'on a pu souligner le rôle charnière que joue cette notion entre la connaissance et la vie quotidienne. « Despite the mystique with which the concept of *Verstehen* has been invected, there seems no reason to suppose that historical or sociological understanding is essentially different from everyday understanding[10]. » En fait il y a bien de la mystique dans la notion de la compréhension, en ce sens qu'elle se fonde sur une connaissance directe, intuitive et globale à la fois. Elle rassemble. Elle maintient ensemble les divers éléments que le moment analytique avait séparés.

Mais prenons le terme mystique dans son sens le plus large : celui qui essaie de comprendre comment les choses tiennent ensemble. Fût-ce d'une manière contradictorielle. En quoi réside l'harmonie conflictuelle qui est le propre de toute société. En un mot, qu'est-ce que ce *glutinum mundi* qui fait que quelque chose existe. Mystique est l'étonnement de ce type du *populo* qui, face à l'esprit critique de Sartre, voit, sent, dit, le « bien à l'œuvre en toutes choses. Au « non » dissociatif s'oppose le « oui » affirmatif. Rappelons pour mémoire que la procédure disjonctive est le pendant du principe d'individuation. L'individu critique qui sépare est le même qui se sépare. Alors que son œuvre entière participe de cette tradition, Adorno, quand il se laisse aller et avec lucidité, remarque que « personne n'a le droit par orgueil élitiste de s'opposer à la masse dont il est aussi un moment » ou encore « c'est déjà une insolence de dire je »[11]. De fait l'attitude mystique de la compréhension tient compte du discours de la masse, n'en est, à vrai dire, qu'une expression spécifique. Ainsi qu'on a pu dire bellement : « Nos idées sont dans toutes les têtes. » Par opposition à l'extériorité dont il a été question, la compréhension prend acte de la globalité et se situe elle-même à l'intérieur de cette globalité.

Il s'agit là d'une ambiance spécifique qui privilégie l'interactivité, que ce soit l'interactivité de la communication, ou l'interactivité naturelle et spatiale. En proposant dans un livre précédent, la correspondance et l'analogie comme manières de faire de nos disciplines, j'entendais accentuer la pertinence de cette perspective globale en un monde où parce que rien n'est important tout a de l'importance. Dans un monde où du plus grand au plus petit, tous les éléments correspondent entre eux. Il s'agissait également de faire ressortir que, telle une peinture en camaïeu, la vie sociale repose sur un glissement insensible, les uns sur les autres, d'expériences, de situations, de phénomènes ; phénomènes, situations, expériences qui renvoient analogiquement les uns aux autres. A défaut de l'expliquer, de chercher son pourquoi, il est possible de décrire une telle indéfinition. Pour ce faire, à sa manière, A. Berque utilise la notion de « médiance », qui connote l'ambiance et qui prend acte du retentissement multiforme dont il vient d'être question. Va-et-vient de l'objectif au subjectif, et de la recherche des convivialités à la procédure métaphorique. Pour être plus précis, on pourrait parler de contamination de chacun de ces registres par l'autre. Toutes choses qui, si elles ne les invalident pas, du moins relativisent d'une part le regard extérieur et d'autre part telle ou telle monovalence conceptuelle et/ou rationnelle[12].

### 3. *L'ordre intérieur*

L'outrepassement de la monovalence rationnelle en tant qu'explication du monde social n'est pas un processus abstrait, il est en fait étroitement lié à l'hétérogénéisation de ce monde ; ou encore à ce que j'ai appelé le vitalisme social. Selon E. Renan, le dieu antique « n'est ni bon ni mauvais, c'est une force »[13]. Cette puissance n'a rien de moralisateur, mais s'exprime à travers une multiplicité de caractères, qu'il faut comprendre dans le sens le plus fort du terme, et qui tous ont leurs places dans la vaste symphonie mondaine.

C'est une telle pluralisation qui force la pensée sociale à briser l'enclosure d'une science unidimensionnelle. C'est cela la leçon essentielle de Max Weber : le polythéisme des valeurs en appelle à un pluralisme causal. Dans le schéma conceptuel qui s'est imposé au XIXe siècle, ainsi que je viens de l'indiquer, une valeur était reconnue comme bonne, et l'objectif de l'intellectuel était de faire en sorte que cet universel devienne force de loi. C'est cela la perspective politico-morale. Et les quelques idéologies qui se partageaient (conflictuellement) le marché, fonctionnaient avec le même mécanisme. Il ne peut plus en être de même lorsqu'il y a irruption de valeurs totalement antagonistes, ce qui relativise pour le moins la prétention universaliste, tout comme cela nuance la portée générale de telle morale ou de telle politique. C'est cette irruption qui fonde le relativisme conceptuel.

Un tel relativisme n'est pas forcément un mal. De toutes façons, il existe, et il vaut mieux en prendre acte. Afin d'en mieux comprendre les effets, on peut rappeler que, pour reprendre une expression de P. Brown, l'histoire de l'humanité est traversée par une « constante tension entre les modes, "théiste" et "polythéiste" du penser »[14]. Je dirais pour ma part un constant balancement. Selon la loi de la saturation que P. Sorokin a bien illustrée pour les ensembles culturels, il y a des paradigmes qui vont privilégier ce qui unifie en termes d'organisations politiques, de systèmes conceptuels et de représentations morales, il en est d'autres qui au contraire vont, dans les mêmes domaines, favoriser l'éclatement, l'effervescence, le foisonnement. Du Dieu pur esprit, puissant et solitaire, aux idoles corporelles, désordonnées et plurielles. Mais à l'encontre du linéarisme simpliste qui n'envisage qu'une évolution du « poly » au « mono », il est facile d'observer que les histoires humaines donnent de multiples exemples d'un va-et-vient entre ces deux modes d'expression sociale.

Nombreux sont les travaux d'érudition qui ont bien souligné ce phénomène. G. Durand, fin connaisseur des mythologies, a bien montré que le christianisme même, dans son intransigeance monothéiste est incompréhensible sans son substrat syncrétiste[15]. Et de nos jours encore le développement sectaire, les mouvements charismatiques, les manifestations caritatives, les communautés de base, les multiples formes de superstition, peuvent être interprétés comme la manifestation d'un vieux fond païen, populiste, qui a perduré, tant bien que mal, dans la religion populaire, et qui fait éclater la carapace unificatrice élaborée, tout au long des siècles, par l'Eglise institution. En fait il serait intéressant de montrer que l'aspect unifié de la doctrine et de l'organisation est moins solide qu'il n'y paraît, qu'il est toujours susceptible d'éclatement et surtout parfaitement ponctuel. Les divers schismes ou hérésies sont à cet égard une bonne illustration de ce phénomène. Et même les doctrines qui s'avèrent être, par la suite, les plus solides appuis des positions monovalentes, parce qu'elles s'opposent à l'intolérance, parce qu'elles affrontent l'inconnu et parce qu'elles reposent sur le désir de la liberté, sont en leurs moments fondateurs les plus solides supports du pluralisme. Ainsi, si l'on suit le Doyen Strohl, grand connaisseur du jeune Luther, on peut voir que celui-ci à une Eglise institution, macroscopique opposait une « Eglise invisible... qui agit par l'intermédiaire de ses témoins »[16]. On peut dire que par là il retrouvait l'essence de l'Ecclesia constituée de petites entités locales, s'unissant mystiquement dans la communion des saints. Pour lui à l'encontre d'une Eglise institution gérant une dogmatique établie, il existe une force instituante qui est essentielle. Puissance *versus* Pouvoir.

Il est intéressant de noter que cette vision plurielle de l'Eglise a pour corollaire un bricolage intellectuel qui tranche avec la rigidité scholastique. Luther avait appris « à combiner des fragments du système d'Aristote et de celui de saint Augustin, sans s'inquiéter des principes de ces systèmes... il pouvait facilement adopter des idées dérivées de principes étrangers, mais assimilables à ses propres principes... ». Dans ces deux aspects, l'exemple de Luther est éclairant, car on peut dire que le succès du luthéranisme repose sur la saisie intuitive du fondement pluraliste qui caractérise le populaire. Le Doyen Strohl ne manque d'ailleurs pas de souligner que Luther « fils du peuple... en a lui-même les qualités et les défauts... »[17]. Laissons lui la responsabilité de ses affirmations, ce qui est certain c'est qu'en son temps les couches populaires ne s'y sont pas trompées qui l'ont suivi avec enthousiasme et, tirant la logique de son enseignement, se sont révoltées contre les pouvoirs établis, jusqu'à ce que Luther, ayant accompli son propre objectif : devenir vizir à la place du vizir, en appelle à la noblesse chrétienne pour mater le désordre de la racaille. Mais cela est une autre histoire, celle de la « circulation des élites » !

Ce qu'il importe avant tout de faire ressortir, c'est qu'il existe un fondement social réfractaire à l'unité, réfractaire à toute unidimensionnalité représentative ou organisationnelle. Ce fondement semble se manifester fonctionnellement dans les moments où l'on observe à la fois un processus de massification s'opérer et un éclatement des valeurs à l'intérieur de cette masse. Je viens de l'indiquer pour la Réforme, on en dira autant pour la Renaissance, où à côté d'une tendance générale à la « fusion des différentes couches de la société », ainsi que le remarque Jacob Burckhardt, le grand historien de cette période[18], on assiste à une explosion vitaliste dans tous les domaines, doctrines, arts, sociabilité, structurations politiques, etc. Effervescence qui constitue une nouvelle donne sociale et qui la plupart du temps en appelle à de nouvelles formes d'interprétation. Durkheim l'a également noté pour la Révolution française (en soulignant son aspect religieux), et plus généralement pour toute forme de religion qui, dit-il, « ne se réduit pas à un culte unique, mais consiste en un système de cultes doués d'une certaine autonomie »[18].

Ce que l'on peut faire ressortir au travers de ces quelques exemples et citations, c'est qu'il est des moments où les sociétés se complexifient en appelant à des procédures elles-mêmes complexes. Au classicisme épuré peut succéder un baroque luxuriant. Et tout comme le classique est linéaire, visuel, clos, analytique, et passible d'analyses claires, on sait que le baroque est en devenir, touffu, ouvert, synthétique et renvoie à une obscurité relative, ou à tout le moins à une approche reposant sur le clair-obscur. De telles pistes de recherche proposées pour l'histoire de l'art par Wölfflin[19] peuvent parfaitement s'appliquer à ces considérations épistémologiques. En la matière, l'accent sera mis sur le deuxième ensemble de notions. La socialité baroque qui est en train de naître nécessite que l'on sache décrypter quelle est la logique de son déploiement interne. Car, je le répète, il y a un ordre spécifique de la socialité souterraine. Un ordre intérieur qui ponctuellement affleure dans des moments de fracture, de bouleversement ou d'effervescence; étant entendu que ceux-ci peuvent être parfaitement silencieux, ou à tout le moins bien discrets, au point d'échapper à la finesse d'analyse de ceux qui en font profession. Souvenons-nous de l'adage « savoir écouter l'herbe pousser ».

E. Jünger note, avec acuité, que l'on ne trouve dans les écrits des Egyptiens aucune allusion à l'Exode[20]. Celle-ci ne dut pas jouer un grand rôle dans la politique intérieure de ce pays. Et l'on sait pourtant, ce que cette petite évasion d'esclaves eut comme conséquence pour la suite de l'histoire, ou, ce qui revient au même, dans la construction mythologique servant de fondement à notre histoire. Il est ainsi des moments où ce qui paraîtra de peu d'importance, ce qui passe inaperçu, ce que l'on va considérer comme marginal, d'une part est le lieu d'un réel investissement pour ses protagonistes, d'autre part est lourd de conséquences pour le devenir social. L'ordre dont j'essaie de parler entend rendre compte de ce phénomène.

On l'a déjà analysé au travers de notions telles que celles de « ventre mou », de « quant-à-soi », de ruse ; j'ai même proposé la catégorie de la *duplicité* (*La Conquête du présent*, PUF, 1979), pour rendre compte des processus d'abstention, il faut cependant signaler que cette thématique outre son intérêt prospectif en lui-même ouvre une piste épistémologique. Ainsi ce qu'indique J. Poirier à propos des récits de vie, qui « veulent faire parler les peuples du silence, saisis par leurs représentants les plus humbles »[21], s'inscrit tout à fait dans cette perspective. Il prend acte du fait qu'il y a un silence parlant, et qu'il convient non pas de le brusquer, mais bien de l'interpréter pour pouvoir en faire ressortir toute la richesse. Car ce silence est très souvent une forme de dissidence, de résistance, ou encore de distance intérieure. Si on suit les normes positivistes, qui ne veulent voir que la positivité des choses, il s'agit là d'un « moins », d'une inexistence. A l'opposé de cette attitude, il faut dire qu'une telle procédure a une qualité propre : le « rien » servant de fondement à une vie d'importance. On retrouve ici la formule wébérienne : comprendre le réel à partir des facultés de l'irréel. En fait les catégories d'opacité, de ruse, de duplicité, les mécanismes de silence, de clair obscur sont avant tout l'expression d'un vitalisme qui assure sur la longue durée la conservation ou l'auto-création de la socialité. D'où l'enjeu épistémologique dont je viens de parler.

Derrière les pratiques de silence c'est, ainsi que j'ai eu l'occasion de le développer ailleurs, le problème de la survie qui est posé. Par survie j'entends cette faculté d'adaptation qui permet de s'accommoder des contraintes sans y succomber. C'est là que réside essentiellement le problème de la force ou encore de la puissance, qu'il ne faut pas confondre avec le pouvoir. Je rappellerai d'ailleurs que, dans sa dimension sociologique, on peut dire que la survie du peuple juif renvoie peut-être aux stratégies que je viens d'indiquer. Ses bons mots, ses calembours, ses silences et les ruses qui leurs sont subséquentes vont de pair chez les juifs avec un grand respect et un grand amour de la vie. Nombreux sont les observateurs qui n'ont pas manqué de souligner ce phénomène[22].

Et dans le même ordre d'idées, on peut poursuivre la fine analyse d'une polémologue de la vie quotidienne, en faisant ressortir que seules les relations amoureuses qui échappent à l'injonction du dire, à la thérapie de « se dire », ont des chances de perdurer[23]. C'est à dessein que je prends des illustrations dans un spectre fort large. Celles-ci n'ont rien à voir l'une avec l'autre, mais elles expriment bien comment toute socialité est fondée sur la communion et la réserve, l'attraction et la répulsion, et qu'à trop considérer le premier de ces termes, on oublie la profonde richesse des seconds. Dans le souci, hérité du XIX^e siècle de soumettre tout à la raison, de demander des raisons à tout, on a oublié, pour reprendre une belle expression de Silesius, que « la rose est sans pourquoi ». D'un point de vue épistémologique, à trop avoir fait fond sur le « dit » des relations sociales, on a oublié que celles-ci reposaient aussi sur le « non-dit ». Une telle vacuité est un conservatoire à explorer. Il se trouve que cette perspective, bien rendue par l'antique sagesse du *secretum meum mihi*, peut nous introduire au fondement même d'une socialité concrète qui ne doit pas être considérée comme le simple reflet de nos idées, mais qui a sa consistance propre. Il s'agit là d'un simple bon sens, difficilement admis par le savoir savant, qui se sent ainsi relativisé, mais qui régulièrement ne manque de resurgir à la fois dans la vie courante et dans le débat d'idées.

## 4. *Vécu, proxémie et savoir organique*

A l'encontre de ce qu'il est coutume d'admettre, la fin des grands récits de référence ne vient pas de ce qu'il n'y ait plus de maître à penser. La qualité de la recherche intellectuelle n'est pas forcément plus mauvaise qu'à d'autres époques. En fait s'il y a désaffection vis-à-vis des idéologies surplombantes et lointaines, c'est parce que l'on assiste à la naissance d'une multiplicité d'idéologies vécues au jour le jour, et reposant sur des valeurs proches. Vécu et proxémie. Ce sens de la concrétude de l'existence peut dès lors être considéré comme une expression de bonne santé, comme l'expression d'une vitalité propre. Vitalisme qui sécrète en quelque sorte une pensée organique, avec bien sûr les qualités propres à ce genre de pensée, à savoir l'insistance sur la pénétration intuitive : vue de l'intérieur, sur la compréhension : saisie globale, holistique des divers éléments du donné et sur l'expérience commune : ce qui est ressenti avec d'autres comme constitutif d'un savoir vécu. Quelques auteurs, bien rares il est vrai, ont insisté sur une telle pensée organique. On peut renvoyer à W. Dilthey naturellement, mais également à toute pensée d'inspiration nietzschéenne qui va privilégier le dionysiaque et ses aspects tactile, émotionnel, collectif, conjonctif. On peut également citer G.E. Moore et son *Apologie du sens commun* insistant sur les vérités que recèle ce dernier ; Moore qui remarque avec finesse que « la plupart des philosophes... vont contre ce sens commun auquel ils participent pourtant dans leur vie quotidienne »[24]. On pourrait encore citer quelques auteurs qui dans cette lignée focalisent leurs investigations sur une thématique proche, ainsi la phénoménologie sociologique qui, avec A. Schütz, P. Berger et Th. Luckman, montra tout l'intérêt thématique et épistémologique de cette perspective. En effet ce que l'on peut appeler le vitalisme et la « sens-communologie » sont liés, et leur conjonction permet de mettre l'accent sur la qualité intrinsèque du *hic et nunc*, sur la valeur du présentéisme dont on n'a pas fini d'explorer la richesse.

Il n'en reste pas moins qu'il s'agit là de quelque chose qui est difficilement admis dans la démarche intellectuelle, tant il est vrai que sa pente naturelle (une pesanteur structurelle ?) l'entraîne vers le lointain, le normatif, l'élaboration de la loi générale. Toutes choses que l'on peut subsumer sous l'expression « logique du devoir être ». Et ce toutes tendances confondues. D'une manière un peu tranchée, on peut dire que toutes ces procédures explicatives sont *centrifuges*, toujours à la recherche d'un au-delà de l'objet étudié. C'est à l'opposé de cela que se situe une démarche compréhensive qui est délibérément *centripète*, qui donc va prendre au sérieux son objet, fût-il minuscule. Chaque chose sera analysée en elle-même, et par elle-même, et l'on ne cherchera pas à dépasser ses contradictions dans une illusoire synthèse. Dans le cadre de la perspective inaugurée par S. Lupasco et G. Durand on peut parler d'une « logique contradictorielle »[25]. Au devoir être, l'histoire, le lointain et l'explication centrifuge : au contradictoriel, le mythe, le proche et la compréhension centripète.

Il est intéressant de noter que l'impulsion à repenser les catégories de la connaissance sociale vient, entre autres, de ceux qui accentuent l'importance de l'espace. Je pense en particulier aux travaux de A. Berque qui d'une part montre comment « l'habitant vit en tant que tel (et) non pour un regard extérieur », il formule à ce propos l'hypothèse d'un système aréolaire ou cellulaire » qui se maintient sur le collectif, dans le sens fort du terme, plutôt que sur l'individu. C'est ce qui l'amène d'autre part à parler d'indistinction du sujet et de l'objet, du Moi et de l'Autre[26]. Ce qui n'est pas sans rappeler les procédures de correspondance, métaphorique ou analogique. Quoi qu'il en soit, c'est cette conjonction qui peut permettre de dégager un *ordre immanent* lié au « milieu physique », au « champ concret » où s'exerce la vie sociale[27]. Voilà bien l'enjeu majeur de la réflexion que l'on tente d'esquisser ici : comprendre qu'il existe une logique sociétale qui tout en n'obéissant pas aux règles assez simples du rationalisme mono-causaliste n'en est pas moins réelle. Pour être plus précis, on peut dire qu'il existe une rationalité ouverte cohérant les divers éléments de la réalité sociale sans les réduire dans quelque vision systématique que ce soit. C'est-à-dire, pour paraphraser V. Pareto, que le logique et le « non-logique » à l'œuvre dans ces éléments entrent en synergie pour donner l'architectonique que l'on sait.

En effet, sauf dans les livres d'école, rien n'est unidimensionnel au sein de la vie sociale. Celle-ci est par de nombreux aspects monstrueuse, éclatée, toujours ailleurs que là où l'on a cru la fixer. C'est le pluralisme qui la meut en profondeur. Et cet état des choses il convient de l'appréhender. Voilà ce qu'entend faire une sociologie de la vie quotidienne. Mais, il faut le savoir, rien n'est plus difficile que l'activité intellectuelle que cela suppose. Ainsi que l'indique W. Outhwaite à propos de l'ambition compréhensive de G. Simmel : « this is... merely to say that everyday understanding is a highly complex activity »[28]. Et ce parce que la vie quotidienne, outre les diverses rationalisations, légitimations que l'on connaît, est pétrie d'affects, de sentiments mal définis, en un mot de tous ces instants obscurs dont on ne peut pas faire l'économie, et dont on mesure de plus en plus l'impact dans la vie sociale. Toutes choses également qui s'accomodent mal de la simplicité de l'idéal, de la simplification de la perfection, ou encore du fantasme simplet qui réduit l'existence à ce qu'elle devrait être.

Il est en effet bien aisé de gamberger sur ou dans le monde intelligible. Celui-ci est malléable à merci, et se prête à toutes acrobaties, retournements ou autres violences conceptuelles. Il y a de la brutalité dans l'acte pur de l'esprit. Et je ne me lasserai pas de le répéter, la logique du devoir être est une facilité, un pis-aller, une forme tronquée de la connaissance. Celle-ci est beaucoup plus respectueuse de la complexité de la vie ; et par là se refuse aux définitions a priori tout en créant les conditions de possibilité intellectuelles permettant de faire ressortir (d'épiphaniser) les divers éléments de cette complexité. Je m'en suis déjà expliqué, tel est l'enjeu du « formisme » : mettre en œuvre une procédure rigoureuse de description qui soit en congruence avec l'apparence bigarrée de la vie sociétale et qui, en même temps sache en montrer la pertinence épistémologique.

L'on doit en effet se souvenir qu'avant tout c'est ce qui est donné (cf. Schütz : *taken for granted*), ce qui se donne à voir, qui constitue le support des constructions intellectuelles, quelles qu'elles soient. L'on peut prendre l'exemple du proverbe en qui Durkheim voyait « l'expression condensée d'une idée ou d'un sentiment collectif », ou encore la conversation courante qui contient parfois une philosophie de l'existence et un sens des problèmes à venir plus grands que nombre de discussions académiques[29]. Il s'agit là de manifestations culturelles, *strictissimo sensu*, c'est-à-dire ce qui fonde société. Et l'on peut s'étonner que la culture savante soit si imperméable à de telles manifestations. On peut d'ailleurs supposer que c'est cette imperméabilité qui est la cause principale de la stérilité caractéristique d'une grande partie des sciences humaines et sociales.

En fait, ce qui fait culture est bien l'opinion, « la pensée de la place publique », toutes choses qui constituent le ciment émotionnel de la socialité. Et ce n'est qu'a posteriori que s'élabore la connaissance savante. Je reprendrai ici une distinction de Fernant

Dumont qui parle de « culture première » dans laquelle on baigne sans s'en préoccuper, et de « culture seconde » qui m'agrège à un groupe particulier[30]. Je dirais dans le cadre de notre propos que la première est en quelque sorte l'ambiance, le bain nourricier de toute vie en société, et qu'elle donne naissance, ou à tout le moins permet l'éclosion, de diverses traditions qui ne peuvent perdurer qu'en tant qu'elles restent liées à la matrice commune. Il y a donc autant de traditions spécifiques que de groupes. Celui des intellectuels en est un ; mais ce n'est qu'abusivement qu'il présente son savoir comme étant le plus légitime. En fait nous serions mieux inspirés de souligner la correspondance, la synergie, la complémentarité qui unit ces divers savoirs plutôt que d'établir des prévalences et des hiérarchies. Ce faisant, nous serions sensibles à la richesse proche de ses savoirs. Pour cela naturellement il convient de diversifier nos critères d'évaluation. En effet si pour juger la validité d'un énoncé ou d'une pratique on utilise le seul critère de cohérence formelle ou celui de la simple logique causaliste on se condamne à porter des appréciations tautologiques. Pour ce qui regarde la sociologie française, P. Bourdieu est certainement le cas le plus significatif, lorsqu'il brode (ou théorise selon le point de vue) sur la « croyance pratique ». Il n'y a pas lieu de revenir sur le mépris induit par cette attitude. Elle se juge elle-même et surtout est un aveu d'impuissance. Il n'est à mon avis pas plus heureux de parler de « sens théorique populaire », car là encore c'est à l'aune de la seule perspective théorique que l'on juge le sens commun[31]. Dans l'un et dans l'autre cas il s'agit, comme je l'ai indiqué, d'une perspective « centrifuge » qui se réfère à un au-delà de l'objet avec, plus ou moins explicite, une attitude judicative.

Ce fut la force de la modernité d'avoir situé toutes choses dans le cadre de l'Histoire et de son développement. Le « centrifugisme » n'est que la traduction intellectuelle d'une telle mise en perspective. Mais ce qui fut une force ne manque pas de devenir une faiblesse. En effet l'Histoire a évacué les histoires. L'Histoire a relativisé l'expérience ; et c'est celle-ci qui, tel le retour du refoulé, s'exprime avec force de nos jours. Ses modulations sont de tous ordres, mais toutes ont pour point commun de privilégier l'empirie et la proxémie. C'est cela même qui nous oblige à recentrer nos analyses, à focaliser nos regards vers ce « concret le plus extrême » (W. Benjamin) qu'est la vie de tous les jours. La complexité quotidienne, la « culture première » mérite une attention spécifique. C'est cela que j'ai proposé d'appeler une *connaissance ordinaire*[32].

L'enjeu est d'importance car de plus en plus c'est cette proxémie qui détermine, dans le sens simple du terme, le rapport aux autres. Que ce soit le « monde social vécu », l'expérience vécue, le relationnisme, les interrelations réciproques, nombreuses sont les expressions qui, de Dilthey à Schütz en passant par K. Mannheim, prennent pour *a priori* de toutes catégories sociologiques la socialité naturelle et son architectonique[33]. S'agit-il de quelque chose de pré-scientifique ? D'une sociologie spontanée ? D'une démarche spéculative ? Peu importe le statut d'une telle procédure dans la mesure où elle permet de dresser la signalisation, fût-elle provisoire, d'une configuration en cours de réalisation. Les structurations stables étaient bien définies par la logique de l'*identité* et le jugement moral qui lui est liée. Les constellations indéterminées nécessitent que l'on sache faire ressortir les *identifications* successives et l'esthétisme (les émotions communes) qui les traduit bien. L'évaluation qui s'est progressivement imposée tout au long de la modernité, était en parfaite congruence à son objet : l'ordre politique. Il n'est pas certain qu'elle puisse s'appliquer à ce grouillement qui, de tribus en masses, va servir de matrice à la socialité en devenir. Celle-ci en tout cas nous lance un nouveau défi intellectuel, au-delà, en deçà de la morale politique : quelles vont être les structures socio-anthropologiques de l'*ordre passionnel* ?

# NOTES

## Introduction

1. On reconnaît ici une approche qui fut celle de penseurs comme A. Schutz, G.H. Mead, E. Goffman, sur ce domaine, je renvoie à HANNERZ (U.), *Explorer la ville*, Paris, Minuit, chap. VI, et sur le va-et-vient dont il est question, p. 277. On peut aussi citer, BERGER (P.) et LUCKMAN (Th.), *La Construction sociale de la réalité*, Méridiens Klincksieck, 1986.

2. LÉVI-STRAUSS (C.), *La Pensée sauvage*, Paris, Plon, 1962, p. 19 sq.

3. SCHELER (M.), *Nature et formes de la sympathie, contribution à l'étude des lois de la vie émotionnelle*, Paris, Payot, 1928, p. 117.

4. SCHOLEM (G.), *La Mystique juive*, Paris, Cerf, 1985, p. 59 sq.

5. J'ai consacré un livre à ce problème : MAFFESOLI (M.), *La Connaissance ordinaire*, Paris, Méridiens Klincksieck, 1985.

6. NISBET (R.), *La Tradition sociologique*, Paris, P.U.F., 1981, p. 33.

7. Je renvoie sur ce thème : « a certain community of outlook », au livre de OUTHWAITE (W.), *Understanding social life*, London, Allen and Unwin, 1975.

8. HANNERZ (V.), *op. cit.*, p. 263.

9. DURAND (G.), « La Beauté comme présence paraclétique : essai sur les résurgences d'un bassin sémantique » in *Eranos*, 1984, vol. 53, Insel Verlag, Frankfurt-Main, 1986, p. 128. Sur le thème « images obsédantes » utilisé plus haut, cf. MAURON (Ch.), *Des métaphores obsédantes au Mythe personnel*, Paris, J. Corti, 1962.

## Chapitre I

1. Cf. DURAND (G.), « Le Retour des immortels » in *Le temps de la réflexion*, Paris, Gallimard, 1982, pp. 207, 219. Sur le « paradigme esthétique » cf. mon article in *G. Simmel*, Paris, Méridiens Klincksieck, 1986, cf. également ADORNO (T.), *Notes sur la Littérature*, Paris, Flammarion, 1984, p. 210, sur le bunker de l'individualisme.

2. BROWN (P.), *Le Culte des Saints*, Paris, Cerf, 1984, p. 72.

3. BERQUE (A.), *Vivre l'espace au Japon*, Paris, P.U.F., 1982, p. 54. Pour un exemple de l'uniforme VALENTE (F.), « Les Paninari », in *Sociétés*, Paris, Masson, n° 10, sept. 1986.

4. WEBER (M.), *Economie et Société*, Paris, Plon, 1971, par exemple pp. 475-478.

5. PERNIOLA (M.), *Transiti*, Bologna, Cappeli, 1985 et en français, *L'Instant Eternel*, Paris, Librairie des Méridiens, 1982.

6. DURKHEIM (E.), *De la division du travail social*, Paris, Alcan, 1926, p. 70, c'est moi qui souligne.

7. HALBWACHS (M.), *La Mémoire collective*, Paris, P.U.F., 1968, p. 78, sur l'idéologie trans-individuelle, cf. également FREUND (J.), *Sociologie du conflit*, Paris, P.U.F., 1983, p. 204.

8. DURAND (G.), *La Foi du cordonnier*, Paris, Denoël, 1983, p. 222, cf. également les thèses en cours sur l'astrologie de B. Glowczewski et S. Joubert (Paris V.C.E.A.Q.). On aurait pu également parler de la « transmigration » des âmes dans la kabbale, qui s'inscrit dans la perspective holiste que l'on développe ici, à ce propos voir SCHOLEM (G.), *La Mystique juive*, Paris, Cerf, 1985, pp. 215, 253 sq.

9. BERQUE (A.), « Expressing Korean Mediance », colloque *The conditions and visions of Korea's becoming an advanced country*, Seoul, sept. 1986. Il faut encore une fois renvoyer ici à la remarquable analyse de E. Morin, qui devrait inquiéter les plus honnêtes de ses détracteurs : *La Méthode*, 3, *La Connaissance de la connaissance*/1, Paris, Seuil, 1986, sur « la notion de milieu », cf. J.F. BERNARD-BECHARIES in *Revue Française du marketing*, 1980/1, cahier 80.

10. Citée par MÉDAN (A.), *Arcanes de Naples*, Paris, Ed. des Autres, 1979, p. 202.

11. BERQUE (A.), *Vivre l'espace au Japon*, P.U.F., Paris, 1982, p. 167, 169.

12. Au moment où j'achève ces pages, une analyse aiguë et quelque peu décapante vient de paraître : NANCY (J.L.), *La Communauté désœuvrée*, Paris, C. Bourgeois, 1986 ; sur le « formisme » voir mon livre, MAFFESOLI (M.), *La Connaissance ordinaire*, Paris, Librairic dcs Méridiens, 1985.

13. Voir la remarquable et érudite analyse en ce sens de SOUVARINE (B.), *Staline, Aperçu historique du bolchévisme*, Paris, G. Lebovici, 1985, p. 44.

14. VENTURI (F.), *Les Intellectuels, le peuple et la révolution*, Paris, Gallimard, 1972, p. 230.

15. THOMAS (L.-V.), *Rites de mort*, Paris, Fayard, 1985, pp. 16 et 277. On peut également noter que NANCY (J.L.), *op. cit.*, p. 42 sq. fait le rapprochement entre communauté et mort. Sur l'aspect cyclique et tragique du rituel, je renvoie à mon livre, MAFFESOLI (M.), *La Conquête du présent*, Paris, P.U.F., 1979.

16. LE BON (G.), *Psychologie des Foules*, Paris, Retz, préf. A. Akoun, 1975, p. 42.

17. Quoiqu'il puisse sembler à certains esprits pressés, la thématique orgiastico-extatique est une constante dans la tradition sociologique, on peut signaler WEBER (M.), *Economie et Société*, *op. cit.*, p. 565; MANNHEIM (K.), *Idéologie et Utopie*, Paris, Rivière, 196, p. 154; bien sûr, il faut faire référence à DURKHEIM (E.), *Les Formes élémentaires de la vie religieuse*, Paris, P.U.F., 1968. Je renvoie également à mon petit essai synthétique, *L'Ombre de Dionysos, contribution à une sociologie de l'orgie*, Paris, Librairie des Méridiens, 1985, 2e éd.

18. Il faut bien sûr faire référence au livre classique de WIRTH (L.), *Le Ghetto*, Paris, Champ Urbain, 1980. Pour la métropole de l'empire austro-hongrois, JOHNSTON (W.M.), *l'Esprit viennois*, Paris, P.U.F., 1985,

pp. 25-28. Sur les travaux de l'Ecole de Chicago, voir HANNERZ (U.), *Explorer la ville*, Paris, Minuit, pp. 62-67 et 91.

19. Cf. par exemple l'article de RIST (G.), « La Notion médiévale d'*habitus* dans la sociologie de P. Bourdieu » in *Revue européenne des sciences sociales*, XXII, 1984, 67, pp. 201-212 et MAFFESOLI (M.), *La Connaissance ordinaire, op. cit.*, p. 224 et note 60 et 61.

20. SIMMEL (G.), « Problèmes de sociologie des religions » in *Archives des sciences sociales des religions*. Paris, C.N.R.S., 1974, n° 17, pp. 17 et 21.

21. J'ai développé cette idée de « centralité souterraine » dans mes livres déjà cités, pour HALBWACHS (M.), *La Mémoire collective, op. cit.*, pp. 130-138, sur l'analyse en ce sens des livres de Goffman, cf. HANNERZ (U.), *Explorer la ville, op. cit.*, p. 271 sq.

22. Sur le *tremendum* cf. OTTO (R.), *Le Sacré*, Paris, Payot, 1921, concernant la religion populaire, MESLIN (M.), « Le Phénomène religieux populaire » in : *Les Religions populaires*, Presses Université Laval, Québec, 1972.

23. BROWN (P.), *Le Culte des Saints*, trad. A. Rousselle, Paris, Cerf, 1984, p. 118. Sur la « reliance » contemporaine, sans partager nombres de ses analyses pessimistes ou de ses espoirs, je renvoie au livre bien informé de BOLLE DE BAL (M.), *La Tentation communautaire, les paradoxes de la reliance et de la contre culture*. Bruxelles, Un. de Bruxelles, 1985.

24. L'Ecole de Palo Alto est maintenant bien connue en France, on trouve en général les ouvrages de Bateson, Watzlawick, traduits aux éditions du Seuil, cf. le « digest » qu'en a proposé WINKIN (Y.), *La Nouvelle Communication*, Paris, Seuil, 1982 ; le terme « trajectif » est utilisé par A. Berque dans son article « Expressing Korean Mediance... *op. cit.* Sur le quartier cf. NOSCHIS (K.), *La Signification affective du quartier*, Paris, Librairie des Méridiens, 1983, et PELLETIER (F.), « Lecture anthropologique du quartier » in *Espace et société*, Paris, Anthropos, 1975, n° 15.

25. MORIN (E.) et APPEL (K.), *New York*, Paris, Galilée, 1984, p. 64. Sur le « trajet anthropologique » je pense naturellement au livre classique de DURAND (G.), *Les Structures anthropologiques de l'imaginaire*, Paris, Bordas, 1969.

26. Le Centre d'Etudes sur l'Actuel et le Quotidien à la Sorbonne (Paris V) se spécialise dans ce genre de recherches. A titre d'exemple, je renvoie aux numéros de la revue *Sociétés*, Paris, Masson, n° 8 (Tourisme), n° 7 (cuisine), ainsi que l'article de STROHL (H.), « L'électroménager », in *Sociétés* n° 9.

27. Voir KAUFMANN (J.C.), *Le Repli domestique*, éd. Méridiens-Klincksieck, 1988. Sur les réseaux et leur formalisation : HANNERZ (U.), *Explorer la ville, op. cit.*, pp. 210-252.

28. POULAT (E.), *Catholicisme, Démocratie et socialisme* (le mouvement catholique et Mgr Benigni, de la naissance du socialisme à la victoire du fascisme), Paris, Casterman, 1977, p. 58.

29. Cf. en ce sens, l'exemple africain in : DE ROSNY (E.), *Les Yeux de ma chèvre*, Paris, Plon, 1981, p. 81 et 111.

Sur la rumeur et sa fonction, cf. la recherche de REUMAUX (F.), *La Rumeur*. Thèse d'Etat en cours, Paris V.

L'article de SIMMEL (G.), « Les sociétés secrètes », in *Nouvelle Revue de Psychanalyse*, Paris, Gallimard, 1977.

30. Une étude des lieux publics en ce sens reste pour une large part à faire. Des recherches sur les « bars » sont en cours au C.E.A.Q. On

peut cependant renvoyer à BOUGLÉ (C.), *Essais sur le régime des castes*, Paris, P.U.F., 1969, p. 47, cf. encore HANNERZ (U.), *Explorer la ville, op. cit.*, p. 249 sq. également LACROSSE (J.M.) et alii, « Normes spatiales et Interactions » in *Recherches sociologiques*, Louvain, vol. VI, n° 3, 1975, p. 336, en particulier sur le bar comme « régions ouvertes ».

31. HALBWACHS (M.), *La Mémoire collective, op. cit.*, p. 51 sq.

32. On peut ici renvoyer à un rapport de DE CERTEAU (M.) et GIARD (L.), *L'Ordinaire de la communication*, Paris, 1984 (Rapport du Ministère de la culture) cf. également pour un domaine plus spécialisé, la thèse de DELMAS (P.), *L'Elève Terminal, enjeux sociaux et finalité des nouvelles technologies éducatives*, Université Paris VIII, 1986, et une recherche en cours, MORICOT (C.), *La Télévision cablée*, C.E.A.Q.-PARIS V.

33. DUMONT (F.), sur la genèse de la notion du culture populaire in *Cultures populaires et sociétés contemporaines*, Presses de l'Université du Québec, Québec, 1982, p. 39. Du même auteur, on pourra lire avec profit, *L'Anthropologie en l'absence de l'homme*, Paris, P.U.F., 1981.

34. A. Berque analyse ce principe d'allonomie au Japon, in *Vivre l'espace au Japon*, Paris, P.U.F., 1982, p. 52. Sur la prégnance du rituel coutumier au Brésil, DA MATA (R.), *Carnaval et bandit*, Paris, Seuil, 1983.

## Chapitre II

1. DURKHEIM (E.), *Les Formes élémentaires de la vie religieuse*, Paris, P.U.F., 1968.

2. Cf. les développements pour l'histoire de l'art in WORRINGER (W.), *Abstraction et Einfühlung*, trad. fr. Klincksieck, Paris, 1978, préface de Dora Vallier, pp. 13-14.

3. Cf. MAFFESOLI (M.), *Essais sur la violence*, 2e éd., Lib. des Méridiens, Paris, 1984.

4. J'ai utilisé ce balancement « hyper », « hypo » emprunté à l'endocrinologie de Brown Sequart, dans mon livre *L'Ombre de Dionysos*, Lib. des Méridiens, Paris, 1982, je la dois à DURAND (G.), cf. en particulier son article « La notion de limite » in *Eranos*, 1980, Jahrbuch ed Insel, Frankfurt am Main, 1981, pp. 35-79.

5. Cf. par exemple FAIVRE (A.), *Eckartshausen et la théosophie chrétienne*, Klincksieck, Paris, 1969, p. 14 ; ou l'enquête sur Loisy de POULAT (E.), *Critique et Mystique*, Le Centurion, Paris, 1984.

6. Cf. BOUGLÉ (C.), *Essais sur le Régime des castes*, 4e éd., Préface L. Dumont, P.U.F., Paris, 1969. Je renvoie également à DANIÉLOU (A.), *Shiva et Dionysos*.

7. C'est le titre que j'avais donné à ma thèse de 3e cycle, Grenoble, 1973, reprise pour l'essentiel in MAFFESOLI (M.), *Logique de la domination*, P.U.F., Paris, 1976.

8. La thèse d'Etat en cours de Tufan Orel (Université de Compiègne) sur le vitalisme apportera certainement de notables éclaircissements.

9. Cf. LALIVE D'EPINAY (M.), *Groddeck*, Ed. Universitaires, Paris, 1984, p. 24. Cf. pp. 125-134, la bonne bibliographie qui est donnée.

10. Cf. l'analyse de DURAND (G.), *Les Structures anthropologiques de l'imaginaire*, Paris, Bordas, 1969, p. 76 sq. et les citations qu'il fait de BACHELARD (G.), *La Terre et les rêveries du repos*, Corti, Paris, 1948, p. 56, 60, 270.

11. Cf. SIMMEL (G.), « Problèmes de la sociologie des religions », Trad. fr. in *Archives de sociologie des religions*, CNRS, Paris, n° 17, 1964, p. 15.

12. Cf. CHARON (J.E.), *L'Esprit, cet inconnu*, Albin Michel, Paris, 1977, p. 83, pp. 65-78.

13. Cf. DORFLES (G.), *L'Intervalle perdu*, trad. fr. Librairie des Méridiens, Paris, 1984, p. 71 sq. ; cf. encore DURAND (G.), *Les Structures anthropologiques de l'imaginaire, op. cit.*, p. 55. Sur le situationisme et le labyrinthe : *Internationale situationisme*, Van Gennep, Amsterdam, 1972.

J'ai moi-même dirigé une petite monographie sur le labyrinthe à Gênes, Doct. Polycop. U.E.R. d'urbanisation, Université de Grenoble, 1973

Cf. également l'importance des grottes pour expliquer la vitalité napolitaine : MÉDAM (A.), *Arcanes de Naples*, Ed. Autres, Paris, 1979, p. 46 et MATTEUDI (J.F.), *La Cité des cataphiles*, Librairie des Méridiens, 1983.

14. Cf. MAFFESOLI (M.), *La Conquête du présent*, pour une sociologie de la vie quotidienne, P.U.F., Paris, 1979, chap. III, « l'espace de la socialité », pp. 61-74.

15. SIMMEL (G.), « La société secrète », in *Nouvelle Revue de psychanalyse*, Gallimard, n° 14, 1976, p. 281.

16. FREUND (J.), *Sociologie du conflit*, P.U.F., Paris, 1983, p. 214.

17. SIMMEL (G.), « Problèmes de la sociologie des religions », in *Archives de sociologie des religions*, CNRS, Paris, n° 17, 1964, p. 24.

18. DURKHEIM (E.), *Les Formes élémentaires de la vie religieuse*, 5e éd., P.U.F., Paris, 1968, p. 3.

19. Sur le « donné » social, MAFFESOLI (M.), *La Violence totalitaire*, P.U.F., Paris, 1979.

Cf. Les œuvres de SCHUTZ (A.), *Collected Papers*, t. 1, 2, 3, Ed. Martinus Nijhoff, Amsterdam.

20. Sur ce sujet cf. les recherches de ZYLBERBERG (J.) et MONTMINY (J.P.), « L'esprit, le pouvoir et les femmes... » in *Recherches sociographiques*, Québec, XXII.1, janvier-avril 1981.

21. BASTIDE (R.), *Eléments de sociologie religieuse*, p. 197, cité par LALIVE D'EPINAY (C.), « R. Bastide et la sociologie des confins » in *L'Année sociologique*, vol. 25, 1974, p. 19.

22. POULAT (E.), *Critique et mystique*, Ed. du Centurion, Paris, 1984, p. 219, 230 et les références à Ballanche : *Essais de Palingénésie sociale*, et à Lammenais : *Paroles d'un croyant*, note 26.

23. JULES-ROSETTE (B.), *Symbols of change : Urban transition in a Zambian community*, Ablex Publishing, New Jersey, 1981, p. 2. Sur l'importance des religions syncrétistes dans les grandes agglomérations urbaines comme Récife, cf. Motta (R.), *Cidade e devoção*, Recife, 1980.

24. MANNHEIM (K.), *Idéologie et utopie*, Ed. Rivière, Paris, 1956, p. 157 sq. Sur thématique explosion-détente, cf. DURKHEIM (E.), *Les Formes élémentaires de la vie religieuse*, Paris, P.U.F., 1968.

25. Si l'on veut être plus précis dans la gradation des relations, de toute vie sociale, de toute sociabilité, de toute socialité.

26. LE BON (G.), *Psychologie des Foules*, Retz, Paris, 1975, p. 73.

27. DURKHEIM (E.), *La Conception sociale de la religion, dans le sentiment religieux à l'heure actuelle*, Paris, Vrin, 1919, p. 104 sq., cité par POULAT (E.), *Critique et mystique, op. cit.*, p. 240. Des études en cours au C.E.A.Q. s'attachent à faire ressortir cette convivialité (« se tenir chaud ») au sein des sectes urbaines. Cf. encore cette définition : « Nous appelons éléments religieux les éléments émotionnels qui forment l'aspect interne et externe des relations sociales », SIMMEL (G.), *Problèmes de la sociologie des religions, op. cit.*, p. 22.

28. MAFFESOLI (M.), *La violence totalitaire,* Paris, P.U.F., 1979 chap. II, pp. 70-115 et BLOCH (E), *Thomas Münzer, théologien de la révolution,* Julliard, Paris, 1964.

29. Cf. à ce propos l'excellent ouvrage de THOMAS (L.V.), *Fantasmes au quotidien,* Paris, Méridiens, 1984, et la recherche en cours au C.E.A.Q. (Paris V) et V. GAUDIN-GAGNAC sur le sujet. Et MAFFESOLI (M.), *La conquête du présent,* Paris, P.U.GF., 1979, « Le fantastique au jour le jour », pp. 85-91.

31. DURKHEIM (E.), *Montesquieu et Rousseau, précurseurs de la sociologie,* Lib. Marcel Rivière, Paris, 1966, p. 40, 108.

30. Cf. par exemple la présentation qu'en fait FREUND (J.), *Sociologie du conflit,* P.U.F., Paris, 1983, p. 31.

32. Sur le rapport entre élite et masse, cf. l'analyse de E.A. ALBERTONI, *Les masses dans la pensée des doctrinaires des Elites,* (Mosca-Pareto-Michels), in :

33. Sur cette thématique, cf. à titre d'exemple l'analyse de POULZT (E.) sur l'église : *Catholicisme, démocratie et socialisme,* Casterman, 1977, p. 121, ou celle de RENAN (E.), *Marc-Aurèle,* Paris, 1984, chap. II, p. 40.

34. CHARRON (J.E.), *L'esprit cet inconnu,* Albin-Michel, Paris, 1977, p. 216.

35. BOUGLÉ (C.), *Essais sur le régime des castes,* 4e éd., Paris, P.U.F., 1969, p.140. Sur la Sicile, cf. mon analyse, MAFFESOLI (M.), *Logique de la domination,* P.U.F., Paris, 1976, p. .

36. Cf. par exemple, AUGÉ (M.), *Le génie du paganisme,* Gallimard, Paris, 1983.

37. POULAT (E.), *Eglise contre bourgeoisie,* Casterman, 1977, p. 131. Sur ce quant à soi, cf. MAFFESOLI (M.), *Essais sur la violence banale et fondatrice,* Méridiens, Paris, 1984, chap. III, p. 139. Sur la « Sagesse démoniaque », cf. mon article « l'errance et la conquête du monde », *ibid.,* p. 157.

38. MORIN (E.), *L'Esprit du temps,* Le Livre de Poche, 1984, p. 87. Sur la télévision, cf. WOLTON (D.), *La folle du logis,* Gallimard, Paris, 1983.

39. FREUND (J.), *Sociologie du conflit,* P.U.F., Paris, 1983, p. 212 sq.

40. Cf. les remarques et les références sur Pulcinella in : MÉDAM (A.), *Arcanes de Naples,* Ed. des Autres, Paris, 1979, p. 84 et 118 sq.

41. Cf. FREYRE (G.), *Maîtres et esclaves,* la formation de la société brésilienne, trad. fr. Gallimard, Paris, Nvlle éd. 1974, par ex. p. 253.

Sur le rire subversif, je renvoie à mon livre MAFFESOLI (M.), *Essais sur la violence banale et fondatrice*, Librairie des Méridiens, Paris, 2e éd. 1984, p. 78.

42. Cf. l'analyse de DODDS (E.R.), *Les grecs et l'irrationnel,* Flammarion, Paris, 1959, Chap. VII, Platon, l'âme irrationnelle, p. 209 + citation de Platon, note 11, p. 224. Pour une analyse du « temps libre » contemporain cf. J. DUMAZEDIER.

43. LEFEBVRE (H.), *Critique de la vie quotidienne,* T. II, l'Arche éditeur, Paris, 1961, pp. 70-71. Ces passages sont symptomatiques de l'embarras de l'auteur du fait que le réel ne colle pas avec ses a priori.

44. HOGGART (R.), *La Culture du pauvre,* trad. fr. Ed. de Minuit, 1970, p. 183. On ne soulignera jamais assez l'intérêt de ce livre qui est le fait d'un auteur issu du milieu qu'il décrit.

## Chapitre III

1. YAVETZ (Z.), *La Plèbe et le prince,* foule et vie politique sous le haut-empire romain, Paris, Maspéro 1983. Cf. les nombreuses citations concernant la méfiance vis-à-vis de la masse. Par exemple p. 25 — Cf. encore M. DE CERTEAU, *Arts de faire,* Paris, 10-18, p. 116 et P. BOURDIEU, *Esquisses d'une théorie de la pratique,* Genève, Drez 1972, p. 202. Tout en acceptant cette idée du peuple en tant que « mythe » je pense qu'il faut lui accorder le sens que lui donne SOREL. Cf. ZYLBERBERG (J.), « Fragment d'un discours critique sur le nationalisme », in *Anthropologie et société,* vol. 2, n° 1. DUMONT (F.), « Sur la genèse de la notion de culture populaire », in *Cultures populaires et sociétés contemporaines,* Presses Universitaires Québec, 1982, p. 33.

2. NISBET (R.A.), *La Tradition sociologique,* Paris, P.U.F., 1984, p. 54. Cf. également RENAUD (G.), *A l'ombre du Rationalisme.* La société québécoise de sa dépendance à sa quotidienneté, Montréal, Ed. St Martin, 1984, p. 182.

3. Cf. BROWN (P.), *Le Culte des Saints.* Ed. du Cerf, 1983, p. 32 sq. montre comment la religion populaire est analysée à partir d'une telle perspective.

4. VENTURI (F.), *Les Intellectuels, le peuple et la révolution,* Histoire du populisme russe au XIXe siècle, Paris, Gallimard, 1972, t. 1, p. 50.

5. Il s'agit là d'une expression de MORIN (E.), *L'Esprit du temps,* Paris, Livre de poche, 1984, p. 20 ; sur l'implication du chercheur, Cf. mon livre, MAFFESOLI (M.), *La Connaissance ordinaire,* Paris, Librairie des Méridiens, 1985.

6. LE BON (G.), *Psychologie des Foules,* Paris, Retz, 1975, p. 88.

7. CANETTI (E.), *La Conscience des mots,* Paris, Albin Michel, 1984, p. 280.

8. MANNHEIM (K.), *Idéologie et Utopie,* Paris, Librairie Marcel Rivière, 1956, p. 96.

9. Cf. SCHIPPER (K.), *Le Corps taoïste,* Paris, Fayard, 1982, p. 27. J'ai moi-même montré en m'appuyant sur Van Gulik que l'on retrouve des explosions populaires, relevant du taoïsme jusqu'à nos jours. MAFFESOLI (M.), *L'Ombre de Dionysos, contribution à une sociologie de l'orgie,* Paris, Librairie des Méridiens, 2e éd., 1985, p. 67.

10. Sur la liaison de l'expérience et des ensembles symboliques. Cf. la référence à Dilthey, faite par HABERMAS (J.), *Connaissance et intérêt,* Paris, Gallimard, 1976, p. 182.

11. Sur l'intériorité et le salut, je suis l'analyse de OTTO (W.F.), *Les Dieux de la Grèce,* Préface de M. Detienne, Paris, Payot, 1981. Cf. p. 24 et préface p. 10.

Sur les « dieux parleurs » et la vitalité groupale que cela induit, Cf. BROWN (P.), *Genèse de l'Antiquité tardive,* Paris, Gallimard, 1983, p. 83.

12. Sur le « multidinisme » et la socialité induite par la religiosité populaire, cf. POULAT (E.), *Eglise contre bourgeoisie,* Paris, Casterman, 1977, pp. 21 et 24. Cf. également la bonne description de la religion populaire que fait LAMBERT (Y.), *Dieu change en Bretagne,* Paris, Cerf, 1985, en particulier sur les « indulgences comme "mutuelle spirituelle" », cf. pp. 206-208.

13. RENAN (E.), *Marc Aurèle ou la fin du monde antique,* Paris, Le Livre de poche, 1984, p. 354. Pour une critique de l'étatisme cf. ZYLBERBERG (J.), « Nationalisme — Intégration — Dépendance », *Revue d'Intégration européenne,* 1979, II, n° 2, Canada, p. 269 sq.

14. WEBER (M.), *Economie et Société,* Paris, Plon, 1971, pp. 41-42, et *La Ville,* Paris, Aubier, 1984.

15. Cf. MARX (K.), *Oeuvres* présentées par M. Rubel, Paris, Pléiade, t. II, p. 1451.

VENTURI (F.), *Les Intellectuels, le peuple et la révolution, op. cit.,* t. 1, p. 45 fait état de ces hésitations concernant l'*obscina.*

16. Cf. là encore VENTURI (F.), *ibid.,* t. I, p. 29.

17. Sur le remplacement du peuple par la classe cf. MANNHEIM (K.), *Idéologie et utopie, op. cit.,* p. 60 sq.

Pour une critique de la lutte de classe cf. FREUND (J.), *Sociologie du conflit,* Paris, P.U.F., 1983, p. 72 sq.

18. Cf. MAFFESOLI (M.), *La Connaissance ordinaire, op. cit.,* p. 167 et *La Conquête du présent,* Paris, P.U.F., 1979.

19. Cf. YAVETZ (Z.), *La Plèbe et le prince, op. cit.,* p. 38 sq., p. 54, concernant la valse des empereurs, ou l'attitude envers Caligula. LE BON (G.), *Psychologie des foules, op. cit.,* p. 144 montre la même versatilité quant aux idéologies.

20. Cf. CANETTI (E.), *La Conscience des mots, op. cit.,* p. 33.

21. SIMMEL (G.), *Les Problèmes de la philosophie de l'histoire,* Paris, P.U.F., 1984, p. 104, et RENAUD (G.), *A l'ombre des rationalismes, op. cit.,* p. 257. Sa proposition programmatique appliquée à la socialité québécoise paraît riche d'avenir.

22. DURKHEIM (E.), *Leçons de sociologie,* Paris, P.U.F., 1969, p. 103. Je renvoie également à MAFFESOLI (M.), *La Violence totalitaire,* Paris, P.U.F., 1979, chapitre VI et VII, et *L'Ombre de Dionysos, op. cit.,* introduction.

23. WEBER (M.), *Essais sur la théorie de la science,* Paris, Plon, 1965. « Essai sur quelques catégories de la sociologie compréhensive », 1913, trad. fr., p. 360.

24. Cf. ELIAS (N.), *La Civilisation des mœurs,* Paris, Calmann-Lévy, 1973.

25. Je renvoie bien sûr à LE BON (G.), *Psychologie des foules, op. cit.,* p. 51, et BEAUCHARD (J.), *La Puissance des foules,* Paris, P.U.F., 1985. Sur les histoires de vie et le passage de « je » au « nous », cf. CATANI (M.), *Tante Suzanne,* Paris, Librairie des Méridiens, 1982, p. 15, 12. Le terme « effervescence » renvoie naturellement à E. Durkheim.

26. MAUSS (M.), *Sociologie et Anthropologie,* Paris, P.U.F., 1968. « Une catégorie de l'esprit humain. La notion de personne », DUMONT (L.), *Homo*

*hierarchicus,* Paris, Gallimard, 1967. DA MATTA (R.), *Carnavals, bandits et héros,* Paris, Seuil, 1983, p. 210 sq. Sur la maffia cf. mon article MAFFESOLI (M.), « La maffia comme métaphore de la socialité » in *Cahiers Internationaux de Sociologie,* Paris, P.U.F., vol. LXXIII, 1982.

27. BENJAMIN (W.), *Sens unique,* Paris, L.N. Maurice Nadeau, 1978, p. 72.

28. HALBWACHS (M.), *La Mémoire collective,* Paris, P.U.F., 1950, p. 2.

29. LAMBERT (Y.), *Dieu change en Bretagne,* Paris, Cerf, 1985, p. 45. Pour l'analyse de RENAN (E.), *Marc Aurèle, ou la fin du monde antique,* Paris, Livre de poche, 1984, p. 126. Sur le « topos » cf. BROWN (P.), *La Société et le sacré dans l'Antiquité tardive,* Paris, Seuil, 1985, p. 15 sq.

30. Cf. La bonne présentation de LALIVE D'EPINAY (M.), *Groddeck,* Paris, Editions Universitaires, p. 24, 40.

31. Cf. HALBWACHS (M.), *La Mémoire collective, op. cit.,* p. 92.

32. Dans le sens de SIMMEL (G.), dont je m'inspire librement ici. Cf. *Les Problèmes de la philosophie de l'histoire,* Paris, P.U.F., 1984, p. 74 sq.

33. Dilthey cité par HABERMAS (J.), *Connaissance et intérêt,* Paris, Gallimard, 1976, p. 189 sq.

34. Cf. Les analyses de DURKHEIM (E.) en ce sens in *L'Année sociologique,* I, p. 307-332 ; II, p. 319-323. Et BOUGLÉ (C.), *Essais sur le régime de castes,* Paris, P.U.F., 1969, p. 36, 51.

35. Cf. YOUNG (M.) et WILLMOTT (P.), *Le Village dans la ville,* Paris, C.C.I. Centre Georges Pompidou, 1983. Et REYNAUD (E.), « Groupes secondaires et solidarité organique : qui exerce le contrôle social ? » in *L'Année sociologique,* Paris, 1983. Il est regrettable que cette dernière étude relativise implicitement l'importance des groupes dont l'existence est reconnue.

## Chapitre IV

1. Sur le rapport Pouvoir-Puissance, je renvoie à mon analyse : MAFFESOLI (M.), *La Violence totalitaire,* Paris, P.U.F., 1979, p. 20-69, ici, p. 69.

2. Sur le style cf. BROWN (P.), *Genèse de l'Antiquité tardive,* Paris, Gallimard, 1983, p. 16 ; et la préface de P. Veyne. DURAND (G.), *La Beauté comme présence paraclétique, Eranos,* 1984, Insel Verlag, Frankfurt, 1986, p. 129 ; MAFFESOLI (M.), « Le Paradigme esthétique », in *Sociologie et Sociétés,* Montréal, vol. XVII, n° 2, oct. 1985, p. 36.

3. Cf. BENJAMIN (W.), *Essais,* Paris, Denoël-Gonthier, 1983, p. 40.

4. SCHÜTZ (A.), « Faire de la musique ensemble. Une étude des rapports sociaux », Trad. fr. in *Sociétés,* Paris, Masson, 1984, vol. I, n° 1, p. 22-27. Extrait de « Making music together », *Collected Papers* II, Nijhoff, La Haye, 1971, p. 159-178.

5. Cf. à titre d'exemple : GUMPLOWICZ, *Précis de sociologie,* Paris, 1896, p. 337 sq. sur O. Spann, cf. l'analyse qu'en fait JOHNSTON (W.), *L'Esprit viennois,* Une histoire intellectuelle et sociale, 1848-1938, Paris, P.U.F., 1985, p. 365.

6. Sur la fascination communautaire pour la sociologie, cf. NISBET (R.A.), *La Tradition sociologique,* Paris, P.U.F., 1984, p. 30 ; sur un précurseur de la sociologie américaine cf. St-ARNAUD (P.), *W.G. Sumner et les débuts de la sociologie américaine,* Presse Universitaire Laval, Québec, 1984, p. 107.

7. ADORNO (T.W.), *Théorie esthétique,* Paris, Klincksieck, 1974, p. 13. Cf. sur la manière dont je définis l'esthétique, MAFFESOLI (M.), « Le Paradigme esthétique », in *Sociologie et Sociétés,* Presses Université Montréal, vol. XVII, n° 2, 1985, p. 33-41.

8. Cf. WATZLAWICK (P.), *La Réalité de la réalité,* Paris, 1978, p. 91 et SCHELER (M.), *Nature et Formes de la sympathie,* Paris, Payot, 1928, cf. en particulier p. 113, 83 sq., 88, 35. Sur les foules, cf. BEAUCHARD (J.), *La Puissance des foules,* Paris, P.U.F., 1985. Sur le sport, EHRENBERG (A.), « Le Football et ses imaginaires » in *Les Temps modernes,* novembre 1984 et SANSOT (P.), *Les Formes sensibles de la vie sociale,* Paris, P.U.F., 1986. Sur le tourisme cf. la revue *Sociétés,* n° 8, Paris, Masson, vol. 2, n° 2, 1986.

9. SCHELER (M.), *op. cit.,* p. 149-152. Sur la tendance dionysiaque, cf. MAFFESOLI (M.), *L'Ombre de Dionysos, contribution à une sociologie de l'orgie,* Paris, Librairie des Méridiens, 2e éd., 1985 et MANNHEIM (K.), *Idéologie et utopie,* Paris, M. Rivière, 1956, qui parle p. 154 de « chiliasme orgiastique ». Et HALBWACHS (M.), *La Mémoire collective,* Paris, P.U.F., 1968, p. 28, sur les « interférences collectives ».

10. Cf. HOCQUENGHEM (G.)-SCHÉRER (R.), *L'Ame atomique,* Paris, Albin Michel, 1986, p. 17. BAUDRILLARD (J.), *Amérique,* Paris, Grasset, 1986, p. 107. Cf. également les travaux de MOLES (A.), Institut de Psychologie sociale, Université de Strasbourg I, sur la rue, le cracheur de feu etc.

11. Sur l'apparence, je renvoie à mes analyses, MAFFESOLI (M.), *La Conquête du présent,* Paris, P.U.F., 1979. Cf. aussi PERROT (Ph.), *Le Travail des apparences,* Paris, Genève, 1984. Sur la « Parva esthetica » cf. G. HOCQUENGHEM et SCHERER, *op. cit.,* p. 25. Sur le sensible SANSOT (P.), *Les formes sensibles de la vie sociale, op. cit.* Pour une approche de la sociologie des sens cf. SIMMEL (G.), *Mélanges de philosophie relativiste,* Paris, Félix Alcan, 1912.

12. DA MATTA (R.), *Carnavals, bandits et héros,* Paris, Seuil, 1983, p. 116. Cf. également EHRENBERG (A.), « Le Football et ses imaginaires », in *Les Temps Modernes, op. cit.,* p. 859.

13. Sur cette liaison organique, je renvoie à mon travail, MAFFESOLI (M.), *La Connaissance ordinaire,* Paris, Méridiens, 1985. Sur la distinction de J. Séguy, cf. LALIVE D'EPINAY (C.), « La Recherche aujourd'hui, pistes et contacts », in *Sociétés,* Paris, Masson, vol. 2, n° 2, 1986, n° 8, p. 29. Pour ma part, je considère que le « retour des dieux » est moins dans la tête des chercheurs que dans celles des gens, et c'est pour cela qu'il devient problème pour le chercheur. Sur la « reliance » cf. BOL DE BALLE, *La Tentation communautaire,* Ed. Université de Bruxelles, 1985.

14. LAMBERT (Y.), *Dieu change en Bretagne,* Paris, Cerf, 1985 et HERVIEU-LÉGER (D.), *Vers un nouveau christianisme,* Paris, Cerf, 1986, p. 49 où elle relève des traits spécifiques de religiosité ouvrière et p. 217, où elle observe une affinité entre le monde moderne et la religiosité. Sur les « paroisses affinitaires », p. 12.

15. Cf. WEBER (M.), *Economie et société,* Paris, Plon, p. 475, 478.

16. THOMAS (L.-V.), *Rites de mort,* Paris, Fayard, 1985.

17. Sur médiévisme et sociologie cf. l'analyse et les exemples de NISBET (R.A.), *La Tradition sociologique*, Paris, P.U.F., 1984, p. 30.

18. Pour ce qui concerne K. Marx cf. LÉVY (F.), *K. Marx, histoire d'un bourgeois allemand*, Paris, Grasset, 1973.

Sur Durkheim cf. NISBET (R.A.), *ibid.*, pp. 110-111.

Sur le problème des solidarités mécanique et organique cf. MAFFESOLI (M.), *La Violence totalitaire*, Paris, P.U.F., p. 120.

19. Cf. HALBWACHS (M.), *La Mémoire collective*, Paris, P.U.F., 1968, pp. 119-120. Sur le non-individualisme chez G. Simmel je m'en suis expliqué dans mon article : MAFFESOLI (M.), « Le paradigme esthétique » in *Sociologie et Société*, Montréal, vol. XVII, n° 2, oct. 1985.

20. Cf. BASARAB (Nicolescu), *Nous, la particule et le monde*, Paris, Ed. Le Mail, 1985, sur la synchronicité cf. HALL (E.T.), *Au-delà de la culture*, Paris, Seuil, 1979, p. 75. Sur l'*habitus* cf. MAFFESOLI (M.), *La Connaissance ordinaire*, Paris, Librairie des Méridiens, 1985, p. 225 sq. Sur les origines thomistes de l'*habitus* cf. RIST (G.), « La Notion médiévale d'*habitus* dans la sociologie de P. Bourdieu », *Revue Européenne des Sciences Sociales*, Genève, Droz, t. XXII, 1984, 67, pp. 201-212.

21. Je suis ici une analyse très pertinente de SIMMEL (G.), *Sociologie et Epistémologie*, Paris, P.U.F., 1981, p. 125. A l'encontre de la traductrice Mme L. Gasparini, je propose de traduire *Geselligkeit* par socialité et non pas sociabilité.

22. Il n'est pas utile de citer les ouvrages de Durkheim, Weber ou Freud. J'emprunte cette expression à TACUSSEL (P.), *L'Attraction sociale*, Paris, Librairie des Méridiens, 1984.

23. BERGER (P.) et LUCKMANN (T), *The social Construction of Reality*, New York, Anchor Books éditions, 1967, p. 2. Trad. fran. *La Construction sociale de la réalité*, Paris, Méridiens-Klincksieck, 1987.

24. Cf. sur ce point BOURLET (M.), « L'orgie sur la montagne », *Nouvelle Revue d'Ethnopsychiatrie*, Paris, 1983, n° 1, p. 20. Pour une utilisation plus générale de la figure de Dionysos cf. mon livre MAFFESOLI (M.), *L'Ombre de Dionysos, contribution à une sociologie de l'orgie*, Paris, Librairie des Méridiens, 1982 (2e éd. 1985). Cf. également RENAUD (G.), *A l'ombre du rationalisme*, Montréal, Ed. St Martin, 1984, p. 171 : « La confrontation à l'étranger, à l'Autre... interroge l'appauvrissement d'une identité nationale qui se ferme de plus en plus sur elle-même... »

25. RENAN (E.), *Marc Aurèle ou la fin du Monde Antique*, Paris, Le Livre de poche, 1984, pp. 317-318.

26. SÉGUY (J.), *Christianisme et Société*, Introduction à la sociologie de Ernst Troeltsch, Paris, Cerf, 1980, p. 112. Cf. son analyse du « type-secte », p. 111 sq.

27. Cf. GIBBON, *Histoire du déclin et de la chute de l'Empire Romain*, Paris, Ed. Laffont, 1983, t. 1, chapitre XXIII, p. 632 sq. Sur les sectes médiévales cf. SÉGUY (J.), *op. cit.*, pp. 176-179.

28. L'expression « nappe phréatique » est appliquée par POULAT (E.) au catholicisme populaire in *Catholicisme, démocratie et socialisme*, Paris, Casterman, 1977, p. 486. Sur la permanence du « pays réel », de la base dans le catholicisme, cf. POULAT (E.), *Eglise contre bourgeoisie*, Paris, Casterman, 1977, p. 155. Cf. également les travaux du Prof. J. Zylberberg et de Mme P. Coté, Université Laval, Québec, Fac. Sciences Sociales.

29. Sur le compagnonnage cf. l'article de GUEDEZ (A.), « Une société en clair obscur : Le compagnon français » in *Revista de Ciencias Sociais*,

U.F.C. Fortaleza, Brésil, vol. V., 2e, 1974, p. 36. Sur les « frairies », cf. LAMBERT (Y.), *Dieu change en Bretagne*, Paris, Cerf, 1985, pp. 40 et 264.

30. On peut interpréter dans le sens des histoires quotidiennes les concepts historicistes tels « situational determination » ou « seat in life » proposés par BERGER (P.) et LUCKMANN (T.), *The social construction of reality, op. cit.*, p. 7. Cf. également sur le surréalisme et le situationisme, TACUSSEL (P.), *L'Attraction sociale, op. cit.*

31. Tout en reconnaissant la primauté du relationisme chez G. Simmel, je m'oppose ici à l'interprétation individualiste qu'en donne SÉGUY (J.), « Aux enfances de la Sociologie des Religions : Georg Simmel » in *Archives de sociologie des Religions*, Paris, C.N.R.S., 1964, n° 17, p. 6.

Pour ce qui concerne l'esthétisme cf. mon article MAFFESOLI (M.), « Le Paradigme esthétique » in *Sociologie et Société*, Montréal, vol. XVII, n° 2 oct. 1985. Cf. également ATOJI (Y.), « La philosophie de l'Art de Georges Simmel : son optique sociologique » in *Sociétés*, Paris, Masson (à paraître). Le terme de « reliance » est emprunté à BOLLE DE BAL (M.), *La Tentation communautaire*, Université de Bruxelles, 1985.

32. Sur l'exemple du culte privé cf. DODDS (E.R.), *Les Grecs et l'irrationnel*, Paris, Flammarion, 1959, p. 240. Cf. également BROWN (P.), *La Vie de Saint Augustin*, Paris, Seuil, 1971, p. 51 sur les réseaux des manichéens.

33. Cf. BOUGLÉ (C.), *Essais sur le régime des castes*, Paris, P.U.F., 1969, pp. 32-35. Sur le « jeu des passions humaines dans la société québécoise », cf. RENAUD (G.), *A l'ombre du rationalisme*, Montréal, Ed. St Martin, 1984, p. 167.

34. DURHEIM (E.), *De la Division du Travail Social*, Paris, Librairie Felix Alcan, 1926, p. 261. Sur le groupe comme « source de vie » préface à la 2e édition, p. XXX. Sur l'entrecroisement des groupes cf. HALBWACHS (M.), *La Mémoire collective, op. cit.*, p. 66.

35. Cf. à ce propos l'analyse sociologique que fait NISBET (R.A.), *La Tradition sociologique*, Paris, P.U.F., 1984, p. 78.

36. SIMMEL (G.), *Les Problèmes de la philosophie de l'histoire*, Paris, P.U.F., 1984, p. 75.

37. Je renvoie aux chapitres que j'ai consacré à la théâtralité in MAFFESOLI (M.), *La Conquête du présent*, pour une sociologie de la vie quotidienne, Paris, P.U.F., 1979.

Sur le secret cf. le remarquable article de SIMMEL (G.), « La société secrète », traduction française in *Nouvelle Revue de Psychanalyse*, Paris, Gallimard, 1976, n° 14, p. 281-305.

38. Cf. RENAN (E.), *Marc Aurèle ou la fin du monde antique, op. cit.*, p. 294.

39. Sur le sociologue « étranger » cf. MORIN (E.), *La Métamorphose de Plozevet*, Paris, Fayard, 1967, Livre de poche, p. 37. Sur la sodalité, je renvoie à POULAT (E.), *Intégrisme et catholicisme intégral*, Paris, Casterman, 1969. Sur le fantasme réducteur du sociologue cf. RENAUD (G.), *A l'ombre du rationalisme* : « La société devient un laboratoire et elle doit se conformer à la réalité définie par le sociologue » (p. 235).

40. Cf. mon livre, MAFFESOLI (M.), *La Conquête du présent, op. cit.* Sur « l'égoïsme de groupe » cf. l'article de SIMMEL, *op. cit.*, p. 298.

41. Cf. à ce propos SCHIPPER (K.), *Le Corps taoïste*, Paris, Fayard, 1982, pp. 28-37. Il montre bien comment les sociétés secrètes s'appuient sur le « pays réel ».

42. Cf. Les souvenirs de Bismark cités par SIMMEL (G.), *La Société secrète, op. cit.*, p. 303. Pour une bonne introduction sur l'homosexualité, cf. MÉNARD (G.), *L'Homosexualité démystifiée*, Ottawa, Leméac, 1980.

43. CANETTI (E.), *La Conscience des mots*, Paris, Albin Michel, 1984, p. 164.

44. Cf. en ce sens la remarquable biographie de BROWN (P.), *La Vie de saint Augustin*, traduction française, Paris, Seuil, 1971, p. 226.

45. Je renvoie ici à l'enquête sur les cadres de WICKHAM (A.) et PATTERSON (M.), *Les Carriéristes*, Paris, Ramsay, 1983. Sur les dockers cf. les enquêtes citées par YOUNG (M.) et WILLMOTT (P.), *Le Village dans la ville*, traduction française, Paris, C.C.I., Centre Georges Pompidou, 1983, p. 124 sq. Sur la perversité comme ruse, cf. RENAUD (G.), *A l'ombre du rationalisme, op. cit.*, p. 186.

46. Cf. MONTHERLANT (H. de) et PEYREFITTE (R.), *Correspondance*, Paris, Plon, 1983, p. 53.

47. Sur la duplicité du symbole, outre ce que l'on sait pour la tradition occidentale, on peut renvoyer à la fonction de son équivalent chinois exprimé par le mot « Fou ». Cf. SCHIPPER (K.), *Le Corps taoïste, op. cit.*, p. 287 note 7.

48. SIMMEL (G.), *La Société secrète, op. cit.*, p. 293.

49. Sur le rapprochement avec l'antiquité cf. BROWN (P.), *La Société et le sacré dans l'Antiquité tardive*, Traduction française, Paris, Seuil, 1985, p. 110.

50. Sur les conséquences du phénomène de « bande à part » sur la société romaine par exemple, cf. RENAN (E.), *Marc Aurèle ou la fin du monde antique*, Paris, Livre de poche, 1984, p. 77.

51. Sur le « groupe en fusion » cf. naturellement SARTRE (J.P.), *Critique de la raison dialectique*, Paris, Gallimard, 1960, p. 391. Pour la créativité des formes communautaires, pour l'antiquité cf. BROWN (P.), *Genèse de l'Antiquité tardive*, traduction française, Paris, P.U.F., 1984, p. 22. Sur la perdurance et l'écoute de la solidarité, cf. RENAUD (G.), *A l'ombre du rationalisme*, La société québécoise, Montréal, Ed. St Martin, 1984, p. 179.

52. YOUNG (M.)-WILLMOTT (P.), *Le Village dans la ville*, Traduction française, Prais. C.C.I., Centre G. Pompidou, 1983, p. 18, cf. p. 153. Cf. également une recherche plus récente, ROSEMBERG (S.), *Annales de la Recherche Urbaine*, n° 9, 1981.

Sur les groupes religieux à Paris et à Récife cf. AUBRÉE (M.), « Les Nouvelles tribus de la chrétienté », in *Raison Présente*, Paris, n° 72, 1984, pp. 71-87.

53. REYNAUD (E.), « Groupes secondaires et solidarité organique : qui exerce le contrôle social ? », in *L'Année Sociologique*, Paris, 1983, p. 184. Sur l'importance des « gangs », cf. MORIN (E.), *L'Esprit du temps*, Paris, Livre de poche, 1983, p. 130.

54. Cf. mon article MAFFESOLI (M.), « Le Paradigme esthétique : la sociologie comme art », in *Sociologie et Société*, Montréal, vol. XVII, n° 2, oct. 1985. Cf. également *La Connaissance ordinaire*, Paris, Librairie des Méridiens, 1985, chapitre IV : Vers un « formisme » sociologique.

55. DORFLES (G.), *L'Intervalle perdu*, Traduction française, Paris, Librairie des Méridiens, 1984, p. 30 sq. Il va sans dire que je ne partage pas la crainte de G.D. pour le tribalisme contemporain et sa « peur du vide ».

56. Sur le « théâtre barbare » cf. les références et les recherches auxquelles renvoie G. Dorfles, *ibid.*, p. 163. Le tarentisme est bien analysé

par DE MARTINO (E.), *La Terre du remords*, traduction française, Gallimard, 1966. Sur le candomblé, je renvoie à MATTA (R.), *Cidade e Devoçao.* Récife 1980 et « Le Syllogisme du Sacré » in *Sociétés*, Paris, Masson, 1985, n° 5, et COSTA LIMA (V.), *A Famiglia de Santo nos candomblés, jeje-nagos do Bahia*, Salvador, 1977.

De SCHUTZ, « making music together » est traduit dans la revue *Sociétés*, Paris, Masson, vol. 1, n° 1, 1984.

Sur le tantrisme cf. VARENNE (J.), *Le Tantrisme*, Paris, 1977.

Sur les sectes, je renvoie naturellement au très bel article de ZYLBERBERG (J.) et MONTMINY (J.P.), *L'Esprit, le pouvoir et les femmes*, Polygraphie d'un mouvement culturel québécois. R.S. XXII, 1, 1981. Ainsi qu'à la thèse de COTÉ (P.), *De la dévotion au pouvoir : les femmes dans le Renouveau charismatique*, Montréal, Université Laval, 1984.

57. BOUGLÉ (C.), *Essais sur le système des castes*, Paris, P.U.F., 1969, p. 152.

## Chapitre V

1. Il me semble en effet nécessaire d'inverser l'utilisation de ces concepts durkheimiens, cf. ma proposition : MAFFESOLI (M.), *La Violence totalitaire,* Paris, P.U.F., 1979, p. 210, note 1. SIMMEL (G.), *Problème de Philosophie de l'Histoire,* Paris, P.U.F., 1984, p. 131. Cf. la notion de « Hétéroculture » introduite par J. POIRIER

2. Cf. la préface à la deuxième édition de MAFFESOLI (M.), *L'Ombre de Dionysos,* Paris, Librairie des Méridiens, 1985. Sur ce « nous-Dionysos », je renvoie également à l'article de BOURLET (M.), « Dionysos, le même et l'autre », *Nouvelle Revue d'ethnopsychiatrie,* n° 1, 1983, p. 36.

3. Cf. FREUND (J.), *Sociologie du conflit,* Paris, P.U.F., 1983, p. 14. Il faut naturellement renvoyer à *L'Essence du Politique,* Paris, Sirey, 1965, Ch. VII. Pour unc bonne analyse du Tiers, on peut renvoyer à PARK (J.H.), *Conflit et Communication dans le mode de penser coréen,* Thèse Paris V, 1985, p. 57 sq.

4. A titre d'exemple sur les contradictions des « organisations dites dualistes » cf. LÉVI-STRAUSS, *Anthropologie structurale,* Paris, Plon, 1974, p. 179 ; également DUMÉZIL (G.), *Jupiter, Mars, Quirinus,* Paris, Gallimard, 1941, et DURAND (G.), *L'Ame tigrée, les pluriels de psyché,* Paris, Denoël-Médiation, 1980, p. 83-84. Et l'expérience psychologique dont parle WATZLAWICK (P.), *La Réalité de la réalité,* Paris, Seuil, 1978, p. 90.

5. Sur le triadisme à partir d'une vision symboliste cf. DURAND (G.), *La Foi du Cordonnier,* Paris, Denoël, 1984, p. 90 ; également LALIVE D'EPINAY (M.), *Groddeck,* Paris, Edition Universitaire, 1983, pp. 56-57. La répartition trinitaire chez ce psychanalyste.

6. Cf. SCHIPPER (K.), *Le Corps taoïste,* Paris, Fayard, 1982, p. 146 (c'est moi qui souligne) et p. 16.

7. Cf. MORIN (E.), *La Nature de l'URSS,* Paris, Fayard, 1983, p. 181. Sur les « réalités » différentielles cf. SIMMEL (G.), *Problèmes de la Sociologie des religions,* Paris, C.N.R.S., 1964, n° 17, p. 13 ; pour une analyse du texte d'Aristote cf. FREUND (J.), *Sociologie du conflit, op. cit.,* p. 36 sq.

8. Cf. l'analyse de « communication générale » que fait TACUSSEL (P.), *L'Attraction sociale,* Paris, Librairie des Méridiens, 1984.

9. RÉAU (L.), *L'Europe française au siècle des Lumières,* Paris, Albin Michel, 1951, p. 303 sq.

10. MAFFESOLI (M.), *La Violence totalitaire,* Paris, P.U.F., 1979.

11. HOFFET (F.), *Psychanalyse de l'Alsace,* Strasbourg, 1984, p. 48, 38. On pourrait également faire référence à la Sicile et à l'action de l'empereur Frédéric II.

12. Cf. la notation faite en ce sens par REVAULT D'ALLONES (O.), in *Musiques, variations sur la pensée juive,* Paris, Edition C. Bourgeois, 1979, p. 47.

13. Cf. BROWN (P.), *Saint Augustin,* Paris, Seuil, 1971, pp. 251-259.

14. Je renvoie ici à un article érudit et exhaustif paru après que fut terminé mon travail sur le dionysiaque, BOURLET (M.), « Dionysos, le même et l'autre », in *Nouvelle Revue d'ethnopsychiatrie, op. cit.* Sur ce qu'il appelle finement le « travail de l'exil » cf. RENAUD (G.), *A l'ombre du rationalisme,* La société québécoise, Montréal, Ed. St Martin, 1984, p. 171.

15. MAFFESOLI (M.), *La Connaissance ordinaire. Précis de sociologie compréhensive,* Paris, Ed. Librairie des Méridiens, 1985, p. 132. Sur la Révolution Française, cf. RÉAU (L.), *L'Europe française au siècle des Lumières, op. cit.,* p. 368. Cf. également l'ouvrage de CŒURDEROY *Hourra, la révolution par les Cosaques,* Paris, Ed. Champ Libre, 1972.

16. BASLEZ (M.F.), *L'Etranger dans la Grèce Antique,* Paris, Edition Les Belles Lettres, 1984, p. 75.

17. FREYRE (G.), *Maîtres et esclaves,* Paris, Gallimard, Tel, 1974, par ex., p. 210. Cf. encore MOTTA (R.), « La Sociologie au Brésil », *Cahiers Internationaux de Sociologie,* Paris, P.U.F., vol. LXXVIII, 85. Pour ce qui concerne SIMMEL (G.), cf. *L'Ecole de Chicago,* Paris, Aubier, 1984.

18. BOUGLÉ (C.), *Essais sur le régime des castes,* Paris, P.U.F., 1969, p. 203, note 2.

19. Sur cette distinction et sur le polythéisme chrétien, je renvoie à *L'Ombre de Dionysos, op. cit.* Pour l'œuvre de DURAND (G.), cf. en particulier *La Foi du Cordonnier,* Paris, Denoël, 1984. Sur une analyse de la religion populaire je renvoie à LAMBERT (Y.), *Dieu change en Bretagne,* Paris, Cerf, 1985. On peut relever cette phrase : « Les bévues sur la religion populaire ne seraient pas aussi tenaces si la plupart des spécialistes ne se contentaient pas d'interroger les militants, les responsables... qui ne demandent que cela... », p. 17.

20. Cf. par exemple FAIVRE (A.), *Eckartshausen et la théosophie,* Paris, Edition Klincksieck, 1969, p. 14 et COUGHTRIE (M.E.), *Rhythmomachia, a propaedeutic game of the middle Ages.* Université Cape Town, 1985, p. 26.

21. POULAT (E.), *Eglise contre bourgeoisie,* Paris, Ed. Casterman, 1977, p. 59 et p. 130 sur le *Simultaneum,* cf. p. 87 et *Catholicisme, démocratie et socialisme,* Paris, Ed. Casterman, 1977, p. 486. J'ai moi-même connu un tel village, Wangen, où le culte et la messe se célébraient à l'ombre tutélaire d'un vitrail où figurait l'œil du Créateur enchassé dans un triangle isocèle. Symbole maçonnique s'il en est et métaphore accomplie du triadisme !

22. WEBER (M.), *Le Savant et le Politique,* trad. Fr. J. Freund, Paris, Plon, 1959, p. 93.

23. Je divague librement à partir du texte de Simmel (G.), « Problèmes de la sociologie des religions ». Trad. Fr. J. Seguy in *Archives de Sociologie des Religions,* Paris, C.N.R.S., 1964, n° 17, p. 19.

24. Durkheim (E.), *De la Divison du Travail Social,* Paris, Félix Alcan, 1926, pp. 17, 18 et sq. Sur la différence dans la société conjugale cf. Pennacchioni (I.), *La Polémologie conjugale,* Paris, Mazarine, 1986.

25. Sur l'ordinaire qui « cache une diversité fondamentale » cf. Certeau (M. de) et Giard (L.), *L'Ordinaire de la communication,* Paris, Dalloz, 1983, p. 21. Sur la « duplicité », je renvoie au chapitre que je lui consacre : Maffesoli (M.), *La Conquête du Présent, pour une sociologie de la vie quotidienne,* Paris, P.U.F., 1979.

26. Brown (P.), *Genèse de l'Antiquité tardive,* Paris, Gallimard, 1983, p. 83.

27. Pour une constatation de ce genre d'un point de vue freudien cf. Slama (A.G.), *Les Chasseurs d'absolu, Genèse de la gauche et de la droite,* Paris, Grasset, 1980, pp. 21, 22 et 24 sur Héraclite.

28. Cf. Bouglé (C.), *Essais sur le régime des castes,* Paris, P.U.F., 1935, quatrième édition, 1969, p. 59.

Dumont (L.), *Homo hierarchicus,* Paris, Gallimard, 1967.

29. Poulat (E.), *Catholicisme, démocratie et Socialisme,* Paris Casterman, 1977, p. 85, note 33 et p. 86.

30. Brown (P.), *Genèse de l'Antiquité tardive, op. cit.,* p. 79. Cf. l'analyse qu'il fait de la *Philotimia.* On est loin de ce que Renaud (G.), *A l'ombre du rationalisme, op. cit.,* appelle le « social-étatisme », cf. p. 215.

31. Cf. FFreyre (G.), *Maîtres et esclaves, op. cit.,* p. 93.

32. Da Matta (R.), *Carnavals, bandits et héros,* Paris, Seuil, 1983, p. 57 sq. Sur la « théâtralité » et « l'affrontement au destin », je renvoie à mon livre : Maffesoli (M.), *La Conquête du Présent, op. cit.* Concernant la samba, cf. Sodré (M.), *Samba o dono do corpo,* Rio, Ed. Codecri, 1979.

33. *Ibid.,* p. 183 et les références à Machado de Assis qu'il donne, note 2.

34. Medam (A.), *Arcanes de Naples,* Paris, Edition des Autres, 1979, p. 78, fait une bonne analyse du clientélisme à Naples. Pour les entreprises on peut se reporter à Wickham (A.) et Patterson (M.), *Les Carriéristes,* Paris, Ramsay, 1984. Bonnes analyses et classification de filières.

35. Maffesoli (M.), « La maffia comme métaphore de la socialité » in *Cahiers Internationaux de Sociologie,* Paris, P.U.F., 1982, volume LXXIII, pp. 363 à 369.

36. Cf. les exemples que donne, en ce sens, Durand (G.), *L'Ame tigrée. Les pluriels de psyché,* Paris, Denoël, 1980, p. 143 et notes. Sur Einstein et la relativité générale cf. Charon (J.E.), *L'Esprit cet inconnu,* Paris, Albin Michel, 1977, p. 56.

37. Lacarriere (J.), *L'Eté grec,* Paris, Plon, 1976, p. 54. Analyse du mysticisme grec.

## Chapitre VI

1. Nietzsche, cf. l'analyse qu'en fait FERRAROTTI (F.), *Histoire et histoires de vie*, Paris, Librairie des Méridiens, 1983, p. 32 sq.

2. CHAMOUX (F.), *La Civilisation hellénistique*, Paris, Arthaud, 1981, p. 211.

3. *Ibid.*, p. 231, sur une autre application de cette polarité, cf. le type idéal de la ville élaboré par l'Ecole de Chicago ; en particulier E. Burgess in HANNERZ (U.), *Explorer la ville*, Paris, Minuit, 1983, p. 48.

4. Pour une analyse de *De Politia*, cf. WEINSTEIN (D.), *Savonarole et Florence*, Paris, Calmann-Lévy, 1965, p. 298/9.

5. *Ibid.*, pp. 44-45 et note 18 et 19 sur le rayonnement de la cité de Florence. Sur « l'espace comme catégorie de notre entendement, cf. A. MOLES, E. ROHMER, *Les Labyrinthes du vécu*. Méridiens, Paris, 1982 ; sur la « communauté de sens » cf. J.F. BERNARD-BÉCHARIERin *Revue Française du marketing*, 1980/1, cahier 80.

6. Cf. WEBER (M.), *La Ville*, Paris, Aubier-Montaigne, 1984, p. 72.

7. *Ibid.*, p. 129.

8. FREYRE (G.), *Maîtres et esclaves, la formation de la société brésilienne*, Paris, Gallimard, 1970, p. 201.

9. H. Raymond, préface à YOUNG (M.), WILLMOTT (P.), *Le Village dans la ville*, Paris, Centre G. Pompidou, C.C.I., p. 9.

10. Cf. HANNERZ (U.), *op. cit.*, p. 22, sur les « villages urbains », cf. GANS (H.), *The Urban Villagers*, New York, Free Press, 1962. Sur l'attraction cf. TACUSSEL (P.), *L'Attraction sociale*, Paris, Librairie des Méridiens, 1984.

11. Sur ce thème et ses catégories essentielles, je renvoie à mon livre, MAFFESOLI (M.), *La Conquête du Présent*, Paris, P.U.F., 1979. J'emploie ici le terme dialectique dans le sens simple (aristotélicien) du terme : renvoi permanent d'un pôle à l'autre ; à rapprocher de l'action-rétroaction, ou de la boucle « morinienne », cf. à ce propos MORIN (E.), *La Méthode*, t. 3, *La Connaissance de la connaissance*/1, Paris, Seuil, 1986.

12. A titre d'exemple on peut signaler, dans le cadre du Centre d'Etude sur l'Actuel et le Quotidien (Sorbonne-Paris V) les recherches en cours de Pina Lalli sur les réseaux de médecines parallèles, de P. Gérome sur la multiplicité des thérapies corporelles, de S. Joubert et B.G. Glowczenski sur l'astrologie et J. Ferreux sur les représentations des groupes alternatifs. On peut aussi faire référence à l'œuvre de J. DUMAZEDIER, ainsi par exemple *La Révolution du Temps Libre*, Méridiens Klincksieck, 1988.

13. BERQUE (A.), *Vivre l'espace au Japon*, Paris, P.U.F., 1982, p. 34, cf. l'analyse pp. 31-39.

14. Je rappelle que j'ai proposé d'inverser les concepts durkheimien de « solidarité organique », et « solidarité mécanique » ; cf. MAFFESOLI (M.), *La Violence totalitaire*, Paris, P.U.F., 1979, sur l'*Einfühlung*, je renvoie à mon livre *La Connaissance ordinaire*, Paris, Librairie des Méridiens, 1985. Sur la nostalgie de la communauté chez les pères fondateurs, cf. NISBERT (R.), *La Tradition sociologique*, Paris, P.U.F., 1982.

15. LICHTENTHAELER (C.), *Histoire de la médecine*, Paris, Fayard, 1978, p. 100. Je dois cette référence à la thèse en cours de T. Orel sur le vitalisme.

16. Cf. RENAN (E.), *La Réforme*, in *OEuvres Complètes*, Paris, Calmann-Lévy, p. 230. Cf. encore in GIBBON, *Histoire du déclin et de la chute de l'Empire Romain*, Paris, 1983, p. 51 : « Auguste... permet à quelques villes de province de lui élever des temples ; mais il exigea que l'on célébrât le culte de Rome avec celui du souverain » et p. 58, « plusieurs personnes plaçaient l'image de Marc Aurèle parmi celles de leurs dieux domestiques ».

17. Cf. BROWN (P.), *La Société et le sacré dans l'Antiquité tardive*, Paris, Seuil, 1983, pp. 214-217, cf. encore *Le Culte des Saints*, Paris, Cerf, 1984, Ch. 1 : le sacré et la tombe.

18. DUBY (G.), *Le Temps des cathédrales*, l'art et la société, 980-1420, Paris, Gallimard.

19. POULAT (E.), *Eglise contre bourgeoisie*, Paris, Casterman, 1977, p. 112.

20. HERVIEU-LÉGER (D.), *Vers un nouveau christianisme*, Paris, Cerf, 1986, p. 109, cf. également p. 107, 123 les références aux travaux de H. Hubert, R. Hertz et S. Bonnet.

21. Cf. MESLIN (M.), « Le phénomène religieux populaire » in *Les Religions populaires*, Presses de l'Université Laval, Québec, 1972, p. 5.

22. Cf. par exemple les études de MOTTA (R.) (Récife), « Estudo do Xango », *Revista de antropologia*, Sao Paulo, 1982.

COSTA-LIMA (V. de) (Salvador de Bahia), *A Famila de santo nos candomblés jeje. Nagos da Bahia : un estudo de relaçoes intra-groupais*, U.F.B.A., Salvador, 1977.

SODRÉ (M.) (Rio de Janeiro), *Samba, o dono do corpo*, Codecri, Rio, 1979.

23. Je m'en suis expliqué in MAFFESOLI (M.), *La Connaissance ordinaire, précis de sociologie compréhensive*, Paris, Librairie des Méridiens, 1985.

24. Cf. les remarquables pages que M. Halbwachs consacre à la mémoire collective de l'espace, in *La Mémoire collective*, Paris, P.U.F., 1968, pp. 130-138.

25. Cf. MEDAM (A.), *La Ville censure*, Paris, Anthropos, 1971, p. 103, Sur la distinction de WORRINGER (W.), *Abstraction et Einfühlung*, Paris, Klincksieck, 1978. Sur l'expérience partagée, cf. MAFFESOLI (M.), « Le Paradigme esthétique » in *Sociologie et Sociétés*, Montréal, vol. XVII, n° 2, oct. 1985, p. 36.

26. Sur ces deux exemples historiques, cf. BOUGLÉ (C.), *Essais sur le régime des castes*, Paris, P.U.F., 1969, p. 184, et VENTURI (F.), *Les intellectuels, le peuple et la révolution*. Histoire du populisme russe au XIXe siècle, Paris, Gallimard, 1972, p. 211.

27. RAPHAEL (F.), *Judaïsme et capitalisme*, Paris, P.U.F., 1982, p. 201.

28. Cf. WIRTH (L.), *Le Ghetto*, Paris, Champ Urbain, 1980.

29. DURKHEIM (E.), *De la division du Travail social*, Paris, Alcan, 1926, p. XXXIII.

30. Cf. SCHELER (M.), *Nature et formes de la sympathie*, Paris, Payot, 1928, p. 36 (cf. aussi p. 37 note 1) sur l'orgiastico-dionysiaque, cf. MANHEIM (K.), *Idéologie et Utopie*, Paris, Rivière, 1956, p. 158, et WEBER (M.), *Economie et Sociétés*, Paris, Plon, 1971.

31. HALBWACHS (M.), *La Mémoire collective*, Paris, P.U.F., 1968, p. 166.

32. Sur l'art du pochoir cf. la recherche de DEVILLE (M.), « Imaginaires, Pochoirs, Tribus, Utopies », in *Sociétés*, Paris, Masson, 1986,

n° 10 ; sur les graffiti on peut renvoyer à l'analyse de BAUDRILLARD (J.), *L'Echange symbolique et la mort*, Paris, Gallimard, 1976, p. 118 et sq.

33. BROWN (P.), *La Société et le sacré dans l'antiquité tardive*, Paris, Seuil, 1985, pp. 218, 224 et 226.

34. Sur ces divers points je signale quelques recherches : SAUVAGEOT (A.), *Figures de la publicité, figures du monde*, , Paris, P.U.F. 1987. DEVILLE (M.), *Les Vidéo-clip et les jeunes* (C.E.A.Q.), MORICOT (C.), *Télévision et société, les immeubles cablés* (C.E.A.Q.).

35. Cf. BERQUE (A.), *Vivre l'espace au Japon*, Paris, P.U.F., 1982, p. 47.

36. Le terme « multitude de villages » qui est proche de l'Ecole de Chicago ainsi que je l'ai montré, est ici emprunté à BEAUCHARD (J.), *La Puissance des foules*, Paris, P.U.F., 1985, p. 25 ; sur les relations de voisinage et leurs conflits ou pour solidarité, on peut faire référence à une recherche de PELLETIER (F.), « Quartier et communication sociale », in *Espaces et Sociétés* n° 15, 1975. Plus récemment, cf. la poétique analyse d'un ethnologue, SANSOT (P.), *La France sensible*, Champ Vallon, 1985, p. 45, cf. encore FERRAROTTI (F.), *Histoire et histoires de vie*, Paris, Librairie des Méridiens, 1983, p. 33.

37. MOLES (A.), *Théorie structurale de la communication et sociétés*, Paris, Masson, 1986, p. 147 sq.

38. HALL (E.), *Au-delà de la culture*, Paris, Seuil, 1979, p. 67 donne à ce propos l'exemple des usines au Japon. Sur le tourisme je renvoie à l'article (et à la recherche en cours) de AMIROU (R.), « Le Badaud, approche du tourisme », in *Sociétés*, Paris, Masson, 1986, n° 8. Enfin, sur le rituel en général, THOMAS (L.-V.), *Rites de mort*, Paris, Fayard, 1985, p. 16 et C. rivière.

39. Cf. YOUNG (M.) et WILLMOTT (P.), *Le Village dans la ville*, Paris, Centre G. Pompidou, C.C.I., 1983, p. 137, 138, 143 et *passim*. Je renvoie également à ma note sur la maffia, MAFFESOLI (M.), « La maffia : Notes sur la socialité », *Cahiers Intern. de Sociologie*, Paris, P.U.F., 1982, vol. LXXIII.

40. BOUGLÉ (C.), *Essais sur le Régime des castes*, Paris, P.U.F., 1969, p. 5.

41. J'interprète ici librement une analyse de BASLEZ (M.F.), *L'Etranger dans la Grèce antique*, Paris, Les Belles Lettres, 1984, p. 40 sq. Sur le rôle du « tiers », cf. FREUND (J.), *L'Essence du politique*, Paris, Sirey, 1965 et PARK (J.H.), *La Communication et le conflit dans le mode de pensée coréen*, Thèse Sorbonne, Paris V. Sur les territoires de la maffia, cf. IANNI (J.), *Des affaires de famille*, Paris, Plon, 1978.

42. FOURIER (Ch.), *Œuvres Complètes*, Paris, Anthropos, t. V, p. 157, cf. également DURKHEIM (E.), *Les Formes élémentaires de la vie religieuse*, Paris, P.U.F., 1968, sur l'utilisation de la violence, je m'en suis expliqué dans MAFFESOLI (M.), *Essais sur la violence banale et fondatrice*, 2e éd., Paris, Librairie des Méridiens, 1985.

43. Cf. l'analyse de ces ethnographes que fait HANNERZ (U.), *Explorer la ville*, Paris, Seuil, 1983, pp. 59-60. Sur la thématique du présent, je renvoie à mon livre, MAFFESOLI (M.), *La Conquête du Présent*, Paris, P.U.F., 1979. Quant au modèle du secret, cf. SIMMEL (G.), « Les Sociétés secrètes » in *Revue française de Psychanalyse*, Paris, P.U.F., 1977. Sur les rites des groupes d'adolescents, cf. THOMAS (L.-V.), *Rites de mort*, Paris, Fayard, p. 15. D'une manière plus générale cf. les livres de J. DUMAZEDIER, sur une autre utilisation du temps.

44. On peut d'ailleurs remarquer que les réserves normatives de M. Weber se trouvent plus dans *Le Savant et le Politique*, qui rassemble des textes « éducatifs », plus que dans *Economie et Société*, Cf. WEBER (M.), *Le Savant et le Politique*, Paris, Plon, 1959, p. 85, 105 sq. Sur la « communauté émotionnelle », cf. *Economie et Sociétés*, Paris, Plon, pp. 478, 565 et SÉGUY (J.), « Rationalisation, modernité et avenir de la religion chez M. Weber », in *Archives de Sciences Sociales des religions*, Paris, C.N.R.S., 1986, 61.1., pp. 132, 135 et notes. Sur le climat dans lequel M. Weber écrivit quant à « l'orgiastique » et sur sa proximité de « l'école des prêtres de Baal » et du cercle cosmique de Klages, cf. FIETKAN (W.), « A la recherche de la révolution perdue », in *Walter Benjamin*, Paris, Ed. du Cerf, 1986, p. 291 et sq.

45. HANNERZ (U.), *op. cit.*, p. 154.

46. Outre les références données par Hannerz, on peut renvoyer à la thèse de LANGLOIS (S.), *Les Réseaux sociaux et la mobilité professionnelle*, Sorbonne, 1980, qui fait le point avec érudition tout en ouvrant de nombreuses pistes prospectives.

47. HANNERZ (U.), *op. cit.*, pp. 88-89.

48. Le problème du ragot ou de la rumeur mérite une attention nouvelle. Outre les travaux de E. Morin et de Shibutani (cf. *Sociétés*, Paris, Masson, n° 0, 1984) je renvoie à la thèse d'Etat de REUMAUX (F.), *Esquisse d'une sociologie des rumeurs, quelques modèles mythiques et pathologiques*. Sorbonne, Paris V, C.E.A.Q.

49. MILGRAM (S.), *The Experience of living in cities*, cf. l'analyse qu'en fait HANNERZ (U.), *op. cit.*, pp. 245-247, cf. également p. 228.

50. BERQUE (A.), *Vivre l'espace au Japon*, Paris, P.U.F., 1982, p. 119.

51. TROELTSCH (E.), « Christianisme et société » in *Archives de Sociologie des religions*, n° 11, 1961, pp. 15-34, cf. aussi pour la nébuleuse le groupe sectaire, HERVIEU-LÉGER (D.), *Vers un nouveau christianisme*, Paris, Cerf, 1986, pp. 145, 343, 353 et *passim*.

**Annexe**

1. Cf. à cet égard DUMONT (F.), *Cette culture que l'on appelle savante*, in *Questions de culture*, I.Q.R.C., Québec, 1981, p. 19.

2. Appliqué à un domaine spécifique. Cf. l'analyse en ce sens que fait DUBOIS (C.G.), *L'imaginaire de la Renaissance*, Paris, P.U.F., 1986, p. 959.

3. Cf. SCHOLEM (G.), *La Mystique juive*, Paris, Cerf, 1985, p. 86.

4. Sur cette distinction, cf. SCHOLEM (G.), *Sabbatai Tsevi*, La Grasse, éd. Verdier, 1983, p. 25 et 39.

5. MEHL (R.), *La Théologie Protestante*, Paris, P.U.F., 1967, p. 121.

6. PIPES (R.) cité par VENTURI, *Les intellectuels, le peuple et la révolution*, Paris, Gallimard, 1972, p. 49.

7. Je renvoie sur ce point à mes ouvrages : MAFFESOLI (M.), *La logique de la domination*, Paris, P.U.F., 1976, et *La violence totalitaire*, Paris, P.U.F., 1979. Cf. également SOUVARINE (B.), *Staline*, Ed. Gérard Lébovici, 1985, p. 64. On peut rappeler que seuls quelques groupes d'inspiration

anarchiste, tels les conseillistes ou situationnistes, furent réfractaires au léninisme conceptuel.

8. GORKI (M.), *Pensées intempestives,* Lausanne, L'Age de l'homme, 1975, cité par SOUVARINE (B.), *op. cit.,* p. 181. *Lettres de Sartre* in *Temps,* III, 1983, p. 1630. VALÉRY (P.), *Oeuvres complètes,* La Pléiade, t. II, p. 615.

9. Cf. la préface d'E. Martineau au texte de Heidegger, éd. Authentica, p. 14.

10. OUTHWAITE (W.), *Understanding Social Life,* London, George Allen and Unwin Ltd, 1975, p. 13. Sur la notion de conjonction cf. DURAND (G.), « La notion de limite », in *Eranos 1980,* Frankfurt, Insel Verlag, 1981, p. 43 et 46.

11. ADORNO (T.), *Minima moralia,* Paris, Payot, 1980, p. 47 et *Notes sur la littérature,* Paris, éd. Flammarion, 1985, p. 426.

12. Sur la correspondance et l'analogie, je renvoie à mon livre, MAFFESOLI (M.), *La connaissance ordinaire,* Méridiens Klincksieck, 1985. Sur la « médiance », cf. BERQUE (A.), *Vivre l'espace au Japon,* Paris, P.U.F., 1982, p. 41 et *Le Sauvage et l'artifice,* Paris, Gallimard, 1986, p. 162, 165.

13. RENAN (E.), *Marc Aurèle,* Paris, Livre de Poche, 1984, p. 314.

14. Cf. BROWN (P.), *La Société et le sacré dans l'Antiquité tardive,* Paris, Seuil, 1985, p. 18.

15. On peut renvoyer à DURAND (G.), *La Foi du cordonnier,* Paris, Denoël, 1984.

16. STROHL (H.), *Luther,* Paris, P.U.F., 1962, p. 294 ; cf. encore p. 308.

17. *Ibid.,* p. 200 et p. 233.

18. DURKHEIM (E.), *Les Formes élémentaires de la vie religieuse,* Paris, P.U.F., 1968, p. 36 sq.

19. Cf. WÖLFFLIN (H.), *Renaissance et baroque,* Brionne, éd. G. Monfort, 1985, et même éditeur : *Principes fondamentaux de l'histoire de l'art.*

20. Cf. JÜNGER (E.), *Graffiti,* Paris, éd. C. Bourgeois, 1977, p. 35.

21. POIRIER (J.), *Les récits de la vie,* Paris, P.U.F., 1984, p. 23.

22. Cf. JOHNSTON (W.J.), *L'esprit viennois. Une histoire intellectuelle et sociale,* Paris, P.U.F., 1985, p. 26-28.

23. PENNACCHIONI (I.), *De la guerre conjugale,* Paris, Mazarine, 1986, p. 79.

24. MOORE (G.E.), *Apologie du sens commun,* p. 135-160, in F. ARMENGAUD, *G.E. Moore et la genèse de la philosophie analytique,* Paris, Klincksieck, 1986, cf. p. 13. C'est à la confluence de cette perspective et de celle de la phénoménologie sociologique que se situent les travaux du Centre d'Etudes sur l'Actuel et le Quotidien (Paris V) et mes deux ouvrages sur ce thème, MAFFESOLI (M.), *La Conquête du présent. Pour une sociologie de la vie quotidienne,* Paris, P.U.F., 1979 et *La Connaissance ordinaire. Précis de sociologie compréhensive, op. cit.*

25. Cf. la postface de DURAND (G.) à ses *Structures anthropologiques de l'imaginaire,* Paris, Bordas, 1969. Sur l'utilisation par la mythocritique de la procédure centripète, cf. DURAND (G.), *Figures mythiques et visages de l'œuvre,* Paris, Berg, 1982, p. 308.

26. BERQUE (A.), *Vivre l'espace au Japon, op. cit.,* p. 124 et p. 56.

27. Cf. à ce propos BERQUE (A.), *Le sauvage et l'artifice,* Paris, Gallimard, 1986, p. 267.

28. OUTHWAITE (W.), *Understanding Social Life. The Method Called Verstehen,* London, G. Allen und Unwin, 1975, p. 13.

29. Cf. DURKHEIM (E.), *De la division du travail social,* Paris, 1926,

p. 145. Cf. aussi, sur la stérilité des discours académiques, MANNHEIM (K.), *Idéologie et Utopie,* Paris, Marcel Rivière, 1956, p. 69. Cf. encore cette remarque riche d'enseignements de E. Renan : « ce sont les bégaiements des gens du peuple qui sont devenus la deuxième bible du genre humain », in *Marc Aurèle, op. cit.,* p. 291.

30. Cf. DUMONT (F.), « Cette culture que l'on appelle savante », in *Questions de culture,* I.Q.R.C., Québec, 1981, p. 27 sq.

31. Cf. LAMBERT (Y.), *Dieu change en Bretagne,* Paris, Cerf, 1985, p. 225. En fait, le livre de Lambert est d'un très grand intérêt et l'on peut penser que cette formule est une analogie ; malheureuse à mon avis, car elle est trop contredépendante de la perspective bourdieusienne.

32. MAFFESOLI (M.), *La Connaissance ordinaire, op. cit.* Je renvoie également aux recherches de J. Oliveira (Université de Feira de Santana, Brésil) sur les diverses formes du savoir populaire ; thèse d'Etat en cours.

33. Sans être exhaustif, on peut citer DILTHEY, *Le monde de l'esprit,* Paris, Aubier, 1947. MANNHEIM (K.), *Idéologie et Utopie,* Paris, Rivière, 1956. SCHUTZ (A.), *Le Chercheur et le quotidien,* Paris, Méridiens Klincksieck, 1986. Cf. également une bonne synthèse sur la socialité in BERNARD-BECHARIÈS (J.F.), « Meaning and Sociality in Marketing, Guidelines for a Paradigmatic Research », in *International Review of Marketing Research.*

# Index nominatif

# Table des matières

---

Achevé d'imprimer en janvier 1988
sur les presses de l'imprimerie Laballery — 58500 Clamecy
Dépôt légal : janvier 1988 Numéro d'impression : 708045